# МАРШ ТУРЕЦКОГО

Фридрих
# НЕЗНАНСКИЙ

# Смертельный лабиринт

МОСКВА
2007

УДК 821.161.1-312.4
ББК 84(2Рос=Рус)6-44
Н44

Серия основана в 1995 году

*Эта книга от начала и до конца придумана автором. Конечно, в ней использованы некоторые подлинные материалы как из собственной практики автора, бывшего российского следователя и адвоката, так и из практики других российских юристов. Однако события, место действия и персонажи, безусловно, вымышлены. Совпадения имен и названий с именами и названиями реально существующих лиц и мест могут быть только случайными.*



Подписано в печать 25.07.06. Формат 84x108 1/32.
Усл. печ. л. 20,16. Тираж 11 000 экз. Заказ № 4367 Э

ISBN 5-17-039947-2 (ООО «Издательство АСТ»)
ISBN 5-7390-1964-8 (ООО «Агентство «КРПА «Олимп»)

## Глава первая

## ТРУП НА ОБОЧИНЕ

### 1

До Нового, 2006 года оставались считаные часы. И поэтому Лида Бородулина, которой недавно, в самом начале декабря, исполнилось наконец четырнадцать лет, что определенно указывало на ее наступившую «взрослость», пусть пока только по паспорту, который она собиралась получать уже в новом году, торопилась.

Новогодний праздник ей впервые в жизни родители разрешили встречать у подруги детства, как с улыбкой сказал папа. То есть у Наташки, учившейся с ней в одном классе — девятом «А» — и проживавшей в том же доме, но этажом ниже. А Наташкины родители собирались отмечать событие в квартире Бородулиных, с которыми, как и их дочки, дружили больше десяти лет — с того светлого дня, когда одновременно получили трехкомнатные квартиры в многоэтажном доме на Снежной улице в Свиблове.

Девочкам было понятно, что родители, давая им разрешение «оторваться» на полную катушку, на самом деле не оставят их без своего внимания и опеки. Конечно, они станут приходить по очереди, поздравлять, желать там всякого, раздавать подарки, а сами действительно «оторвутся» в отсутствие детей. Но это все неважно в настоящий момент, потому что они разрешили пригласить и подруг из класса, кого могли отпустить на всю ночь родители, а главное, мальчиков — без них какой праздник!

Вот с такими мыслями, предвкушая стремительно приближающееся веселье, Лида приготовила себе новогоднее платье, на которое потратила немало выдумки, с тем чтобы прийти и сразу переодеться, после чего отправилась на ежедневную каторгу — выводить на снежок непослушного и своенравного Тузика — белого шпица, который определенно считал, что хозяева просто обязаны дважды в день предоставлять ему полную свободу. И в ожидании наступающего часа он уже заранее начинал лаять, вертеться у всех под ногами и постоянно бегать в переднюю, обнюхивая дверь, — наглядно демонстрировать, что он уже готов, он созрел для обязательного моциона, и пусть об этом никто не забывает. Ну да, забудешь тут!

Обычно Лида, когда вместе с ней выходила на вечернюю прогулку и Наташка — просто поболтать, на людей посмотреть, пофорсить новым пальто или красивой шапкой, — отпускала Тузика с поводка. И тот немедленно уносился куда-то между домами, в одному ему известном направлении. И вечером, особенно зимой, искать его было делом гиблым, он сам прибегал, выкинув набок красный язык и прерывисто дыша. Где и чем он занимался это время, Лида даже и не пыталась узнать — Наташка была та еще болтушка, и полчаса — сорок минут пролетали незаметно. Но сегодня Наташка была как бы за хозяйку, а Лида должна была подойти к ней ну хотя бы за полтора часа до Нового года, чтобы помочь расставить посуду, так как гости придут за час до курантов, чтобы проводить старый год, как положено. Вообще-то, по соображениям родителей, им положено услаждать себя всякими кока-колами, соками и сладкими напитками, но мальчики ведь обязательно принесут тайно бутылочку, а то и две, легкого вина. Да и без шампанского тоже наверняка не обойдется — праздник так праздник!

Предвкушая торжество и представляя, как она будет выглядеть в новом белом платье из тафты с блестками, словно невеста, Лида решила не рисковать с прогулкой и воли своенравному Тузику не давать. Потому что он убежит, а потом жди его, пока надумает вернуться. И сколько времени уйдет, неизвестно. Ничего, сегодня он побегает на поводке, не барин, все равно папа еще раз выйдет с ним среди ночи — раз в доме гости, да еще на большую часть ночи, Тузик никому не даст покоя.

На улице белоснежный песик, полностью сливающийся с «окружающей средой», только под фонарями выдававший себя собственной тенью, попытался было ринуться по накатанной дорожке, но поводок помешал. Он повизжал возмущенно, покрутился на месте, пытаясь выскользнуть из ошейника, однако ни одна попытка не удалась — Лида предусмотрительно надела поводок с двойными петлями — к ошейнику и через все тело под передними лапами — тут не разбежишься. Сообразив, что он привязан прочно, Тузик нехотя побежал по тротуару в сторону Лазоревого проезда, где был большой пустырь и за ним спуск к реке Яузе.

Народу на улице практически не было. Спешили редкие прохожие. Ну конечно, если до наступления полночи осталось что-нибудь два с небольшим часа, поневоле поторопишься. Машины тоже отсутствовали. Падал редкий снежок, и крупные снежинки мягко садились на рукава дубленой шубки, сверкая в свете фонарей. Красота! Жаль, что Наташка отказалась от вечерней прогулки, — совсем не холодно, но здорово, настоящая новогодняя ночь!

Тузик свернул со Снежной на Лазоревый и вдруг, фыркнув, заторопился, быстро перебирая лапами и до отказа натягивая поводок, и так уже выпущенный до конца. «Куда это его несет?» — подумала Лида, но шага не ускорила. Наверняка там, впереди, он учуял какую-нибудь сучку, до чего ж развратный этот пес! Ничего, обойдется... Сегодня не его день, не его праздник... Поскорее бы уж лапку поднял, что ли... И чего рвется?..

Между тем Тузик чуть ли не до звона натянул поводок и при этом начал как-то странно поскуливать, подвизгивая при этом. Никогда раньше не слышала таких звуков Лида. А тянул он в сторону стоящей впереди, у обочины тротуара, темной машины с включенными фарами. Левая передняя дверца у нее была открыта, но никакого движения вокруг не наблюдалось. Не было рядом людей. Впрочем, может быть, шофер просто распахнул дверь, чтобы покурить в ожидании пассажира? А вдруг в машине сидят бандиты, и они поджидают свою случайную жертву, чтобы схватить ее, запихнуть в багажник и увезти неведомо куда — для выкупа?! Только этого еще не хватало!

На всякий случай Лида свернула на боковую тропинку, протоптанную жильцами ближайшего дома для того, чтобы не обходить квартал, а срезать угол прямо к подъезду. Но Тузик не желал ей повиноваться, и пришлось его завернуть прямо-таки силой. Он подчинился, но скулежа своего странного не прекратил, а, напротив, стал взлаивать — протяжно, с подвывом. Совсем с ума сошел. Что его так тянуло к этой странной машине?

Он затянул-таки Лиду в сугроб, еле выбралась и решила немного Тузика наказать за непослушание. Подтянула за поводок и стала ему строго выговаривать. Он делал вид, что преданно смотрит ей в глаза, а сам косил в сторону машины. Наконец Лиде это надоело, и она постаралась вглядеться, что там, у машины, могло так заинтересовать — или испугать? — собачку? Но если боится, чего рвется туда? Никакой решительно логики!

Всмотрелась и поняла, что возле машины, прямо на тротуаре, лежало что-то темное, будто мешок выбросили с мусором. Такие мешки из черного пластика теперь многие соседи выносят прямо к мусорным контейнерам, а не выбрасывают всякую дрянь в мусоропровод. Наверное, и эти, что в машине, решили так сделать. Но зачем же посреди улицы? Короче говоря, нечего себе голову ломать вопросами, время идет, а Тузик даже не присел ни разу, разве порядок? И Лида силком потащила собачку по тропинке между деревьями.

Возле парадных дома, к которому она вышла, было все расчищено от снега, ярко светили лампы над козырьками подъездов, а у среднего взрослые и дети устанавливали настоящую, живую елку, собираясь украшать ее игрушками, мишурой и лампочками. Лида подошла поближе — посмотреть. И тут увидела участкового, который частенько наведывался в их двор. Его хорошо знали в округе и звали по-домашнему: дядей Сережей. Папа говорил, что он — неплохой мужик, потому и хулиганства в их дворе не наблюдается. Такое вот мнение. Лида немножко подумала и подошла к компании взрослых, которым участковый что-то рассказывал веселое, потому что те смеялись.

— Дядь Сережа, извините, — решилась наконец Лида.

— Чего тебе, девочка? — Тот обернулся.

— Понимаете, я с Тузиком гуляю... Я не из этого дома, а со Снежной...

— Ну и что у вас на Снежной? — улыбнулся участковый. — Уже встретили Новый год? Или только собираются? — Он хитро подмигнул ей. — Хороший песик, славный, как зовут? — Он погладил собачку, Тузик разрешил это сделать, даже не огрызнулся — вот же странность! Прямо одно к одному.

— Тузиком.

— Смотри-ка, славное имя! — засмеялся участковый и вместе с ним остальные, повернувшись к Лиде. — Ну и что твой Тузик натворил такого, что потребовало вмешательства милиции в новогоднюю ночь?

Народ веселился, высказывая различные предположения. Но Лиде было совсем не весело.

— Там, — она показала варежкой, — у обочины стоит странная машина. Фары горят, дверца настежь и какой-то мешок валяется. Обычно Тузик ни на какие машины внимания не обращает, а тут просто рвется с поводка и странно воет. Я испугалась и не подошла, — созналась Лида.

— И правильно сделала, умница девочка, — успокоил участковый. — Тебя как зовут?

— Лида Бородулина, я из дома три по Снежной, на седьмом этаже, квартира восемьдесят девять, второй подъезд.

— Знаю. Ну ладно, мужики, гуляйте, только из окон не выпадайте, а то случалось. С наступающим вас! Пойдем, Лида, поглядим, что там твой Тузик налаял.

Мужчины дружно попрощались с участковым и продолжили украшать елку, воткнутую в высокий сугроб.

Машина стояла на том же месте, и мешок по-прежнему лежал возле открытой дверцы. Приближаясь к машине, Тузик словно вспомнил свои обязанности и затянул заунывный вопль.

— Смотри-ка, — обратил внимание участковый, — чует собака...

— Что чует, дядь Сережа? — чувствуя на спине противные мурашки, спросила тихо Лида.

— Что он чует, я сейчас узнаю, а ты постой-ка тут, незачем тебе это видеть, девочка, да еще перед Новым годом.

И дядя Сережа, прямо шагая по неглубокому сугробу, направился к машине. Вот подошел, нагнулся, что-то поделал руками, выпрямился и огляделся. Достал из кармана телефонную трубку и стал куда-то звонить. Потом сунул ее обратно, в карман, и крикнул Лиде:

— Девочка, обогни машину, — он показал руками, — и подойди с той стороны, я кое-что спросить у тебя хочу. Только Тузика своего подбери, не надо, чтоб он тут бегал.

Лида, вслед за рванувшим Тузиком, побежала по тропинке к тротуару, где и взяла собачку на короткий поводок. Приблизилась к машине, дергая Тузика, который так и рвался к тому мешку. Участковый обошел машину, приблизился. Наклонился и потрепал Тузика по голове и острым ушкам:

— Молодец, собачка, умница... Скажи мне, Лида, ты, когда шла, кого-нибудь около машины или неподалеку не заметила? Я понимаю, что всех в округе знать ты не можешь. Но, может, кто-то показался странным? Бежал там, оглядывался, вообще торопился, идя тебе навстречу, лицо отворачивал, нет? Машины, может, отъезжающие?

Лида стала думать вслух. Людей-то она видела, и все они торопились, что также объяснимо. Куда шли, в каком направлении? В основном к домам — от метро «Ботанический сад». Может, шли и от автобусной остановки, но самого автобуса она не видела.

— Перестань, Тузик! — одернула она собаку, которая так и рвалась к тому мешку. — А еще я видела... Или нет? Показалось?.. Вон оттуда, от Лазоревого, куда мы с Тузиком и направлялись, и пошли бы, если бы не этот его противный вой, повернула туда, к метро, машина. Единственная, кстати, которую видела, кроме этой. Мы уже полчаса гуляем — и ни одной больше не было.

— Какая машина? Примерно как хоть выглядела?

— А как наша «Нива».

— Точно? Не показалось?

— Да нет, я поэтому и не обратила внимания. Если б иномарка какая-нибудь...

— Ну спасибо тебе, Лида, хоть что-то имеем. Значит, полчаса назад?

— Около того. А что произошло, дядь Сережа?

— Ладно, скажу, только ты не бери в голову, а ступай-ка себе домой и празднуй Новый год. Если потребуется что-то уточнить, к вам зайдут, ладно? Только ты скажи родителям, чтоб не волновались зря.

— А из-за чего волноваться, дядь Сережа? — любопытствовала Лида.

Тот вздохнул и нехотя ответил:

— Вот видишь, кому праздник, а кому самая работа... Человека, похоже, убили.

— Как убили? — испугалась Лида, но сразу почувствовала какой-то странный, гнетущий интерес к этому жуткому событию. — Застрелили?

— А почему ты так решила? — с ходу среагировал участковый. — Слышала что-нибудь? Хлопок там громкий, нет?

— Нет, я ничего не слышала. И никого возле этой машины тоже не видела. Иначе бы запомнила. А кто он, убитый?

— Вот сейчас подъедут те, кому это надо знать, и разберутся. А ты близко к машине не подходи, можешь нечаянно следы затоптать. Снег-то свежий, хорошо заметно. Ну иди, хорошо тебе встретить праздник, привет родителям.

Ничего не оставалось, как уходить. Лида взглянула на часики и ужаснулась — время-то как несется! Уже без четверти одиннадцать! Сейчас гости придут, а она все с этим Тузиком не развяжется! Одеться же еще надо, причесаться... Платье новое...

Лида буквально поволокла Тузика, упиравшегося всеми лапами и отчаянно отбрыкивавшегося из-за того, что его лишали столь важного для него зрелища.

— С Новым годом, дядя Сережа! — крикнула она и помчалась домой. Ну будет теперь что рассказать! Жаль только, что нельзя было подойти к трупу поближе, участковый не разрешил, но все равно — это событие на сегодня из ряда вон!..

## 2

Дежурить в новогоднюю ночь — это, без всяких преувеличений, садизм в чистом его виде. Или мазохизм — черт его душу знает. А может, и то, и другое вместе. Так думал дежурный по отделу внутренних дел «Свиблово» майор милиции Перфильев, принимая за час с небольшим до полуночи телефонный звонок участкового уполномоченного района «Старое Свиблово» капитана Рогаткина. Вот же беспокойный мужик! Добрые люди уже рюмки наливают, провожая две тысячи пятый год под что-нибудь вкусненькое с хренком, чтоб тот не обижался и зла не таил, а Сергею Захаровичу, вишь ты, труп выпал! Вот же невезение! А что делать? Хоть ребят, дежуривших сегодня, и жалко, а надо давать команду на выезд. «Скорую» Рогаткин уже сам вызвал. Только там не доктор, поди, нужен, а медбрат с носилками и трупо-возка. Ну что ж, однако, пусть посмотрят... Надо же, не повезло кому-то...

От Игарского проезда до Снежной улицы, где произошло убийство, ходьбы-то пятнадцать минут, а на машине и того меньше, да и транспорта на дорогах сейчас практически нет. Так что если ребятки быстро обернутся, еще и проводить успеют — по крохотулечке, для блезиру, не больше.

Но это так казалось сердобольному Перфильеву, пославшему дежурную бригаду на выезд, даже и не предполагая, какой шум поднимется, когда будет установлена личность потерпевшего и он сам же станет звонить дежурному по городу. Потому что по прибытии на место группа обнаружила там уже вызванную ранее «скорую». И молодая врачиха, которой бы сейчас в парадном платье возглавлять праздничный стол, стояла возле трупа молодого мужчины, лежавшего в скорченном виде на правом боку — как выпал из машины, и не видела для себя никакой работы. Лечащему врачу вообще делать было нечего, только патологоанатому, да и то не здесь, а в морге. И озабоченный участковый, стоя рядом с ней, оправдывался тем, что подумал, будто пострадавшему еще можно помочь. Он же не переворачивал лежавшего на тротуаре человека, а только пощупал пульс на шее. Сперва показалось, что есть, потом — вроде нет. Он же не врач!

И когда подъехал микроавтобус «Газель» с дежурной группой, доктор высказала свои соображения, назвала адрес, по которому надо везти тело, пожелала вновь прибывшим удачи в Новом году, села в автомобиль и укатила в больницу, где дежурившие в сегодняшнюю ночь врачи, медсестры и нянечки наверняка уже накрыли небольшую «полянку». Счастливая!..

«Газель» развернули таким образом, чтобы она своими фарами могла хорошо осветить место происшествия. Врач, надо отдать ей должное, поступила грамотно, возможных следов не затоптала. Тут иначе обстояло дело. Оставленные, вероятно, убийцами следы были ими же, скорее всего, тщательно разметены, непонятно только чем: никакого веника рядом не было. Но кое-что найти еще было возможно. И эксперт-криминалист немедленно этим делом занялся. А судмедэксперт взялся за осмотр трупа.

Из карманов покойного были извлечены фактически пустой бумажник, удостоверение, какие-то сложенные вчетверо документы, а из брючного кармана несколько небрежно смятых стодолларовых купюр. Все это руководитель группы разложил на столике в «Газели» и принялся изучать. Ни паспорта, ни телефона не обнаружили. Оперативник же завел разговор с участковым, обнаружившим труп здесь, на обочине.

Поначалу дело казалось рутинным, как при всяком выезде «на труп». Судебный медик нашел два огнестрельных ранения головы потерпевшего, причем одно было касательным и особого вреда нанести не могло, зато другое оказалось несовместимым с жизнью. Первая пуля задела висок, но лишь содрала кожу, и, вероятно, искать ее надо будет где-то под обивкой салона машины — снаружи корпуса выходного отверстия не нашли.

— Скорее всего, — заметил судебный медик, — при первом выстреле голова молодого человека откачнулась в правую сторону и назад, а вторая пуля вошла ему в голову над височной костью, застряв в черепе. Выходного отверстия не нахожу. Эта рана и оказалась смертельной для него.

Стреляли, по его убеждению, с близкого расстояния, но и не дальше трех метров.

— Следовательно, — подсказал он эксперту-криминалисту, — следы убийцы надо искать именно на таком расстоянии.

Они ручным уже фонарем осветили предполагаемое место, где находился убийца, и действительно обнаружили в невысоком сугробе вдоль тротуара два следа, напоминавших те, что оставляют женские сапоги на средних каблуках. Проверили еще раз и увидели, что следы эти начались еще на проезжей части дороги, а потом продолжились за машиной и снова исчезли на проезжей части. Можно было предположить также, что женщина не стояла здесь в ожидании своей жертвы, а просто шла мимо и, увидев лежавший труп, обогнула его, зайдя даже в сугроб, и поспешила дальше.

Принялись за участкового, который уверял, с чужих слов, со слов случайной свидетельницы, девочки из соседнего дома, которая тут прогуливалась с собачкой, что здесь никто, по ее утверждениям, не проходил. Правда, никаких собачьих следов с этой стороны машины обнаружить не удалось. Но, опять же, откуда ей, этой девочке, было знать, сколько времени тут простояла машина? Одним словом, нужна девочка.

Участковый Рогаткин предложил вызвать ее для уточнения завтра, все-таки Новый год через минуту-другую, но следователь, которому этот выезд был, что называется, серпом по одному болезненному месту, оказался формалистом.

— Ты знаешь, где она живет, вот и приглашай немедленно.

Ох и разозлил же он Рогаткина!

— Ну раз ты такой настырный, капитан, — веско сказал Сергей Захарович, — ступай сам и ищи по квартирам, подходящее время нашел, людям настроение портить. Вон он, дом ее, а в какой квартире живет, не знаю. Лидой зовут, устраивает? Валяй, обходи все квартиры, там тебя тепло встретят!

Сам капитан милиции, Рогаткин не терпел дурацкого формализма. Сказала же девочка, что никого рядом не видела, чего ему еще? Надо, чтоб увидела?

Кажется, его злость подействовала на следователя.

— Ладно, — сказал тот недовольно, — завтра сам уточни и пришли ее ко мне на Игарский. Если малолетка, пусть с родителем пожалует... Ну чего, вызываем труповозку?

— А кого хоть замочили? — поинтересовался оперативник.

— В ксиве написано: Морозов Леонид Борисович, сотрудник РТВ, тележурналист. Это чего означает? Который по «ящику», что ли, вещает?

— Как ты сказал? — насторожился Рогаткин.

— Да Морозов же, — поморщился следователь. — Этих Морозовых как собак!..

— Леонид Морозов, говоришь? — повторил участковый. — Телик тебе, капитан, надо смотреть иногда, тогда б ты знал, кто он. Это же «Честный репортаж»! Что, не в курсе? Ну ты даешь! Народ рассуждает так, что его после каждого репортажа запросто могли бы «замочить». Он таких людишек за задницу берет, что ой-е-ей! Такой криминал вскрывает! Поэтому, если не хочешь больших неприятностей на свою шею, звони-ка поживей в «город».

— Считаешь, надо? — забеспокоился наконец следователь. — А интересно, как он тут оказался? Что, живет поблизости?

— Так это ты и выясняй, — с насмешкой посоветовал участковый. — Прямо завтра с утра и начинай бегать. А я не знаю, где он живет. Я его тут не видел ни разу, иначе б узнал... Ну ладно, ребята, если я вам больше не нужен, я пошел. Мой опорный в седьмом доме, если что, заезжайте. А я схожу за порядком пригляжу...

И он ушел, а бригада осталась ожидать труповозку. Следователь же принялся названивать дежурному, чтобы поделиться с ним «приятной» новостью. Но дежурный долго не отвечал. Посмотрев на свои часы, следователь чертыхнулся: именно сейчас часы на Спасской башне Кремля били свои положенные двенадцать ударов, а вся страна стояла с полными бокалами в руках, ожидая двенадцатого удара, чтобы хором заорать на весь белый свет: «Ур-ра-а-а!!!».

А группа стояла как в воду опущенная.

— Слышь, Евсеич, — обратился следователь к судмедэксперту, — у тебя там, часом, не завалялось капель по пятьдесят?

— Полагаешь, надо? — спросил тот.

— А мы что, не люди?

— Правильно, — поддержал оперативник. — А ты, Колька, дома тяпнешь, — сказал он водителю.

— А у меня, мужики, пара бутербродов с колбасой от ужина осталась, — заявил криминалист. — Так ведь и не съел, словно душа чуяла, что еще пригодятся. Ломайте пополам.

— Давай, мужики, с Новым годом, — печально произнес тост следователь, — и чтоб «глухарей» поменьше.

— А зарплаты — побольше, — в тон ему добавил оперативник, принимая от следователя стаканчик со своей мизерной порцией спирта. — Надо же, не повезло парню... И когда? В самый Новый год.

— Значит, крепко его кто-то не любил, — заметил судмедэксперт, завершая круг после криминалиста, выпившего молча. — Что ж, земля ему пухом, а нам, так уж и быть, во здравие...

## 3

Старший следователь Управления по расследованию бандитизма и убийств Московской городской прокуратуры, советник юстиции Сергей Климов, которому выпало дежурить первого января, был уверен: как он пройдет, этот день, таким будет и весь год. И если день окажется сволочным, значит, и в наступившем году нечего мечтать ни о следующем звании, ни о прибавке, естественно, к зарплате. И отправился на службу — трезвый и хмурый, ибо встретил праздник не у себя дома, а в кругу своей немногочисленной родни, толком даже и не выпив. Он же знал, да и все вокруг знали, что с утра ему на работу. А теперь, в полупустом вагоне метро, он с закипающей в нем злостью наблюдал за немногочисленными нарядными пассажирами, как правило парами, которые неторопливо и устало возвращались из веселых компаний к себе домой, чтобы сперва отоспаться, а потом, к обеду, хорошенько опохмелиться. У них у всех... ну у большинства, впереди были целых десять свободных дней! Гуляй — не хочу!

А вот внешность Сергея Никитовича являлась полной противоположностью его мрачному характеру. Если кто помнил известное репинское полотно, где пьяные запорожцы пишут хамское письмо турецкому султану, тот не мог не обратить внимания на фигуру черноусого казака в черной папахе, сидящего за столом — слева от зрителя. Так вот, Климов, несмотря на то что был чистокровным донским казаком, определенно смахивал на того запорожца — и удивленным своим видом, как бы навсегда приклеенным к нему, и пышными вислыми усами. Папахи только не носил — чего нет, того нет. Короче говоря, внешность запоминающаяся, колоритная, иначе и великий Репин не стал бы помещать подобный типаж в центре картины.

Поэтому, видимо, и некоторые культурно воспитанные граждане малость остолбеневали при виде Климова — он им определенно кого-то знакомого напоминал, а вот кого, догадывались редкие из них. Самому Климову давно надоела эта «похожесть», и он бы изменил свой внешний имидж, но было жаль усов с пышными подусниками, такие долго и тщательно надо растить.

Ну, короче говоря, свое послепраздничное тяжелое настроение сердитого завистника и брюзгливого старика, хотя лет ему было отнюдь не так много, всего к сорока годам подходил, он и принес к себе в кабинет, пытаясь угадать, что ему пошлет-таки судьба — удачу или?..

А оказалось, что судьба уже «позаботилась» о нем, и еще со вчерашнего вечера его ожидал, что называется, новоиспеченный труп. Плохо начинать год с покойника, тут двух мнений быть не могло. Дежурный ГУВД по городу, которому доложил об убийстве известного телевизионного журналиста и произведенных предварительных оперативных действиях руководитель дежурной бригады ОВД «Свиблово», поставил в известность о происшествии коллегу из Мосгорпрокуратуры, а тот, зная, кто его сменит, оставил сообщение из сводки ночных происшествий Сергею Никитовичу Климову. Предпринимать какие-то действия новогодней ночью было в высшей степени бессмысленно — это понимали все причастные к этому делу, раз по горячим следам ничего выявить не удалось. Даже о самом журналисте узнали подробности только под утро, когда удалось дозвониться до дежурного на телецентре.

В общем, если представить себе лесенку, по которой шла информация о происшествии, то она выглядела так: от участкового уполномоченного — к дежурному ОВД «Свиблово», от руководителя оперативно-следственной бригады — к дежурному по ГУВД, а дальше известие пошло по двум направлениям — на телевидение и в Мосгорпрокуратуру. И те, и другие вышли на последнюю инстанцию — к дежурному Генеральной прокуратуры. Ну а дальше волны покатились к руководству той и другой организаций, а встретились они, то есть пересеклись, наложившись одна на другую, у помощника главы кремлевской администрации. У последнего, разумеется, не было с утра иных неотложных забот, кроме как немедленно начать заниматься изучением важнейшей проблемы очередного наступившего года, другими словами, выяснять вопрос: почему застрелили ведущего телевизионного деятеля, чьи репортажи всегда вызывали негативную реакцию общества в отношении собственной же демократической власти? Это и в самом деле черт знает что, если вдуматься! Продолжают убивать совесть России!.. Мало им?.. И начнутся перечисления погибших глашатаев, дела по которым до сих пор так и не завершены. Значит, кому докладывать? Главе администрации? А может, сразу самому президенту? В принципе происшествие того стоит — опять ведь всколыхнутся все средства массовой информации, начнутся гневные протесты, широковещательные заявления для печати, митинги возмущенных коллег...

А как же иначе? Ведь такой всем гражданам России шикарный новогодний отпуск Государственная дума преподнесла! Чем же им сейчас еще заниматься, когда других дел нет? Конечно, протестовать и обвинять! А там, следом, и европейские правозащитники свое веское слово скажут! Опять, мол, в России «глашатаев свободы и демократии» убивают! Доколе?! И вообще, стоит ли принимать страну, не сумевшую еще освободиться от оков тоталитаризма, во Всемирную торговую организацию? Ну а как вся эта очередная международная свистопляска начнется, как только прилетят «первые ласточки», тут и президент захочет успокоить общественное мнение. Выступит специально либо воспользуется случаем, например приездом кого-нибудь из важных зарубежных коллег, чтобы сообщить гражданам свободной и демократической России о том, что расследование трагического происшествия взято им под личный контроль...

Размечтался Климов в ожидании дальнейших указаний для себя лично. Ясно же, что на уровне Бабушкинского отдела внутренних дел это трагическое происшествие никто не оставит. А если расследование передадут ему, то здесь тоже могут маячить два варианта последствий. Либо он с этим делом выйдет на куда более высокий уровень, где он станет заметным, где о нем заговорят наконец, либо же сломает себе шею, и останется убийство «глухим висяком», как уже стали ими уголовные дела, возбужденные по убийствам Листьева, Холодова и других журналистов. И не только у нас, но и в бывших братских республиках, ставших суверенными странами... Нужен только очередной повод, чтоб сразу всех вспомнили.

И пока он сидел в ожидании этих указаний, судьба в лице руководителя канала РТВ, Геннадия Васильевича Сапова, в буквальном смысле ошарашенного трагической вестью, соединила его с московским прокурором, меньше всего ожидавшим подобного рода происшествий в то время, когда он с большим удовольствием завтракал в окружении собственной семьи. И то, что его оторвали от этого приятного занятия, он воспринял крайне негативно, что и собрался было уже высказать позвонившему.

Но когда он, после кратких традиционных поздравлений, услышал об убийстве, и не кого-нибудь там, а того самого Леонида Морозова, который не раз доводил прокурора до бешенства своими риторическими вопросами в адрес городской прокуратуры и лично господина прокурора, мгновенно возникшее было облегчение сменилось глухой тревогой — ведь теперь дышать не дадут! На голову сядут, советами сверху замучат...

Еще подумал, пока гендиректор РТВ в ожидании «высокой» резолюции «висел» на проводе: а может, попробовать перекинуть? Мелькнула такая мысль, показавшаяся не самой бесплодной в данный момент.

— Я в принципе уже в курсе, сводки ГУВД по городу и так далее. Понимаете?

Гендиректор подтвердил свое понимание.

— Но происшествие случилось в середине ночи, и на месте уже побывала опергруппа во главе со следователем, — продолжал прокурор. — Поэтому нам необходимо какое-то время, чтобы разобраться с этим печальным событием с целью возбуждения уголовного дела по факту смерти известного журналиста. И, во-первых, ответить для себя на главный вопрос: что это было? Заказное убийство, связанное со служебной деятельностью указанного лица, или чья-то месть, к примеру на бытовой почве? Зависть к удачливому журналисту? Оскорбленный муж, например? Это — живая жизнь, в ней всякое случается. Может быть также и масса иных версий происшедшего, которые, скажу вам откровенно, насчитываются в нашей работе иной раз десятками, если не больше, при аналогичных убийствах. И все они потребуют, разумеется, самой тщательной проверки. Потому что придется опросить огромное количество людей.

— Нет, ни о каких бытовых версиях здесь не может быть и речи, Прохор Петрович, — раздраженно настаивал Сапов. — Причину мы видим именно и только в профессиональной деятельности Морозова. Он успел многим основательно потрепать нервы, проще говоря, насолить, ибо постоянно поднимал острейшие современные проблемы, которые мало кто хотел бы видеть обнародованными. Впрочем, не вам мне это говорить, уж вы-то тоже, я знаю, вполне могли иметь к нему претензии по собственному ведомству.

Со стороны гендиректора какого-то там телевизионного канала это был уже неприличный, даже непозволительный выпад, который мог привести к нехорошим выводам, будто Московская городская прокуратура, раскритикованная в отдельных материалах тележурналиста, была заинтересована в его физическом устранении. Этак ведь и черт знает до чего можно дойти! Следовало дать отповедь!.. Но, подумав, прокурор решил не реагировать никак, мог же он не расслышать бормотание явно не совсем еще протрезвевшего «телевизионного чиновника», неизвестно как сумевшего дозвониться к нему домой? Вполне мог.

— Я понял вашу мысль, — сухо ответил прокурор. — Будьте любезны оставить ваши координаты у дежурного прокуратуры, и вас известят о наших дальнейших действиях. Всего вам хорошего в Новом году.

Трубка была положена, но настроение не улучшилось. Еще поразмышляв, прокурор раскрыл свою телефонную книжку и нашел фамилию первого помощника генерального прокурора. Набрал его домашний номер. Почти сразу услышал ответ:

— Турецкий слушает.

Прокурор поздоровался, поздравил с праздником, пожелал здоровья домашним и услышал в ответ те же самые пожелания. Заговорил о деле. Точнее, проинформировал, полагая, как он оговорился, что дело это не рядовое и средства массовой информации с шеи теперь, конечно, не слезут. Турецкий согласился, но спросил, что, собственно, хотел бы услышать прокурор? Кто проводил предварительное расследование, уже ясно. Он согласен с прокурором, что ОВД, вероятно, не тот уровень, на котором должны расследоваться подобные преступления, но Мосгорпрокуратура, в которой всегда были отличные кадры профессионалов, по его мнению, вполне сможет справиться с этой ответственной задачей. Если, конечно, как это нередко случается, ходоки из телевидения не доберутся до «верхних этажей», что также не исключено, и тогда наверняка вынуждена будет вмешаться и Генеральная прокуратура. А пока надо работать. Во всяком случае, генеральному прокурору он обязательно доложит, что городская прокуратура с ходу, несмотря на праздничные настроения, включилась в расследование. Это хороший тон, даже если проявит интерес кто-то из кремлевской администрации, что не исключено, можно быть спокойными по поводу их реакции.

— Работайте, — дружески посоветовал на прощание Александр Борисович Турецкий, вовсе и не подозревавший, что через короткое время ему будет официально предложено лично возглавить расследование дерзкого заказного убийства, снова, в который уже раз, связанного с профессиональной деятельностью честного и порядочного тележурналиста. А пока Турецкий вернулся к столу, решив, что новость может малость и обождать. Хотя бы до тех пор, пока он, его жена Ирина и дочь Нина не закончат праздничный завтрак. Они и так уже волчицами смотрели на него, пока он держал телефонную трубку и маялся, слушая этого осторожного зануду — московского прокурора. Но, как говорится, положение обязывает. А Косте Меркулову, заместителю генерального прокурора по следствию, он, разумеется, позвонит, но позже, надо же и ему позавтракать, зачем же портить аппетит человеку, который уехал вместе с супругой от Турецких только в начале пятого часа утра? Да и то уходили неохотно, и только по той причине, что Слава Грязнов, заместитель начальника Первого департамента МВД, обещал их подвезти прямо к подъезду. Но на пятый этаж, что немедленно выдвинул в качестве условия для своего отъезда Костя, поднимать их в своей машине, естественно, отказался. Лифт есть, ничего, не баре, ножками, ножками!.. Гости хохотали, хозяева были довольны — Новый год встретили по высшему разряду и, главное, в кругу самых близких и дорогих людей. Ну и как же после этого можно было звонить тому же Косте ни свет ни заря? Пусть отдохнет, наберется сил, придет в себя, наконец. Все равно «городу» заниматься, пусть не перекладывают свой груз на чужие плечи!..

Таким вот образом «вопрос» добрался до одной из верхних ступеней и вернулся вниз. Климов, ожидавший решения по поводу своих сомнений, получил от прокурора конкретное указание — отставить в сторону все незавершенные и незакрытые дела и приниматься за новое. Можно включить в состав своей следственно-оперативной бригады тех свибловских, которые уже проводили предварительное дознание. До очередного указания, которое может последовать. Короче, не надо терять времени, его за прошедшую ночь и так много уже упущено.

Хотел бы знать Климов, или, может быть, кто-то подсказал бы ему, что ли, что конкретно лично он «упустил» за прошедшую ночь? Но советчика или подсказчика «под рукой» не было, и подполковник юстиции снял трубку, чтобы звонить в ОВД «Свиблово» и «обрадовать» тамошних ребят своей новостью. Только этого им и не хватало, поскольку они наверняка уже разъехались по домам после ночного дежурства — если не отмечать с опозданием, то хотя бы отоспаться. А самому Климову предстояло ознакомиться с добытыми свидетельскими показаниями, протоколом осмотра места убийства, заключениями экспертов, которые те успели сделать, а также с первоначальными версиями, которые уже выдвинули по факту убийства свибловские ребята. Значит, надо, чтобы сюда, к нему, доставили все материалы, изучить их и, скорее всего, выехать на место происшествия, а затем наведаться по месту жительства и на службу покойного журналиста. И он стал писать постановление на проведение обыска в квартире покойного и в его служебном кабинете, где бы таковой ни находился.

## 4

Новогоднее утро, точнее, уже начало дня, шел двенадцатый час, было прекрасным — тихим и солнечным. Снег искрился, за ночь его нападало немало, и он лег ровным пушистым ковром, который, словно рассыпанный пух, вздымали проезжавшие мимо автомобили.

Осмотр места убийства производили ночью, при фонарях и свете фар милицейского микроавтобуса. А теперь никаких следов уже не наблюдалось. Тем не менее Климов, с помощью участкового уполномоченного Рогаткина, отыскал единственную свидетельницу, которая к их приходу в дом номер три на Снежной улице сладко спала, и во сне ее ловко переплетались веселые события прошедшей в бесконечных танцах и флиртах новогодней ночи и сладкие мысли о том, что ее одноклассник Володька явно выказывал ей предпочтение перед жутко, оказывается, честолюбивой Наташкой, которая под конец праздника даже стала немного дуться на нее, Лиду, якобы стремившуюся увести у нее кавалера. «Ну придумает же!» — улыбалась в полусне Лида, чувствуя себя необыкновенно счастливой.

Но ничто не вечно, и уж тем более счастливый сон. Ее разбудила мама и сказала неприветливым каким-то тоном, что на лестничной площадке ее зачем-то ждут два милиционера. Интересно, что она успела натворить, пока родители думали, что у детей все в порядке?

Вопрос был непонятный — какие милиционеры? Но, лениво одеваясь — «Никуда эти дяди не уйдут, подождут» — и беспрестанно зевая, вспомнила девочка, что произошло вечером на улице, когда она выгуливала Тузика. Наверное, пришли расспрашивать еще раз, как сказал вчера дядя Сережа, участковый. Ну конечно, в своей компании она всем про жуткое убийство рассказала, а вот родителям забыла, да и времени утром на разговоры не было — так спать хотелось.

Дядя Сережа в форме и незнакомец в обычной одежде долго вытирали мокрые ботинки в прихожей, а потом Лидин папа пригласил их на кухню. Там уже во весь рот зевала Лида. Родители были, конечно, немножко в шоке оттого, что она им ничего не рассказала, но быстро успокоились, когда Лида стала повторять почти дословно все то, что вчера говорила дяде Сереже.

Незнакомый молодой дядька с пышными черными усами внимательно слушал ее, а участковый, тоже позевывая, поглядывал в окно, словно ему было неинтересно и он слушает исключительно из вежливости. Потом Лида ответила на совсем простые вопросы незнакомца, после чего гости поднялись, извинились, пожелали хорошего Нового года и ушли, потому что ничего нового она им рассказать не могла.

Папа совсем не рассердился, мама просто пожала плечами — для них тоже ничего интересного в Лидином рассказе не нашлось. И девочка отправилась досыпать, досматривать сон, чтобы узнать, чем же кончится ее конфликт с Наташкой, который вчера ничем так и не закончился...

Климов не был формалистом. Он понимал, что свибловской дежурной бригаде надо выспаться хотя бы немного, поэтому не стал их собирать у себя в кабинете. Ему сейчас для лучшей ориентировки на местности вполне хватало участкового Рогаткина, который знал людей, проживавших в нескольких ближайших кварталах. Но журналиста Морозова, да к тому же «широко известного», он не знал, не было в соседних домах такого.

Климов достал свои записи и уточнил: журналист жил на улице Чичерина, и ему в кадрах на телевидении сказали, что это в «Свиблово». Но Рогаткин возразил, что говорить они могут любую чепуху, а вот улица Чичерина относится к Бабушкинскому ОВД, другими словами, это не его, Рогаткина, район, и у соседей лично ему делать нечего. И так уже Новый год испорчен.

— А чего ж у вас-то обнаружили? — задал совсем уже глупый, по мнению участкового, вопрос следователь.

— А ему, может, так удобнее было ехать к себе домой, — парировал Рогаткин. — А если б нашли его на Красной площади, чего б вы делали? В Кремле бы народ опрашивали?

Но Климов игнорировал неуместный вопрос и спросил только, как ему удобнее проехать на Чичерина? И кстати, как туда обычно ездят?

— А вот так и ездят, как им удобнее... По Снежной — до метро, а там Енисейская пересекает Чичерина.

Объясняясь со строптивым участковым, Климов уже сожалел, что не вызвал кого-нибудь из той бригады — какая-никакая, а помощь была бы. А теперь придется искать помощников в соседнем ОВД.

— А где у них расположен отдел внутренних дел?

— На Енисейской же, рядом с метро, по-моему, двадцать третий дом. Да там покажут.

— Ехать удобнее... — проворчал Климов по поводу объяснения участкового. — Это как же понимать? Значит, он остановился, или его остановили, он открыл дверь, и его застрелили, так выходит? Два выстрела, и никто не слышал? Бред какой-то, сами подумайте. Вам это разве не приходило в голову? Вы ж там все недалеко, фактически рядом были! И никто ничего не видел, никто двух — подумайте: двух! — выстрелов не слышал? Уши, что ли, от праздничного настроения всем позакладывало?

— Вот интересный случай! — будто даже обрадовался Рогаткин возможности уличить следователя в несообразительности. — Подумайте головой, в какое время это было, ну? Подсказываю: до Нового года час или чуть больше. Во всех дворах мальчишки, да и взрослые дураки тоже, петарды рвут, фейерверки запускают! Даже бездомные собаки, которые уже ко всему привыкли, и те грохота не выдерживают! А вы про какие-то выстрелы...

— Да, вы, пожалуй, правы, не сообразил, — извинился Климов. — Ну ладно, спасибо и на этом. А ваших, свибловских, мне приказано включить в следственно-оперативную бригаду, так что торг насчет того, кому какой район ближе, здесь неуместен. Благодарю вас, свободны. Хорошо вам отдохнуть в Новом году.

И вот только теперь Рогаткин почувствовал нечто вроде укола совести. Человек же не виноват, что на него в это утро убийство повесили. И опять же, он — на «вы», уважительно. Нехорошо получается, потому как что ни говори, а коллеги. Наверное, надо бы помочь, как говорится, здесь-то он вроде у себя, хозяин...

— Ладно, я вот чего подумал. Давайте-ка я вас провожу, чтоб вы не плутали в наших переулках. Мне обратно недалеко, автобусом пяток остановок, доберусь.

В ОВД «Бабушкинский» Климова встретил дежурный майор, видно только что приступивший к дежурству, и вид он по этой причине имел кислый. Ему бы кваску с хреном, да похолоднее, либо рассольчику огуречного, с чесночком. Впрочем, сошел бы и от квашеной капусты — из бочки. Про пиво и думать ни-ни! И вот все эти мысли легко прочитал на лице майора капитан Рогаткин, человек опытный в житейских делах. А с мужчиной, у которого на лице и в душе полный раздрай, говорить о серьезных вещах, таких как убийство и, соответственно, оперативно-следственные мероприятия в этой связи, тем более обсуждать их — это значит просто не понимать сути самой жизни. Ему показалось, что и Климов, как тот полицейский доберман, готов немедленно взять след и бежать по нему без остановки, куда бы тот ни привел. Но только все это красиво в американском кино про полицейских, а у нас так не бывает. Если не взяли преступника по горячим следам, ничего не попишешь, приготовься к бесконечной рутине, которая не так уж и редко заканчивается очередным «глухарем» и втыком от начальства. Которое то же самое схлопочет, но только от более высокого начальства. Ну а тем, «высоким», тоже достанется свое. Потому к делу надо относиться без спешки.

Рогаткин не хотел вмешиваться в не имеющее к нему прямого отношения расследование, но почему не подсказать? Впервой, что ли?

— Вы извините, товарищ подполковник, — обратился он к Климову, видя, что дежурный еще с трудом врубается в ситуацию. — Я б на вашем месте не терял времени, а посетил бы квартиру этого Морозова. Новый год все-таки, человек к себе домой мчался. И не приехал. Там же небось невесть что творится!

— Да, я так и думаю сделать. — Климов пожал плечами.

— Ну раз так, тогда я пошел.

— Нет, ну погодите! Если у вас есть какие-то дельные мысли, почему не высказать?

— Да это не мысли, а так... Вот смотрите. Новый, стало быть, год. Человек мчится домой. Это если домой — тоже надо знать. И вдруг останавливается почти у дома. Ну не совсем почти, но недалеко, вы сами видели — на машине меньше десяти минут. И это при интенсивном уличном транспорте. А ночью какой транспорт? Значит, остановился. Почему? Кто его остановил, когда человек торопится? Там, между прочим, я говорил, возле места, где лежал труп, в снегу были следы женских сапожек. И она стояла, наверное, не одну минуту, то есть не проходила мимо, а именно стояла. Может, ждала. И может, именно его. Не знаю. Но он остановился, открыл дверь, после чего был убит двумя выстрелами в голову, верно? Причем одна пуля прошла почти по касательной, а вторая угодила точно в висок. А если учесть, что ночь, там темно — девочка-свидетельница даже и не поняла, что человек лежит, она мне про мешок говорила, который на тротуар выбросили, вот, — то я бы сказал, что стрелял профессионал. В женских сапожках? Много вы таких видели?

— Интересно, — заметил Климов. — И что же вы сами по этому поводу можете мне подсказать? Я, честно говоря, буду очень вам, Сергей Захарович, признателен за любую дельную подсказку.

— Хорошо, подсказываю. Я, правда, уже говорил той бригаде, не знаю, записали или нет, читать мне было недосуг, да и они торопились — Новый же год был на носу! А сказал я им следующее. Вот женщина. Скажем, вам, когда вы сильно торопитесь домой по известной причине, захочется остановить свою машину из-за какой-то совершенно незнакомой вам женщины?

— А почему нет? — ответил Климов.

Дежурный майор, тяжело поводя головой из стороны в сторону, старался сосредоточиться.

— Ну если вы — вежливый человек... Если женщина молодая и красивая... И не какая-нибудь там путана, верно? На кой вам путана, если вы к себе домой мчитесь? К семье и детям? И Новый год на носу?

— Это ж еще надо знать, есть ли у него семья и дети? — внес наконец и свою лепту дежурный.

— Верно, и я об этом. — Рогаткин удовлетворенно кивнул. — Но есть еще деталь. При предварительном и, как оказалось, первом и последнем осмотре места убийства было зафиксировано, что следы на тротуаре были не затоптаны, а как бы сметены. А за ночь нападало достаточно свежего снега. Зачем той же путане нужно уничтожать следы? Причем не все, а только на тротуаре? В сугробе-то они остались. Правда, и их тоже засыпало, я показывал. Странная получается у нас путана, да?

— Ну-ну? — уже заинтересованно поторопил Климов.

— Я так полагаю, что не баба или там девка его остановила. А тот, кто потом стрелял и следы замел за собой.

— А зачем была нужна женщина? — недоуменно спросил Климов.

— А я еще и сам не знаю. Я про мужика думаю. И опять же возвращаюсь к своей мысли. Ночь. Сейчас, ну через час, Новый год. Парочка опаздывает на праздник — реально?

— Вполне! — веско подтвердил майор.

— Пытаются остановить машину. Никто не останавливается. Да к тому же и машин очень мало. Девочка говорила, что всего одну и приметила — кстати, «Ниву», которая отъехала от Лазоревого проезда, когда «мешок» уже лежал на земле. Значит, нет машин. А наш сердобольный, стало быть, телевизионный журналист остановился, чтобы спросить, что надо, и подвезти, лишнюю сотню срубить, да? А у него этих сотенных, может, полный бумажник был? Да не «может», а на самом деле наверняка был. Там, из его брючного кармана, несколько сотенных, американских, достали! Так на кой ему «деревянная» российская? И тем не менее остановился, да?

— Получается так, — уже задумчиво произнес Климов, с уважением глядя на участкового — смотри-ка, простак простачком, а шарики шурупят! — И к чему вы клоните?

— Да я еще толком и сам не знаю, — сознался Рогаткин. — Но мысля имеется... Мне думается, что баба в тех сапожках была ни при чем. Или наоборот, как раз причем. Но главным там был мужик, который потом следы смел. А про сугроб просто забыл либо не обратил внимания. То есть каждый божий день ему «мочить» заказанных клиентов не приходилось. Хотя могут быть и другие варианты. Тем не менее следите за мыслью? Он остановил ночью машину. И у нашего журналиста была причина остановиться. Вопрос: какая? Вот вам задачка на сообразительность. Думайте, а я выйду покурю пока.

Рогаткин сказать-то сказал, даже сигарету достал с зажигалкой, но на крыльцо не вышел — все стоял и смотрел, как подполковник и майор решают его задачку. Нет, не решили. И тут настал момент его торжества. Они посмотрели на него с виноватым видом. Точнее, виноватым себя чувствовал Климов, майору все было по барабану. Но — тоже любопытно.

— Объясняю! — взмахнул сигаретой Рогаткин. — Из всех случаев там мог быть только один, а в остальных журналист проехал бы мимо.

— Ну не томи, капитан, — недовольно пробурчал дежурный.

— Его мог остановить только милиционер. В форме и с жезлом! — торжественно сказал Рогаткин.

— Ну ты и додумался. — Майор даже фыркнул пренебрежительно. — Нашел виноватого!

— Погодите! — Климов тоже поднял руку. — Капитан прав. И я бы остановился, если бы мне приказали прижаться к обочине. Слушайте, вы молодец! Как дошли?

— Да я еще со вчерашнего думал... — как-то застенчиво признался Рогаткин. — Поставил себя на место покойного, смотрю, ничего не сходится. Тогда сделал наоборот, и получилось. Потому что я в форме! Пусть только попробует не остановиться! Он у меня праздник встретит в первом же «обезьяннике», вот как! Или, по вашему мнению, бывают другие варианты?

— А что тогда там делала женщина? — спросил Климов.

— А она могла как раз и быть той самой заказчицей. Или сообщницей.

— Верно, либо наоборот. — Климов задумчиво кивнул. — Ей, к примеру, остановили машину, а она всадила пулю.

— Две, — напомнил Рогаткин.

— Верно, но одну она промазала. Она дальше стояла от машины, вы сами говорили.

— Говорил. А мужик, стоящий почти вплотную к остановившейся машине, не промазал бы.

— Ну и загадочку вы загадали, Сергей Захарови

— Не без того, — усмехнулся Рогаткин. — Спе

но к Новому году приготовил, Сергей Никитов

жет, женские следы вообще не имеют никак

ния...

Оба засмеялись, хотя видимого повода для шуток не было. Но просто наступил момент некоего облегчения, когда кажется, что появилась наконец хоть малая, но ниточка, за которую можно потянуть. А уж что вытащишь — это, как говорится, дай Бог, чтоб повезло. Но стало ясно Климову, что из всех выкладок участкового вырисовывается уже, что ни говори, первая версия. И работать придется в тесном окружении лиц, близких покойному.

## 5

Постановление о проведении обыска лежало у Климова в кармане, адрес покойного ему был известен. Дело было за помощниками. И тут уже сумел наконец оценить важность вопроса дежурный майор милиции Сватков. Он выделил в распоряжение Климова дежурную же следственно-оперативную бригаду Бабушкинского ОВД, забивавшую от нечего делать «козла». Чем так сидеть, пусть хоть каким-нибудь делом займутся. Тем более что в первый день Нового года тяжких преступлений на памяти майора еще не случалось — мелочовка больше: бытовые драки по пьяному делу, поджоги от неосторожного обращения с огнем, травмы от некачественных китайских фейерверков...

Одним словом, и часа не прошло с момента появления Климова в ОВД, как бригада погрузилась в желтую с синей полосой «Газель» и двинулась на улицу Чичерина, к дому номер 17, в котором на третьем этаже, в квартире 72, проживал известный тележурналист Леонид Морозов.

Во дворе дома было полно народа — и малышни, и взрослых, которые сразу окружили милицейский автомобиль. Всем было интересно, зачем приехала милиция. Неужели так и не прошел праздник без скандала? А у кого? И когда спросили про журналиста Морозова из

семьдесят второй квартиры, никто его, оказалось, толком и не знал. И даже не подозревал, что в их доме, прямо вот так, в простой двухкомнатной квартире, обитал известный человек, которого каждый день показывали на экране телевизора, — ну надо же? Естественно, неизвестно было и с кем он жил. Но когда Климов разъяснил причину приезда милицейской бригады, охотников стать понятыми при обыске нашлось немало — а чем еще заниматься в такой день, когда голова только начала отходить от ночных «посиделок»? Короче говоря, двое мужчин из того же подъезда, которые предложили свои кандидатуры первыми, и были официально приглашены участвовать в следственном мероприятии.

Первой, кого они встретили, войдя в подъезд, была консьержка. Звали ее Маргаритой Николаевной Легостаевой. И, узнав, с какой целью появилась здесь оперативная группа милиции, — ей было все едино, что милиция, что прокуратура! — она пришла в неописуемый ужас. Схватилась обеими руками за свою реденькую седую голову и, глядя остановившимися глазами на представителя власти, буквально онемела. Ее спрашивают, а она молчит. Ее трогают за локоть, а она только вздрагивает, как от удара током. Странная женщина.

Впрочем, возможно, здесь сыграли роль сразу два фактора. Первый, разумеется, ночное убийство жильца, которого она как раз знала и даже гордилась своим знакомством. Всем знакомым рассказывала, как сам Морозов здоровался с ней за ручку, с праздниками поздравлял, а она за это смотрела по телевизору все его репортажи и поражалась его «гражданской смелости». Она потом так и сказала на допросе, особо выделив эти слова. Так что для нее смерть известного ей человека оказалась, конечно, своего рода ударом.

А вторым фактором, вероятно, могла быть эффектная внешность старшего следователя Климова. Если Маргарита Николаевна относила себя к культурной части населения, она вполне могла признать в нем кого-то знакомого и затем мучиться загадкой — на кого похож. Так, случается, ночами не могут заснуть любители разгадывать кроссворды, не припоминающие нужное слово и по этой причине готовые перебудить своими вопросами всех близких и знакомых. Возможно, консьержка Легостаева была из этой категории людей.

Она смотрела выпучив глаза на Климова и только непонимающе качала головой. Вывел ее из этого ступора жилец, согласившийся быть понятым, Игорь Васильевич Колбасов.

— Эй, Николавна, проснись! — Он потряс ее за плечо. — К тебе с делом. — И добавил уже Климову: — Вот такие у нас сторожа! А потом народ интересуется по телику, почему участились квартирные кражи? А?

Но консьержка пришла-таки в себя и довольно внятно сумела объяснить только один факт, о котором вспомнила:

— Вчера, часов в одиннадцать...

— Вечера? — тут же сделал «стойку» Климов.

— Утра, — поморщившись по поводу невежливого собеседника, перебившего ее, неохотно продолжала вспоминать Маргарита Николаевна, — к Морозову приходила молодая дама.

— Дама? — удивился Климов. — А как выглядела? И почему вы решили, что она обязательно дама? Ну молодая — понятно.

— А потому что это была не девица, — отрезала консьержка. — И обручального кольца у нее на правой руке не было. Как и на левой — значит, и не разведена. Но она была молода и прекрасна.

— Вы лицо ее запомнили, конечно?

— Нет! — гордо ответила консьержка. — Я не имею обыкновения запоминать лица дам, которые навещают молодых и обаятельных мужчин. У них всегда найдется повод не афишировать своего присутствия, и это полагается знать приличному человеку.

Вот так, получил Климов выговор.

— Но может быть, вы хоть что-то запомнили еще? В чем была одета? Высокая, низкая, толстая, стройная? И почему просто красивая? Красота бывает разной, между прочим, — съязвил Климов.

— Какая бывает красота, молодой человек, — сухо возразила консьержка, — мне знать лучше, я старше вас, пожалуй, вдвое. И я, например, сразу вижу: красив человек или нет. Как идет, как спинку держит, как голову поворачивает, как здоровается, просто кивая или протягивая руку...

— Вы, наверное, в театре служили? — с усталым вздохом догадался Климов.

— До пенсии, в обязательном порядке.

— М-да, с вами ясно... Но вы хоть какие-нибудь характерные черточки запомнили? Вас же в театре, поди, этому учили? Ну когда образ создавали? Или как это у вас называлось?..

— Я работала билетером, молодой человек. И ваши образы меня совершенно не интересуют. Я повторяю, дама была молода, красива, очень стройна и правильно держала спинку. Этого вам мало? Увы... большего я вам...

— И часто она тут появлялась?

— Я работаю относительно недавно, полгода и — через день. На моей памяти ее не было. Впервые увидела. Спросите Таисию Прокопьевну из шестидесятой квартиры, она собачку выгуливает, может быть, она видела... Но если хотите знать мое мнение, то я полагаю, что приход дамы к молодому человеку в одиннадцать поутру не может иметь никакого отношения к убийству... ах, боже мой!.. которое, по вашим словами, произошло через двенадцать часов. Абсурд какой-то!

— Ну касаемо того, как держать правильно спинку, тут я с вами не спорю, а насчет убийства позвольте не согласиться. У нас не театр, а уголовное преступление... А если мы вам, к примеру, покажем эту даму, вы ее узнаете?

— Какие могут быть сомнения! Разумеется.

— Хорошо, спасибо. Будем иметь в виду... А в своей квартире Морозов проживал один?

— Вообще-то один, но у него постоянно бывали люди. Ночевали даже. Разные, много. В том числе и женщины.

— Ничего себе... — покачал головой Климов. — Ну пойдем. — Он кивнул тем, кто был с ним.

Поднялись на третий этаж. Стали звонить в квартиру, но никто не отозвался. Было высказано предположение, что если кто и есть тут, то, возможно, еще спит. Но и на стук в дверь никто не отозвался. Зато вышли из своих квартир соседи по лестничной площадке и стали смотреть. Но и они ничего не знали и с Морозовым фактически были незнакомы. Он рано уезжал и поздно приезжал. Компании вроде бывали. Вот и все сведения.

Наконец дверь открылась, но не та, которая была нужна, а этажом ниже. И раздраженный женский голос прокричал:

— Эй, чего шумите-то? Надоели уже! Вчерась полночи тыркались, опять начали? Я терпеть больше не стану, сейчас милицию вызову! Ну никакой совести у людей! Даже в праздник от них покою нет! Чтоб вы все там!..

И, словно помогая своей хозяйке расправиться с нежелательными «гостями», оттуда же раздался громкий, почти пронзительный, заливистый собачий лай. После чего дверь захлопнулась так громко, что показалось, будто даже качнулись перила лестницы. Ну силища у тетки!

Выслушав «речь», Климов удивленно покачал головой, хмыкнул и попросил оперативника разыскать местную жилконтору, чтобы вызвать оттуда представителя, если таковой найдется, и слесаря. Он понимал, конечно, что именно сейчас, в это время дня, и найти, и разыскать, и привести — дело почти тухлое, но ведь надо же! Либо придется вскрывать собственными силами и составлять соответствующий протокол. Впрочем, протокол в любом случае придется составлять. Добавив «подождите», Климов отправился вниз. Слышно было, как в той квартире, где лаяла собака, громко прозвенел звонок.

Дверь распахнулась так, что, стой Климов поближе, ему наверняка бы расшибло нос. Он отступил еще на шаг от высунувшей голову пожилой женщины с яростно горящими глазами и сказал извиняющимся тоном:

— Вы хотели видеть милицию, гражданка? Она здесь. Я — следователь прокуратуры, вот мое удостоверение.

Тетка внимательно прочитала, что там было написано, потом сравнила фотографию с оригиналом и смягчилась.

— Это — другой разговор. Заходите, товарищ милиционер. — Ей, видать, было все едино, — что милиция, что прокуратура. — Заходите, не бойтесь, я вам все изложу в лучшем виде! Султан, фу! Свой! Не бойтесь, он не укусит...

Целых полчаса переминалась с ноги на ногу прибывшая бригада. Понятые сели на ступеньки и закурили. А Климов в это время терпеливо выслушивал рассказ гражданки Таисии Прокопьевны Твердолобовой — бывают же такие фамилии! — о ее мучениях в новогоднюю ночь.

А все началось незадолго до боя кремлевских курантов.

Ну то, что в такие праздники люди ведут себя странно, это — не секрет. И шумят, и орут, и музыку на полную мощность включают, ни о ком, кроме себя, не думая, и пляшут так, что с дорогой в свое время хрустальной люстры «Каскад» висюльки срываются и падают на пол — хорошо, не разбиваются, новых-то днем с огнем не сыщешь! Чего только не творят! А тут решили даже мебель двигать! Поди, для танцев освобождали место. Будто днем нельзя было об этом подумать! Словом, бедный Султан, и без того напуганный полуночной пальбой со всех сторон, вовсе под кровать забрался и даже от свежей магазинной котлеты отказался, а такого отродясь не бывало с ним...

— И долго они там двигали? — попытался уточнить Климов, пытаясь одновременно отвлечь Таисию Прокопьевну от страданий ее явно беспородного пса рыжего окраса.

— Так ведь... — чуточку растерялась женщина, — пока не прекратили. Я им ручкой швабры стала в потолок стучать. И вон по трубе. — Она показала трубу отопления в углу комнаты. — Громко, а ничего не сделалось. То у них там падало что-то на пол, то опять двигали. Совсем замучилась. Даже Новый год чуть было из-за них не проворонила. Ну а как куранты пробили, вроде у них там стало успокаиваться. А после и вовсе стихло. Ближе к часу ночи. Но уж какой сон после такого шабаша-то? Вот и пила таблетки, только под утро и заснула, а тут — на тебе! Снова началось! Поневоле взорвешься... И собачкины нервы тоже надо бы пожалеть, живая ведь тварь! Ей-то за что мучения?

В общем, с этим вопросом стало ясно. Климов, чтобы сгладить как-то плохое впечатление у тетки, сказал ей о причине приезда милиции и добавил, что ее свидетельства могут оказаться при расследовании убийства очень важными. Он позже зайдет и запишет их в протокол. Тетка, естественно, обрадовалась — хоть какая-то общественная деятельность.

Значит, стихло только через час после наступления Нового года... А почему, собственно, был этот шум? Гости ожидали припозднившегося хозяина? Семья нервничала и по этой причине меняла местами столы и кровати? Чушь! Хозяин был уже два часа как мертв. Но знать об этом, как предположил тот умница участковый, по идее, могли разве что сами убийцы... Любопытный вывод напрашивается.

Осталось немногое — вскрыть квартиру, но только законным путем, и проверить свои догадки.

Опер вернулся и сказал, что помещение ЖЭКа по естественным причинам закрыто. Придется начинать поиск начальства через собственную милицию, короче, надо звонить дежурному. Не любивший ненужной тягомотины, Климов предложил свой вариант. Но для этого надо было найти слесаря, что, опять же, могло оказаться делом нелегким. Выручили понятые.

— Это чего, Сашку, что ли, позвать? А можно. Только он сегодня без этого дела, — мужчина весело показал двумя широко расставленными пальцами, большим и мизинцем, известную всем русским мужикам меру жидкости, — не пойдет. Ни-ни, и говорить не о чем! В обычный день — еще куда ни шло, а нынче? Да сам Бог велел!

— Нет, ежели поставить, — как-то задумчиво заявил второй понятой, — так могу и я за инструментом сбегать. А делов тут на пару раз плюнуть. Вскрыть, потом закрыть — это мы понимаем, чтоб все по закону. Опечатать, опять же. Отчего ж? Можно, ежели на то ваша воля будет...

— Лучше, чтоб официальное лицо, конечно, но ведь и зря под дверью стоять — тоже не дело. Праздник же у людей... — тоже задумчиво заметил Климов и мысленно прикинул, сколько у него в кошельке наличных денег. Выходило так, что и на бутылку должно было хватить, и самому на обед остаться. Зря мало из дому захватил, но ведь и не рассчитывал на такой случай... Лучше б, разумеется, слесаря. Но тот не захочет идти, заупрямится. Правда, есть и милиция, прикажет, пусть попробует ослушаться... Или самим? Вот дилемма, мать ее!..

Народ стоял в ожидании его решения, и всем было начхать на то, что следователю было впору мчаться домой за деньгами. Да что, в конце концов?

— Ладно, — махнул Климов рукой, как отрубил, — идите за инструментом. Протокол о вскрытии в чрезвычайных обстоятельствах напишем...

Дверь была вскрыта действительно в течение десяти минут, из которых восемь слесарь-понятой изучал дверной замок и советовался с соседом.

Первое, что поразило вошедшего в квартиру Климова, так это полнейший разгром ее. То есть надо было сильно постараться, чтобы привести в такой беспорядок две комнаты. Книжные полки валялись на полу, книги, выпавшие из них, были раскрыты так, словно в них что-то искали. Ящики у письменного стола тоже выброшены на пол вместе со всем их содержимым. В бельевом шкафу царил разгром — белье и одежда вывалены на пол, карманы в одежде вывернуты наружу — и там искали. Но что? Телефонная трубка валялась на полу. Только на кухне был еще относительный порядок — шкафчики открыты настежь, но посуда и продукты оставались на своих местах.

«Да, — сказал себе Климов, представивший, как он станет составлять описание жилища потерпевшего, — тут не позавидуешь... Однако надо действовать, чего время тянуть?..»

— Прошу понятых присесть и не мешать работать, а группе предлагаю приступить к обыску.

И добавил уже мысленно самому себе: «А что мы, собственно, хотим найти? Ладно, будем пока действовать методом тыка, а я позвоню-ка на его работу. Пусть приедет кто-нибудь из тех, кто его близко знал. Может, хоть какой-то след отыщется?»

Вздохнув, Климов поднял с пола телефонную трубку, проверил — она работала, и он стал набирать один за другим номера студии в Останкино, где работал Морозов. Это был нелегкий труд. Но ему удалось узнать, что одним из ближайших друзей Леонида был оператор телевидения, работавший с ним практически постоянно, — Пашкин Виктор Егорович. Но его сегодня на студии нет, а давать домашние телефонные номера сотрудников у них не принято. Стало быть, надо было снова звонить директору РТВ Сапову, чтобы тот распорядился, и неизвестно, захочет ли еще этот Пашкин ехать и принимать участие в обыске квартиры своего товарища.

Но, видно, сегодня Господь Бог был на стороне следователя. Сапов понял нужду с полуслова. Сказал, что сегодня он сам подъехать никак не может, а вот если перенести на завтра, тогда... Нет, надо сегодня и обязательно сейчас. Сапов не стал звонить на студию, а нашел у себя телефон Пашкина и попросил только передать оператору его личную просьбу — помочь следствию. Для Виктора, человека четкого и обязательного, будет его слова вполне достаточно.

Это ж надо! Вот что такое корпоративная солидарность!

Пашкин был потрясен новостью и долго молчал. А потом сказал, что, разумеется, немедленно подъедет. И никаких просьб со стороны Генки — он имел в виду Сапова — не надо... Он и прибыл примерно полтора часа спустя. Ехал из Тропарева, через всю Москву. А водилы будто забыли, что сегодня Новый год, полдороги в пробках простоял, и чего им всем надо?..

Пашкина, между прочим, просто огорошил вид квартиры Леонида. Морозов, по его словам, был педантичным аккуратистом. Все вещи, каждая книжка, да что там книги, каждая бумажка в ящике письменного стола лежала исключительно на своем месте. Леня мог на ощупь, с закрытыми глазами, достать, например, из ящика нужный конверт с документами, безошибочно выбрав его из двух десятков аналогичных. И вдруг такой разгром! Да его бы, бедного, инфаркт свалил бы! Какое счастье, что Ленька этого не видит!

Вот так ляпнул Пашкин и жутко смутился — именно ляп...

Стали выяснять, что он мог, или должен был, хранить у себя дома? Может быть, очень важные документы, сверхсекретное что-то? Зря же не стали бы всю квартиру с ног на голову переворачивать! Значит, искали что-то... А что конкретно? Вот тут Пашкин должен был подумать, а ему в данной ситуации просто никакие мысли в голову не лезли. И его тоже понять можно было.

Кроме того, имелось и еще одно важное обстоятельство, которое мешало Виктору Егоровичу установить наличие пропаж в квартире. Он был в последний раз у Лени где-то с полгода назад, а за это время здесь многое могло измениться. Нет, что-то он, разумеется, знает и подскажет, но надо бы пригласить того, кто был у Леонида недавно, причем не просто в гости заскочил, а приходил по делу.

А сам он что мог сказать? Ну, во-первых, нету компьютера. У Морозова был «Пентиум-4» со всеми необходимыми прибамбасами, монитор с плоским экраном, а здесь никакой техники вообще не видно. Значит, воры унесли. На книжной полке, что валяется на полу, он хранил диски и дискеты, некоторые рабочие файлы и, что самое главное, свои записные книжки, которые цены не имели! Это же были, по сути, его рабочие дневники, записи его бесед с героями будущих телевизионных репортажей, письма с разоблачениями, просьбами, заявлениями людей, обращавшихся за помощью к известному тележурналисту. То есть вся его творческая жизнь. И ничего этого среди разбросанных книг не было.

Какой вывод напрашивался в первую очередь? А такой, что причиной для убийства Морозова вполне могла явиться его профессиональная деятельность. Искали же здесь что-то? И, видимо, второпях не нашли. После чего решили забрать все, что могло бы нести хоть какую-то информацию, чтобы разобраться неспешно и внимательно, а главное, не привлекая к себе внимания посторонних. Ведь стучали же какие-то сумасшедшие и снизу, в пол, и по трубам. Могли и в самом деле милицию вызвать. Хотя в новогодний праздник народ к шуму относится снисходительно. Но — всякое бывает. Короче говоря, собрали все записные книжки, забрали с собой компьютер и смылись. Правда, «Пентиум», монитор, клавиатура и прочее, вместе взятое, — вещь громоздкая. Значит, возможно, здесь действовали несколько человек. И выносили быстро, иначе их могли бы заметить случайные жильцы, прохожие. Ну кто под Новый год с крупными узлами ходит? Только жулики, очищающие квартиры. А чтоб сделать свой уход незаметным, воры могли воспользоваться машиной, которую наверняка подогнали совсем близко к подъезду. Через двор на улицу тоже ведь не потащишь!

Получается, что кто-то из местных мог заметить чужую машину, стоящую, опять же, на чужом месте. В подобных дворах обычно места для личного автотранспорта бывают раз и навсегда определены как бы негласно — где в первый раз поставил, то место не занимать!

Опросить всех соседей? Не видел ли кто накануне боя кремлевских курантов какого-нибудь наглеца у подъезда? А что, вполне...

Одна беда только: опрашивать сейчас жителей каждой квартиры — это в буквальном смысле потерять массу драгоценного времени. Во-первых, народ находится в состоянии глубокого похмелья либо уже опохмелился и ничего толкового не скажет. А во-вторых, если отложить обход квартир на завтра, то можно опоздать: сейчас еще факт может быть свежим, а завтра о нем каждый забудет: два дня сугубого застолья — это серьезное испытание и для мозгов. А впереди — еще неделя гулянки! Ужас!.. Так что делать?

И Климов решил заканчивать с протоколом здесь, в квартире, а оперативника отправить пока по этажам. Судебному медику делать было нечего, и его отпустили, но вот эксперта-криминалиста Сергей Никитович Климов попросил снять максимум возможных отпечатков пальцах с полированных полок, ящиков стола, дверных ручек — они могут впоследствии пригодиться. А преступники наверняка работали без перчаток, когда листали бумаги в поисках нужных им. В общем, какая-никакая, а улика.

У самого же Пашкина была только одна версия случившегося — именно профессиональная деятельность Лени, чем он и подтвердил предположение Климова. Никакой завистью коллег и никакой ревностью чьего-то обманутого супруга здесь даже и не пахло, не такой человек был Леня, чтобы размениваться на подобные мелочи. Он был прежде всего профессионалом, а значит, тут и надо копать. Да хоть бы и в последнем его репортаже, который он готовил. О чем репортаж?

— Спросите у главного — его идея, ему и карты в руки.

— Но ваш директор заявил, что оператором у Морозова были обычно вы. Неужели вам неизвестно, о чем шла речь в последнем репортаже?

Климов заметил, что у Пашкина как-то сразу закрылся рот, отвечать у него пропала охота. Попробовал отделаться общими словами:

— Да в принципе известно, коли должен был снимать... Ну об элитных ресторанах. О владельцах и контингенте этих заведений. Но съемок еще не было. А сценарного плана я в руках не держал

Потом, помолчав, он добавил, что в этой теме мало кто хотел светиться. Но Леонид всю предварительную подготовку проводил обычно сам, поэтому, если кто-то из тех, кому этот репортаж мог встать поперек горла, узнал, тогда конечно... А лично у Пашкина нет охоты повторить судьбу Леонида. Поэтому извините. Все вопросы — к главному.

Ну нет так нет, завтра пойдем к главному. И Климов отпустил Пашкина, поскольку тот ничего важного больше сказать не мог. Или не желал. Но к последнему всегда можно было вернуться.

Весь этот день у Климова фактически ушел на неблагодарное и ничего существенно не давшее расследованию дело. Опер, кого ни опрашивал, решительно ничего не выяснил. Народ загодя уселся за столы, включил телевизоры и послал все проблемы подальше. А останавливался ли кто-нибудь чужой у их подъезда, никого не колыхало — праздник же! К людям же гости заруливают! Такой день! Точнее, ночь... Иначе было бы просто глупо, какие же могут быть подозрения?.. Словом, пустой номер. Да Сергей Никитович и сам это понимал, а попросил человека поспрашивать соседей исключительно для порядка. Надо, значит, надо.

А здесь вообще можно было заканчивать. До тех пор, пока не найдется свидетель, побывавший у Морозова относительно недавно и помнящий, где что стояло и лежало. Иначе все розыски становились попросту бессмысленными. Надо было ехать на телестудию. И Климов отпустил бригаду, поблагодарив за помощь. А сам решил еще раз встретиться с консьержкой.

Маргарита Николаевна все еще не отошла от утреннего «удара» и всем приходящим в дом, не говоря уже об уходящих, рассказывала о том, что прямо в Новый год, рядом, можно сказать, с домом убили известнейшего журналиста, с которым она, Маргарита Николаевна, была лично знакома. Обаятельнейший молодой человек, всегда первым здоровался!

Появление Климова смутило консьержку. И не зря. Старший следователь строго спросил ее, не отлучалась ли она с дежурства как раз незадолго до Нового года?

Легостаева ответила, что, разумеется, нет. Это не положено, а дисциплина для нее — святое дело. Еще в театре... Но Климов бессердечно перебил ее воспоминания прямо на взлете:

— Если это так, как вы утверждаете, то каким же образом в квартире Морозова могли примерно за час до наступления Нового года, а только к часу ночи успокоившись, производить громкий шум, от которого страдали все соседи? И все это при том, что сам Морозов в это время уже лежал мертвый возле своей машины? Кто мог пройти незаметно? Кто вышвыривал на пол полки с книгами и переворачивал стулья? В течение, прошу заметить, двух часов! А затем «незаметно» выйти из дома с целым мешком похищенных вещей, я вас спрашиваю? И вы утверждаете после этого, что сидели на месте, никуда не отлучаясь? Позвольте вам не поверить!

Начальник был в гневе, поняла консьержка, и если то, о чем он говорит, все правда, ее, Легостаеву, завтра же попрут с этого места. Единственная надежда на то, что охотников не наберется сидеть тут. Но премии к Новому году уже не видать, это ясно. Ну а когда начальство разъярено, один путь — подставлять повинную голову. Ее, как известно, топор не сечет...

— Увы, я должна сознаться, что нарушила установленный режим. Но ведь кто бы мог подумать, сами представьте! Всего и отлучилась-то на два часика. Перед самым Новым годом, чтоб все-таки в семье... Вы уж помилуйте, что поделаешь, виновата...

— Ладно, это ваши дела, с начальством своим сами разбирайтесь, я про вас докладывать не собираюсь. Тем более — Новый год, сам понимаю... До свиданья.

Он хотел было сразу отправиться на телестудию, в Останкино, благо все тут находилось фактически рядом, но, поразмыслив, а главное, посмотрев на время, понял, что там если кто и есть, то сторожа да дежурные, поскольку у всех тех, для кого праздники — самые напряженные будни, даже и у них рабочий день заканчивался. Значит, с утра — по новой...

## Глава вторая

## КОЛЛЕГИ И ВЕРСИИ

### 1

Вопреки собственным представлениям о том, что шум по поводу гибели телевизионного журналиста Морозова, о котором Климов, по совести говоря, практически ничего не слышал — телевизор некогда смотреть! — был вызван, скорее всего, корпоративным сговором этих вездесущих и обязательно наглых телевизионщиков, он оказался искренне озадаченным, когда явился на РТВ. Едва он назвался и предъявил служебное удостоверение охраннику на контроле, сообщив, к кому намерен проследовать по служебной надобности, как его буквально забросали вопросами все, кто случайно находились рядом. Естественно, основными были — кто убил и за что? Хотел бы и сам Сергей Никитович ответить на эти «простенькие», с точки зрения спрашивающих, вопросики! Действительно, чего легче? И непонятно, почему это прокуратура телится, когда все, до последней уборщицы, на студии знают, по какой причине погиб Ленька Морозов и кто заказал его. А не знает этого лишь тот, кто никогда не имел никакого отношения к телевидению, не «варился» в нем и вообще — «чайник». Но общее настроение на студии, как определил его для себя Климов, было потрясение. Потрясение и ошеломление.

Только позже осознал следователь, уже переговорив и с генеральным директором, и с главным редактором канала, с шеф-редактором программы и с многими коллегами Морозова, что «сообразительность» местной публики основана на доскональном знании интриг тех многочисленных телевизионных сериалов о сыщиках и бандитах, которые давно уже заполонили основную массу трансляционного времени телевещания. Ну конечно, насмотришься, да еще, не дай бог, начитаешься этих бесконечных детективов, и тебе уже представляется, что ты и сам стал лучшим на свете сыщиком и можешь давать советы профессионалам сыска, которые, оказывается, ни черта не смыслят в таком простом деле. Стыдно, господа, за что вы хлеб государственный едите, если не можете элементарно разобраться в лежащих на поверхности версиях? Да ведь достаточно просто ознакомиться с перспективными планами канала, а еще проще — посмотреть хотя бы десяток последних «Честных репортажей» Морозова, чтоб увидеть, где зарыта собака. Тут и особого ума не надо!

К такому вот неутешительному выводу для себя пришел Сергей Никитович, наблюдая неприязненные и даже сердитые взгляды, адресованные ему. Будто он мог, но не хотел искать преступников. В общем-то понятная логика...

Почему именно в профессиональной деятельности журналиста видели его коллеги причину мести, тоже просчитать было несложно. Если журналистское расследование всякий раз вскрывает такие факты, что ими поневоле начинают интересоваться правоохранительные органы, вплоть до Генеральной прокуратуры, о чем же еще говорить?! Дураку ясно...

Хотел бы увидеть Климов того дурака, кто смог бы ему показать конкретно, а не вообще, хотя бы один из таких фактов. Что-то не помнил он, чтобы та же Мосгорпрокуратура с ходу возбудила уголовное дело по подобным журналистским материалам. Нет, оно, может, и бывало, но, как правило, «жареные» факты те же «борзописцы» получали из «своих информированных источников», которые и находились чаще всего именно в прокуратуре либо в милиции. И, как правило, когда дело уже было расследовано, а преступники понесли наказание.

Но если у них полно рабочих версий, то почему же не воспользоваться бескорыстной помощью общественности? И Климов изъявил согласие немедленно выслушать всех, у кого имеются «реальные соображения». Он полагал, что из кучи информации всегда можно что-нибудь добыть — не в безвоздушном же пространстве жил человек, а вращался в своей привычной среде. Значит, мог делиться мыслями, соображениями, даже страхами от чьих-то угроз с коллегами. Они ж все упирают на то, что журналисты, подобные покойному Морозову, всегда ходят по лезвию бритвы, постоянно живут под угрозой расправы. То есть они уже по определению личности глубоко трагические. Как хочешь, так и понимай!..

Но все же из массы мусора подтверждение одной, вполне возможной, версии следователь получил. Их долгий разговор с Пашкиным, во всяком случае, стоил того, чтобы обратить внимание на ту тему, которой в последнее время как раз и занимался Леонид Борисович. Лишь один человек, правильнее сказать, женщина назвала его так уважительно, остальные — Леня, Леонид, даже Ленька, словно был он тут не серьезный журналист, работавший под постоянной угрозой опасности для жизни, а свойский парень, с которым запросто можно было поболтать, пивка попить, по бабам прошвырнуться. Эта женщина и была главным редактором канала Мариной Эдуардовной Малининой — сухощавой с виду, неяркой какой-то и неприветливой дамой лет где-то за тридцать, высокого роста, с острым, въедливым и недружелюбным взглядом и собранными в пучок волосами, как у типичного школьного завуча.

Во-первых, она сказала, что знала Морозова лично и довольно близко, пожалуй, более десятка лет, а во-вторых, назвала последнюю тему Леонида Борисовича поистине убойной. Ибо затрагивала эта передача такие слои общества, такие личности, что кое-кому мало не показалось бы после того, как программа вышла бы в эфир. Уверенность Малининой была столь велика, что Климов, естественно, сделал «стойку», подобно охотничьей собаке, почуявшей дичь.

— Вы могли бы меня подробнее ознакомить с этой вашей версией? Вы имеете в виду рестораны и их хозяев плюс окружение? — вежливо проявил свою осведомленность следователь, не ссылаясь, однако, на Пашкина — по просьбе самого оператора. Видимо, у того были причины.

Ах, какое недовольство немедленно выразило лицо главного редактора, голова которой пухла от забот в связи со срывом очередного «гвоздя», выражаясь газетным языком, по причине известного трагического события.

— Да, конечно, оно можно бы, но... это время, время! Некогда дышать! А кстати, откуда вам известна тема его репортажа?

Однако Климову уже надоела их «таинственность».

— Так у вас тут кого ни спросишь, все только о ресторанной теме Морозова и рассуждают. А что, разве это тайна? Тогда я просто обязан вас предупредить, что от нас у вас никаких тайн быть не может. Мы убийство расследуем, тяжкое уголовное преступление! Это вам понятно? А чего это вы вдруг как будто испугались? У вас есть причины чего-то бояться? Угроз? С чьей стороны? — Он буквально забросал ее вопросами.

— У нас существует такое понятие, как конкуренция. Здоровая, я имею в виду. Хотя случается всякое, но это просто так, для общего сведения.

— Да? А она не могла стать причиной?

Малининой такая мысль, видно, в голову не приходила, она задумалась.

— На какой стадии теперь этот репортаж? — настойчиво спросил Климов. — Мне, вероятно, придется ознакомиться с вашими планами, если нет ничего более конкретного. Возможно, появится какой-нибудь след.

— Но... я думаю... — тянула Малинина.

— Да тут и думать нечего. Мы можем сесть с вами вдвоем, и я готов под вашим непосредственным руководством просмотреть, почитать и выслушать ваши профессиональные, по ходу дела, комментарии. А о времени мы уж как-нибудь договоримся. Между прочим, если вам тут разговаривать неловко, я могу вас вызвать в прокуратуру повесткой, может быть, там вам будет удобнее?

Такая перспектива не светила Малининой, и она изъявила готовность «соответствовать» прямо хоть сейчас.

Ну что ж, Климов немедленно и воспользовался «любезностью» главного редактора.

— Я сейчас распоряжусь, и вам дадут возможность посмотреть пять-шесть последних материалов, которые сделал Леонид Борисович. Это те, что уже прошли в эфире. Но если вы их не видели, то как же можете судить о том, откуда проистекает опасность для смелого журналиста?

Да, действительно, как он мог судить?..

— Вы должны понять, — продолжала поучать Климова остроглазая дама, — что работа профессионального журналиста, проводящего расследования, какими занимался Леонид Борисович, мало чем отличается, скажем, от вашей работы следователя. Или от профессии охотника, преследующего хищного зверя, смертельно опасного, когда тот подранен. Каков же вывод сделаете? Конечно, его убийство связано только с профессиональной деятельностью, тут и двух мнений быть не может. А теперь идите и смотрите. Вам покажут и помогут разобраться, а со всеми вопросами прошу ко мне...

И Сергей Никитович отправился в студию, где уже лежали большие черные кассеты с «Честными репортажами». Около десятка штук. Каждая на полтора часа просмотра. Мама родная, да это ж на несколько дней работы! — чуть не перекрестился он.

Климов прикинул время, взялся было за голову, но делать было нечего. Или следовало плюнуть на все и продолжить встречи и беседы с коллегами и родственниками покойного. Но ему почему-то показались убедительными те уверенность и напористость, с которыми беседовала с ним Малинина. Что говорило в ее пользу?

Во-первых, «физиономист» Климов полагал, что у женщин с неброской внешностью — а Малинина вовсе не показалась ему красавицей — профессиональное видение всегда на первом месте. Им не на что надеяться, кроме как на свою службу — в ней и все их интересы. А потом, тоже был уверен он, такие бабы зрят обычно в самый корень. И, судя по тому, что она одна среди всех тут, на студии, называет Морозова по имени-отчеству, она его внутренне глубоко уважает. И значит, знает, ей можно верить. Ну а раз так, надо идти и смотреть...

После нескольких часов просмотра Сергей Никитович вдруг сообразил, что ему вовсе не требуется смотреть все подряд, от и до, достаточно понять, в чем соль, а затем сразу перекрутить пленку к выводам, которыми завершается обычно любое журналистское расследование. И после этого работа пошла веселее. Треть кассет он сумел просмотреть и отметить для себя наиболее важные моменты уже до конца дня...

Остальные смотрел и анализировал в следующие два дня, и, когда он теперь появлялся на студии, народ стал его узнавать и даже острить: не на работу ли к ним устроился запорожский казак? Климов только усмехался.

А из всех просмотренных им материалов следователь поставил себе на заметку три из тех, что уже прошли эфир, и, естественно, тот последний, работа над которым у журналиста была в самом разгаре.

Под цифрой один шел «Честный репортаж», снятый в ряде губерний. Речь в них шла о местном руководстве, которое, наплевав на все и всяческие законы, использует заповедные зоны в своих губерниях для личной охоты. Факты журналист приводил просто потрясающие, вопиющие о безобразиях, творившихся в этих губерниях. Куда там «царские охоты»! Самодурство, доведенное до абсурда.

Могли быть враги? А как же! Губерний перечислено пять, и в каждой мог найтись мститель.

Под номером два шел репортаж о шоу-бизнесе. О той коррупции, которая пронизала его насквозь, об эксплуатации юных, неоперившихся еще талантов, об уголовных преступлениях, время от времени сотрясающих эту новую коммерцию. Там и убийства, и миллионные взятки, и воровство — то есть сплошное черт знает что...

Кто мог стать убийцей? Да любой, чья фамилия возникала по ходу передачи. Молодец все-таки был этот парень, Климов просто восхищался им, его знанием проблем и, главное, смелостью.

Третьим в списке шел репортаж о так называемом «сексуальном рабстве». Ну тут вообще уже говорить было не о чем — убийцу мог нанять любой педофил — хозяин малолетних «рабов».

Наконец, четвертым номером, как теперь уже отчетливо себе представил Сергей Никитович, вполне мог стать «ресторанный бизнес».

Огромная площадь нераскрытых возможностей расстилалась перед следователем, и он не знал, с чего начать. Ведь если говорить всерьез, то «клиентуры» тут могло оказаться на всю жизнь, аж до самого ее конца.

Правда, теперь, вооруженный знаниями, Климов мог обратиться за помощью к главному редактору. И, странное дело, теперь уже Малинина каким-то монстром ему не казалась. Ведь знать все это, уметь распорядиться материалами, осмелиться показать зрителям — для этого тоже нужна гражданская смелость, мужество. Потому, наверное, и глаза у нее как дульные отверстия двух наведенных на тебя пистолетов. И поведение, больше похожее на мужское, — а как же разговаривать иначе со всей этой публикой, которая чуть что — немедленно начинает бомбить честных ребят доносами и угрозами??

Получалось, что неправ оказался Климов со своей «физиономистикой». Впору извиняться. Но этого пока, к счастью, не требовалось.

Малинина сама позвонила в просмотровую студию — видно, ей доложили, что работа следователя приближается к концу, — и предложила Сергею Никитовичу потом заглянуть к ней, чтобы обменяться. Это ее выражение вызвало у него доброжелательную улыбку: ну да, самый конец восьмидесятых, любимое выражение последнего генерального секретаря, сколько анекдотов ходило на эту тему!.. Но если она это помнит, то, выходит, они с Мариной Эдуардовной — ровесники? Ей где-то за тридцать. А лицо у нее свежее, хотя у женщин на четвертом десятке обычно начинают проглядывать первые признаки возраста. Но тогда почему же они с нею не могут найти общего языка?..

Малинина, как скоро понял Климов, и позвала его, чтобы прийти наконец к консенсусу. Еще одно летучее выражение из того же времени.

— Посмотрели? — впервые за время их знакомства спросила она доброжелательным тоном. — Присаживайтесь, я готова ответить на любые ваши вопросы.

В другой бы раз Сергей Никитович не преминул хмыкнуть: ишь испугались, однако! А сейчас он понял, о чем думает эта женщина — усталая, в очках, которые, когда он вошел, быстро сняла и спрятала. Стесняется, надела, наверное, недавно, не привыкла еще, и они ей мешают. Да, но в ее возрасте стесняться очков — как-то странно, или это у нее пунктик?

И Климов решил быть великодушным. С легкой усмешкой пожаловался на то, что теперь и у него самого от впечатлений голова пухнет — это он, якобы невольно, повторил ее выражение. А все оттого, что очки на службе забыл. Так-то он хорошо видит, а для чтения и когда близко смотреть, приходится пользоваться. Но это все пустяки, а главное, что он понял, так это то, что все они тут совершают поистине гражданский подвиг. Просто невероятно.

И пока он говорил, Малинина как-то незаметно достала свои старомодные какие-то очки и водрузила их на нос. Климов тут же доброжелательно улыбнулся:

— А у вас сколько?

Она ответила.

— Дальнозоркость. — Он сочувственно покачал головой. — Это от работы, да?

Она кивнула. В больших, с крупной оправой очках ее глаза не показались острыми — нормальные женские глаза, даже с поволокой. А она, видимо по-своему расценив его взгляд, поспешила стеснительно объяснить, что утром, собираясь на работу, нечаянно уронила очки, одно стекло разбилось, вот и пришлось искать старые, хорошо, не выбросила, и теперь придется после работы бежать в аптеку, чтобы заказать новые.

Он сочувственно покачивал головой, слушая, но, наверное, слишком уж пристально засмотрелся, спрашивая себя, почему эта женщина при первой встрече ему решительно не понравилась, а сейчас он даже испытывает к ней непонятную самому себе теплоту и желание сказать ей что-нибудь приятное, ласковое. Или она не поняла смысла его взгляда, или, наоборот, слишком хорошо поняла, но вдруг, оборвав себя на полуслове, Малинина недовольно повела плечами и перешла на сухой, деловой тон:

— Ну так что у вас, какие вопросы?

— Я теперь и сам не знаю, — честно признался он. — Ведь что получается? Вот я тут для себя кое-что отметил... Короче говоря, уже порядка пяти десятков человек — это я беру минимум — вполне могли сделать заказ на убийство вашего Леонида Борисовича. А я выбрал из прошлого только три передачи, где присутствует откровенный криминал, ну еще и невыпущенную программу тоже оставил. Полагаю, что те, кто уже были знакомы с репортажами Морозова, могли заранее предположить, на что он способен и кого возьмет за шкирку в обязательном порядке, я правильно понимаю, Марина Эдуардовна?

— Я очень рада, что вы, Сергей Никитович, пришли к такому выводу, он абсолютно верен.

— Спасибо, конечно, за комплимент, но это — моя рутинная работа... Нам же тоже, как и вам, приходится постоянно в психологиях всяких, извините за выражение, копаться. Искать причинно-следственные связи, причем без сослагательных, как говорится, наклонений. Что было бы, если бы, понимаете?.. Точно надо знать — и что, и почему, и, главное, кто? Вот я и хотел бы задать вам один серьезный вопрос, но время... Наверное, у вас уже кончилось, как у всех нормальных людей. Это мы нередко по ночам работаем.

— Мы тоже, бывает, — улыбнулась она, и ее улыбка ему понравилась. — А что за вопрос? И потом, вам обязательно надо записывать мои ответы?

— Нет, это же не допрос, что вы! Меня, кстати, интересует гораздо больше ваше личное мнение. Чисто по-человечески. Ну, например, почему только вы одна называете Морозова Леонидом Борисовичем? А все остальные — Леня, Леонид, даже Ленька слышал?

— Я в нем уважала мастера, если это что-то вам говорит...

— Отчего же, конечно! А остальные, получается, не уважали?

— Раз уж вы о психологии заговорили, то у них другое. У них конкретная сопричастность. Я с гением, как говорится, на «ты» — это определенная марка. Вы, наверное, еще с Эльдаром не разговаривали, тот и с уборщицами молоденькими — всегда на «вы». Себя в первую очередь уважает.

— Погодите... Ой, простите! — Климов засмеялся. — У меня мозги уже совсем... Эльдар — это же... шеф-редактор программы «Честный репортаж»?

— Ну конечно! Вам надо обязательно с ним встретиться. Вообще, я вам скажу, у нас тут только двое по-настоящему знали Морозова — это Пашкин, оператор, и Эльдар. Для остальных он был, как вы говорите, Леня и Ленька. От этих вы ничего путного не добьетесь, разве что сплетен, как в каждой уважающей себя конторе.

— Ценю ваш юмор. Наверное, не от очень хорошей жизни?

Малинина вздохнула и не ответила.

— Я еще раз прошу прощения за то, что задерживаю вас, но мне хотелось бы разобраться в характере этого человека. Скажите, вы очень торопитесь домой или по каким-то еще делам?

Она посмотрела на него, потом сняла очки, стала искать, куда их положить, и наконец ответила:

— Мне некуда торопиться. В том смысле, что не к кому, если я правильно поняла ваш вопрос.

— Да вы же просто умница! — воскликнул Климов. — Марина... Эдуардовна.

— Можно просто Марина.

— С удовольствием. Тогда уж, пожалуйста, и вы — Сергеем. Лучше — Сережа.

Она улыбнулась, и улыбка ей очень шла, она будто осветляла строгое лицо, а на щеках появлялись симпатичные ямочки, которые, наверное, так приятно целовать. Подумал так и вдруг почувствовал, что краснеет, ой, стыдища-то! Но она, кажется, не заметила.

— Могу я предложить вам выпить со мной по чашечке кофе? Хотя бы? Я вчера, уходя домой, приглядел недалеко от метро симпатичную кафешечку, не составите компанию? А потом я мог бы вас с удовольствием доставить прямо к подъезду вашего дома, я на машине.

— Вы, вероятно, хотите еще что-то узнать у меня? Вы же говорили о каком-то серьезном вопросе.

Он совсем смутился. Неохотно сказал:

— У меня, честно говоря, как-то все нужное из головы вылетело.

— Да-а? — удивленно произнесла она и уставилась на него. — И с чего ж бы это вдруг?

— Марина, пойдемте по кофейку выпьем, а то со мной что-то непонятное происходит.

— Ну пойдемте, Сережа...

Он помог ей надеть меховую шубку, которую она сняла из шкафа, с вешалки, надевая, не удержался и погладил ладонями плечи и рукава. Сам он надел свою утепленную куртку внизу, на общей вешалке. Они дошли до его «Лады», уселись и поехали. И все — молча, даже не глядя друг на друга. Но он все время чувствовал ее присутствие рядом. Слышал ее дыхание. Краем глаза наблюдал, как она повозилась, укладывая на коленях свою сумочку и целлофановый пакет с чем-то. Успокоилась, поглядывая в окно. Потом повернула лицо к нему, поймала его взгляд, улыбнулась и снова стала глядеть на дорогу.

Кафе, о котором он говорил, находилось в устье проспекта Мира. И когда он развернулся и ловко затормозил у тротуара, Марина сказала:

— А я знаю это кафе, оно мне тоже нравится. Забегала... Оно ведь как раз на пути домой. Я в том конце проспекта живу, в Графском переулке.

— Знаю такой. Сталинские еще дома...

Заведение пока пустовало, похоже, местное население предпочитало еще домашние новогодние разносолы, от которых надо было как-то избавляться. Посмеиваясь, они обсудили эту ситуацию, о том же сказали и официанту. Тот, смеясь, подтвердил догадку. Заказали кофе со сливками и всякими вкусностями, а Сергей уговорил Марину и на рюмочку коньяку, чтоб от стресса избавиться, расслабиться. Сам, к сожалению, за рулем, а то не преминул бы...

— Вы знаете, Сережа, с вами, я заметила, очень приятно молчать. Это редкое качество в людях. Но я же понимаю, что мы здесь не для молчания, спрашивайте, буду рассказывать, что знаю... помню...

— Марина, только честно, вам это здорово неприятно сейчас?

— Что, говорить с вами? Нет, ну почему, это же ваша главная работа.

— А давайте пошлем все сегодня к чертовой матери и помолчим, раз вам это приятно? Я тоже с удовольствием с вами помолчу.

— А как же?.. — У нее на щеках снова появились заманчивые ямочки.

— А что, разве жизнь на этом кончается? Завтра спрошу. Все равно придется со многими разговаривать, тут уже никуда не денешься... пока полной картины не будет. Я его понять должен. Все про него знать. Как он вел себя с коллегами, с теми, кого интервьюировал, с недоброжелателями, с начальством, с женщинами, наконец...

Могу вам одной и под жесточайшим секретом сказать... — Он серьезно посмотрел ей в глаза. — Есть предположение, что стреляла в него именно женщина.

— Неужели? — Ему показалось, что у Марины кровь отлила от лица.

— Вас это так взволновало?

— Не могу сопоставить... О господи!

— Я чувствую, вам что-то известно? — прямо клещом впился Климов в женщину, но, тут же опомнившись, обмяк: — Не торопитесь. Не спешите с выводами. В подобных вещах всегда есть масса обманок. Желаемое за действительное и так далее, в том же духе. Успокойтесь и забудьте на время то, что я сказал. Вон и кофе несут. — И когда официант поставил заказ на стол и отошел, Климов налил коньяк в ее рюмку и сказал: — С наступившим Новым годом, Марина... С удовольствием пью кофе за ваше здоровье. За вас... А теперь и вправду давайте помолчим, а я буду смотреть на вас.

— Зачем? — удивилась она, беря рюмку.

— Мне это занятие, оказывается, очень нравится... А потом, если у вас не будет возражений, мы заедем в аптеку и закажем вам нужные очки, чтобы вы чувствовали себя в них комфортно. Хотя, по правде говоря, мне эти ваши старомодные очки больше нравятся, чем все эти нынешние. В них вы напоминаете мне строгую школьную учительницу, которую тем не менее все ученики любили и писали ей любовные записочки. И ужасно переживали, когда узнали, что она вышла замуж за физрука. Некоторые ребята даже ее возненавидели за это.

— Да-а? Очень интересное наблюдение. И откуда же оно у вас?

— Как в одном кино сказано, живу давно.

— И что, действительно любили? За что же?

— За справедливость.

— Ишь как... Тогда я хочу выпить за ваше здоровье, Сережа...

## 2

Климов уехал домой в начале четвертого часа утра, так настояла Марина. Вездесущая консьержка, разумеется, засекла их прибытие в десятом часу вечера. Но так как она прекрасно знала, где работает Малинина с десятого этажа, не раз видела, как к ней приезжали деловитые коллеги с телевидения, многих из которых она не раз видела на экране, то понимала, что такая у этой одинокой женщины работа. Мужика в доме нет, значит, и остается одна служба, и куда от нее, проклятой, денешься? Но те уходили хоть и поздно, но не под утро и не по-воровски. Вся надежда оставалась на то, что стервозная бабка спит, а то сплетен определенно не избежать. И уж кому, как не старшему следователю, знать, как надо скрыться незаметно...

Учить Сергея действительно не стоило. И он ушел так стремительно, что консьержка даже не чухнулась, только услышала, как дверь хлопнула.

А ехал он домой лишь для того, чтобы наконец поспать хотя бы два часа, встать под душ, побриться, переодеться и — снова на телестудию. Правда, была еще толковая мысль — заскочить за Маришей, но это решится позже... когда она проснется. Если вообще сможет уснуть сегодня. Потому что их совместное, неожиданное решение, которое, собственно, они, фактически не сговариваясь, приняли еще в кафе, вдруг все перевернуло и поставило с ног на голову.

Вчера она где-то «зациклилась» на его сообщении о неизвестной женщине. И долго молчать не смогла. Созналась, что Леонид почему-то однажды выбрал именно ее в качестве своего исповедника, что ли. Начал делиться с ней своими мыслями о женщинах, которых у него хватало, даже иной раз совета спрашивал, как поступить с той или другой. А может, он просто не считал ее за женщину? Была она откровенным товарищем, приятелем, на чьи плечи нетрудно перевесить груз своих проблем. Вот он и не стеснялся. А Марина частенько говорила ему, что бабы, многих из которых она прекрасно знала — в одном котле-то варились! — до добра его не доведут. В шутку говорила...

Но ее откровенность очень понравилась Сергею, о чем он и сказал. И попытался уточнить, не сильно ли задерживает он ее сегодня, не наглость ли это с его стороны? На что она очень спокойно повторила сказанное еще в вестибюле студии, глядя ему в глаза сквозь «немодные» очки:

— Мне не к кому торопиться, Сережа.

— Какое счастье! — невольно сорвалось у него.

Она удивилась:

— Почему?

— А то у меня не было бы никаких шансов... Правда, они и сейчас весьма слабые, но... я все равно не отступлюсь!

— И правильно, — улыбнулась она, а он едва не схватил ее за щеки. Но попытку движения она уловила и послала ему кончиками пальцев воздушный поцелуй...

Потом они взахлеб целовались в его машине и никак не могли отъехать от кафе. Позже целовались возле ее дома, где он решил оставить машину на ночь. Держа ее в руках, обнимая, прижимая к себе, выдавливая из нее тягучие, медленные стоны, он моментами как-то посторонне думал, что у нее прекрасное, горячее тело, и зря она рядится в бесцветные одежды, скрадывающие ее дивные достоинства. Что ей надо одеться ярко, пусть даже с вызовом, от этого она только выиграет... А она, задыхаясь, шептала, что умирает от его изумительных усов, и терлась о них щеками, носом, глазами...

Он ни о чем не расспрашивал ее, она сама, уже дома, среди ночи, чуть отстранившись от него, рассказала, с пятого на десятое, что была замужем, разошлись, не встречаются, детей нет, родители живут в Петербурге, — вот и вся история. А жизнь в основном на студии. Здесь, дома, у нее бывают коллеги, пьют, веселятся, никаких попыток ни разу никто, пожалуй, за исключением Морозова, никогда не предпринимал, и у него ничего не получилось, потому что ей это было совершенно не нужно. Она вообще до сегодняшнего дня считала, что может запросто обходиться без «левых» связей. И обходилась же! Но что-то вдруг произошло, когда она увидела Сережку, и эти невероятно чувственные его усищи! И вот — результат. Интересно, как они посмотрят в глаза друг другу завтра... нет, уже сегодня, когда рассветет?

Вот тут и родился план побега, который они сперва подробно обсудили, как бы проиграли словесно, а затем вернулись к прерванному занятию, в котором оба продемонстрировали чудеса искреннего темперамента...

Уходя, он пожалел, что за любовными утехами совсем забыл напомнить ей о том, что они собирались заехать в аптеку по поводу новых очков. Но Марина, лениво отмахнувшись, как вальяжная кошечка лапкой, заметила, что, раз ей идут очки его учительницы, она теперь будет оттачивать новый свой имидж.

— А то смотри, — предупредил Сергей, — мы можем с тобой после работы заехать.

Сказал и подумал, что, кажется, переборщил со своими прогнозами.

Но реакция ее была для него неожиданной. Она внимательно посмотрела ему в глаза, попросила нагнуться, он наклонил голову, а она ухватилась за его шею и зашептала на ухо, как будто их мог услышать кто-то посторонний:

— Ты хочешь терять драгоценное время на какую-то чепуху?

Ах как он стиснул ее в объятьях... как она застонала — не от боли, от счастья, это всегда нетрудно распознать тому, кто влюблен...

— Карета подана, мадам, — сказал Сергей в открытое окно машины, когда Марина вышла из подъезда, кутаясь и качаясь от ветра.

Она увидела его, замерла на миг и бегом кинулась к машине. Уселась, устроилась со своим пакетом и сумкой.

— Да брось ты их назад, — посоветовал он обычным тоном, каким разговаривают супруги.

— Это я как должна понимать? И часто ты будешь выкидывать такие фокусы? Твоя работа, по-моему, а противоположном конце Москвы.

— Ничего страшного, — пожал он плечами, отъезжая, — просто надо вставать на часок раньше. Нет проблем!

— А твои... — нерешительно спросила она. — Они плохого не скажут?

Ну конечно, он же ничего о себе не рассказывал вчера, не до того было. Он и так с трудом дождался конца ее ночной исповеди. Поэтому она права, проявляя осторожность: одно дело — легкий флирт с мужчиной, ну краткая связь — исключительно, а о большем...

— Мои, спрашиваешь? — усмехнулся он и подмигнул ей. — Не знаю, порадует это тебя или огорчит, но все мои сидят сейчас в этой машине. Хотелось бы в это верить, во всяком случае.

— Любопытное признание, — помолчав, сказала она. — А что мешает твоей вере?

— Только ты, ибо, как я вижу, ты еще не пришла к единственно верному решению.

— А из чего ты сделал такой вывод?

— Объясню. Я — следователь, помнишь? И когда я вижу, что молодая, замечательная женщина с потрясающими ямочками на щеках, если она улыбается...

— Это я уже сегодня слышала... от одного усатого... тараканища.

— Повторить не грех, для закрепления информации. Так вот, когда я вижу, как она, проведя бурную ночь с мужчиной, который ей понравился, выходит из подъезда на снег и ветер и, вместо того чтобы оглядеться, увидеть его и сесть к нему в машину, понуро бредет в одиночестве на свою сумасшедшую службу, тогда я говорю себе: спокойно, Сергей Никитович, с вами еще полная неясность. Вы под большим вопросом. Ну, не прав?

— Ах ты сыщик мой ненаглядный! Конечно, прав... А я шла и думала, как ты сегодня посмотришь на меня?.. И отчего-то было ужасно тоскливо...

— Слушай, давай целоваться, у нас это гораздо лучше получается?

— Ну так не на ходу же!.. И разве я возражаю?.. — И чуть позже сказала, вытирая его лицо платком и вынимая помаду, чтобы подкрасить губы. — Я после твоего ухода долго думала и вспоминала. Ты потом, в конце дня, после всех своих разговоров, загляни, я тебе кое-что еще про Леонида расскажу.

— Это как бы соединить приятное с полезным?

— Не будь нахалом. Мне к тебе еще надо хорошенько привыкнуть...

В своей епархии, где, как говорится, и стены помогают, Виктор Пашкин оказался и разговорчивей, и откровенней. А свою необщительность при первом разговоре он объяснил тем, что был ошеломлен известием о смерти друга. Он ведь тридцать первого декабря, как они договорились, целый день звонил Леониду, но не отвечал ни его домашний телефон, ни мобильный. Это, конечно, настораживало. Но Виктор отлично знал, что Морозов предпочитал разведку производить в одиночестве. Темы он разрабатывал обычно опасные «для здоровья», и не исключалось, что за них можно было поплатиться. А рисковать чужими жизнями журналист не имел морального права. И этого принципа он всегда придерживался, что бы ему ни говорили коллеги и начальство, в смысле руководство канала — гендиректор, главный редактор и прочие.

Климов не преминул поинтересоваться, как Морозов сам относился к своему руководству, в частности к Малининой. Мог ли он ей доверять какие-то свои профессиональные секреты? Пашкин, ни секунды не задумываясь, ответил отрицательно. И объяснил двумя причинами: во-первых, она — женщина, а с ними у Леонида, по твердому убеждению Виктора, не могло быть никаких отношений, кроме интимных. А во-вторых, он вообще предпочитал своими планами розыска ни с кем не делиться.

Далее Пашкин рассказал, что, по всей видимости, пока он искал Леонида, тот встречался с кем-нибудь из своих тайных информаторов. Он им неплохо платил, и они старались. А тема была, как сказано, чрезвычайно острая — рестораны.

Климов, при всем доверии к оператору и зная, почему рестораны интересовали его друга, все-таки не мог поверить, что там, в этой системе, гнездится такой уж страшный криминал. Но Пашкин стал тут же перечислять объекты, которые они с Морозовым уже наметили для съемки, и объяснять «на пальцах», по какой причине.

Ну начать с вопроса: как тот или иной владелец ресторана смог создать и обустроить свой роскошный бизнес, ценой чуть ли не в десяток миллионов долларов? Откуда взят первоначальный капитал, если в недавнем прошлом этот хозяин вообще не занимался бизнесом? Но зато был под подозрением у правоохранительных органов как участник криминальных разборок. Правда, прямых улик так и не нашли, а за недоказанностью, как известно, обвинения не предъявляют. Так вот, есть все основания подозревать, что капитал получен преступным путем. А может быть, эти деньги взяты из воровского «общака»?

Совершенно естественно, что уже сама постановка вопроса в этой плоскости грозит журналисту крупными неприятностями. И это только за одно упоминание с указанием названий заведений и фамилий владельцев — в соответствующем контексте. А ведь Леонид не принимал на дух бездоказательных заявлений. И вообще он старался работать по известному еще с советских времен, неплохому, кстати, журналистскому принципу: на страницы газеты ты можешь выложить не более пяти процентов известной тебе фактуры, а остальные девяносто пять обязан оставить в загашнике, ибо тебе обязательно придется отстаивать свою правоту в суде, и твой обвинитель не должен даже догадываться о том, какие его тайны тебе ведомы. Само собой разумеется, что подобная работа на телевидении требовала не только особой смелости, но и одновременно максимальной осторожности. А Морозов, обладая этими качествами в полной мере, тем не менее не раз подвергался угрозам. Ну то, что постоянно звонили по телефону и предлагали крупные суммы за молчание, это многим известно. Но ведь не только деньги предлагали, немало было и обещаний устроить показательную расправу. А в прошлом году одно из таких обещаний выполнили.

Надо добавить, что Морозов не верил ни в какие угрозы, он считал их смешными и продолжал гнуть свою линию. Считал, что за правду не убивают, все это выдумки «желтой» прессы. А если и убивают журналистов, то за их собственные криминальные связи. И ничто его не могло переубедить.

А в тот раз речь зашла о шоу-бизнесе. Позвонил неизвестный и категорическим тоном потребовал, чтобы программу сняли всю, без частностей. Его не устраивало буквально все — от начала до конца. Хотя он не знал, какие факты будут фигурировать в передаче, вообще не мог и не должен был знать о ней. Но получалось, что знал. От кого? Большой вопрос. Более того, неизвестный также ничего не предлагал — изменений там, сокращений, — нет, он был уверен, что его слово — Закон, именно с большой буквы. Потом на канале гадали, кто бы это мог быть? Не угадали, конечно, но результаты не заставили себя ждать.

Несколько парней явно славянской внешности встретили подъехавшего к дому на своем «Форде» Морозова и, когда он вышел и запер машину, кинулись на него с милицейскими «демократизаторами» и избили так, что Леонид вынужден был провести в госпитале больше месяца со сломанной рукой и травмами черепа. При этом, как он рассказывал следователю, они кричали: «В следующий раз, когда тронешь шоу-бизнес, останешься без башки! Отпилим!» Они забрали у Морозова его барсетку, в которой были документы и деньги, а также мобильный телефон, имитируя ограбление.

В заключение Пашкин перечислил названия ресторанов, в которых предполагал производить съемку Морозов. Все они были элитные. Даже не побывав там, Климов был уверен, что ему, например, с его доходами там делать нечего, что называется, по определению.

Но, оказывается, у Морозова мысль шла дальше — не просто продемонстрировать широкой аудитории, как отдыхает и развлекается российская элита, нагло обокравшая, с подачи новой «демократической власти», свой же народ, а показать — параллельно, — как он живет, этот самый народ. Сравнить «жизненные уровни и показатели», коренным улучшением которых так гордятся современные ангажированные российские центры изучения общественного мнения, оперируя «дутыми» цифрами. Одним словом, это должна быть бомба с огромным тротиловым эквивалентом — без всяких преувеличений. И уж если бы она рванула...

А почему произошло убийство? Вероятно, где-то, в каком-то звене, что-то не так сработало. И тайна вышла за пределы круга, очерченного самим Морозовым. Кто-то предал, кому-то, не исключено, больше заплатили. Или кто-то просто испугался, полагая, что Леонид не может гарантировать источнику информации полной безопасности. И вот — результат.

То есть Пашкин был твердо уверен, что все дело в профессиональных тайнах Леонида. Там и надо искать.

Это проще всего было сказать. А как перевернуть весь этот гигантский пласт информаторов, которые были известны исключительно самому Морозову? Задача практически невыполнимая. Нет, можно, конечно, встретиться с теми объектами, которых для себя наметил Морозов, но вряд ли они что-нибудь скажут. Тем более о происхождении своих капиталов. Фантастика... Но спасибо и на том.

Весь день Климов разговаривал с сотрудниками канала, которые хотя бы отчасти имели отношение к тому, чем занимался Леонид, но больше информации не получил ни от кого, включая «близкого товарища» Эльдара Крыланова. Тот сразу сказал то же самое, что и Пашкин, сославшись именно на факт прошлогоднего избиения. Но, в отличие от Виктора, потребовал, чтобы следователь в обязательном порядке внес в протокол допроса следующую фразу: «Россия вошла в пятерку стран, где чаще всего убивают журналистов». На вопрос следователя, зачем это ему надо и какую задачу шеф-редактор собирается решить ею, Крыланов ответил:

— Даже если констатация этого факта и не имеет прямого отношения к уголовному делу, она должна прозвучать в суде, когда станут судить убийцу и заказчика преступления. Она станет набатным колоколом для руководителей государства, которые не могут обеспечить элементарную безопасность тем, кто борется с коррупцией, бандитизмом и криминализацией общества. А если они не могут, то должны так и сказать обществу: мы не сумели, попробуйте обойтись собственными силами! И будьте уверены, народ решит эту проблему, как решали те же китайцы.

Ну что ж, протокол так протокол...

Климов позже показал эту запись Марине, та прочитала, пожала плечами и заметила:

— Эльдар в своем репертуаре. На словах. А на деле — пустое место. С кем еще успел поговорить, кроме этого болтуна?

Климов, уже считавший, что Морозов был одним из тех, кто охотно выворачивал наружу язвы общества, находя в этом некий даже и патологический интерес, и не больше, с удивлением узнал от коллег Морозова о том, что тот являлся в принципе настоящим бойцом. Оказывается, он работал в Мурманске, когда там разворачивалось следствие по делу о гибели АПЛ «Курск», в дни «оранжевой революции» больше недели провел на майдане Незалежности в столице Украины, и его репортажи не вызывали никакого восторга у «палаточных революционеров», был на похоронах папы римского, вел прямые, достаточно жесткие, репортажи из Беслана и Нальчика в дни трагических событий. То есть Морозов все время находился как бы «на передовой», и это обстоятельство вызывало глубокое уважение у следователя.

А говоря о гражданской позиции тележурналиста, подвел итог своим мыслям по этому поводу Сергей Никитович, надо всегда иметь в виду, что каждый человек, живущий в демократическом обществе, имеет право на свою точку зрения. Поэтому нравится или не нравится тебе точка зрения, позиция журналиста — это вопрос, касающийся больше уровня твоего общественного сознания, твоих убеждений, воспитания и соответственных приоритетов.

Марина удивилась и не стала скрывать этого.

— Тебе хорошо бы у нас на летучке выступить с таким заявлением. А то мои коллеги обожают расписываться за народ, — мол, отлично знаем, чего он хочет. А ты и есть тот самый главный народ. И если сегодня у народа нет более важных дел, я приглашаю его в гости. Я, оказывается, уже соскучилась по народу.

— Гульнем, значит? — обрадовался Климов и расправил могучие усы.

— А как же работа?

— А мы составим рабочий план, чтоб на все хватило сил и времени. Не станем изнурять себя, будто наш сегодняшний день — последний. Кстати, ты мне пока так и не рассказала что-то новенькое о Морозове.

— А, ну да... Я вспомнила его жалобы... ну не совсем жалобы... Скорее, он хотел подчеркнуть, что без женского внимания ему трудно жить, но, с другой стороны, при том, какое женщины ему оказывают, вообще невозможно. И так плохо, и этак еще хуже. Мужское кокетство, терпеть не могу...

— Но ведь терпела?

— Талант, понимаешь? — Марина поморщилась. — Но как подумаю, что за этим нудным и самовлюбленным позером, в чисто человеческом плане, стоит глубокое знание острейших общественных проблем, поразительное умение в сжатой форме ярко выразить свою гражданскую позицию, так и прощаю... Но суть не в этом. Дело заключается в том, что родом Леонид из Нижнего Новгорода. И там у него, чуть ли не с раннего детства, была как бы невеста, с которой он был обручен. Такая старомодная история. Ну и как это обычно происходит, выросли, нашлись иные интересы, а обязательства вроде бы остались. И они тяготили Леонида, не давали ему жить спокойно. Нет, я, конечно, не думаю, что здесь пахнет отступничеством и какой-то вендеттой, но что-то там все-таки есть. Как говорится, не то он у кого-то шубу украл, не то у него украли, но история темная и неприличная, понимаешь? Что-то у него все-таки было такое, о чем он старательно умалчивал. Даже как бы исповедуясь передо мной. Такой вот идиотизм, по правде говоря...

— Пока я понимаю только одно: ты решила от меня избавиться самым элементарным образом — предлагаешь отправиться в командировку, и чем она будет дольше, тем лучше. Угадал?

— Смотри, будешь так шутить, отменю визит, — сухо сказала Марина.

— Значит, не судьба?

— Господи, какой дурак! И что мне с ним делать, ума не приложу!.. И он мне еще про какое-то общественное сознание толкует!

— А что, красиво перевела стрелку, — улыбнулся Климов. — Я начинаю верить, что у нас получится.

— Что именно? — серьезно осведомилась Марина и поправила очки.

— Это, наверное, страшное дело, когда мужчина и женщина с трудом расцепляют объятия и, тяжко дыша, молча лежат, глядя в потолок и не зная, о чем поговорить.

— Нет, — задумчиво сказала Марина, — мне эти нахальные усищи определенно нравятся... А про Нижний я тебе сказала, чтобы ты подумал. Мне кажется, какая-то психологическая зацепка там все же имеется. Не знаю, в чем она, но чувствую интуитивно... Да, и еще новость. Дирекция канала РТВ собирается назначить премию в миллион рублей, которую получит тот, кто поможет следствию отыскать убийцу Леонида Морозова. Завтра, в крайнем случае послезавтра, в прайм-тайм об этом будет объявлено. Вообще-то у нас впервые такое. Ты не хочешь заработать? — Она усмехнулась.

— Эх, душа моя, ты не представляешь, какая сразу начнется свистопляска... Более того, Генеральная прокуратура, до которой, естественно, докатились уже в первый день Нового года волны общественного возмущения, спихнула тем не менее это дело на Московскую городскую прокуратуру. А наш прокурор навесил его на меня. А теперь разве они упустят возможность немедленно приобщиться к высоким премиям?

— И что, заберут это дело у тебя? Как прежняя практика показывает?

— Заберут, естественно, но пахать на себя заставят именно меня, это как пить дать.

— Обидят, значит, мальчонку?

— Дело в том, что, как ты наверняка знаешь, до сегодняшнего дня еще ни одно громкое убийство журналиста так и не доведено до суда. Всем нам известны — и заказчик, и конкретный исполнитель, одного не знаем:

как доказать их вину, чтобы при этом обвинение не рассыпалось в суде и не посыпало головы прокуроров пеплом позора. А так — все в порядке. Как пел Утесов? «Все хорошо, прекрасная маркиза...»

— Нехорошо, милый...

Климов даже вздрогнул: Марина в первый раз не в приступе испепеляющей страсти, а совершенно спокойно назвала его так. И он благодарно посмотрел на нее. Но вспомнил наконец и о своем вопросе, поскольку она была все же начальницей, а значит, обладала соответствующей информацией.

— А скажи-ка мне, Марина Эдуардовна... — Климов оглянулся — не подслушивает ли кто? — Вот я от нескольких человек, ваших сотрудников, слышал одну и ту же фразу: «Морозова нет, теперь нас закроют». О чем речь идет? О конкретной программе или вообще о канале?

Марина усмехнулась по поводу его наивности.

— Ни то ни другое. Эти слухи разносятся, не без определенного умысла, я думаю, уже давно. Понимаешь ли, «Честный репортаж» у многих сидит в печенках. Несмотря на то что программа Морозова всегда имела самые высокие рейтинги. Некоторые считали, что нашего «правдолюбца» обязательно, рано или поздно, прикроют. Слишком много высокопоставленных чиновников вляпывалось в такие грязные лужи, попадало в такие навозные ямы, что уже сам факт их вольного или невольного участия в очередной передаче считался для некоторых даже концом карьеры. Так говорят. Но имей в виду, лично я не помню, чтобы после «Честного репортажа» крупно сгорел кто-то из небожителей. Как правило — и Леня это отлично умел — весь пафос его выступлений спускался в конечном счете на головы стрелочников. Вот они действительно страдали. А почему же не пожертвовать пешками, не претендующими на роли ферзей?

— Мне он показался честнее. Впрочем, я же не знаю еще всей вашей кухни. А тебе не могу не верить.

— Это почему же? — удивилась Марина, хитро уставившись на Климова. — Разве у меня особое мнение? Ну скажи!

— Может, и рад бы, да не могу. Что-то не позволяет.

— А что именно?

Климов помолчал, посмотрел на Марину, приподнялся и, склонившись над ее ушком, шепнул:

— Дома скажу.

— С ума сойти... — так же тихо произнесла она. — Тогда, может, я тебе еще дам небольшую наводку? — продолжила она. — Так это у вас называется?

— Ну, скажем, информацию к размышлению, для отработки очередной версии.

— Понятно. Я слышала, что в последнее время у Леонида появились затруднения финансового плана. Ведь собственной агентуре надо платить, и платить хорошо, иначе фиг чего получишь. Вот он вроде и влез в долги, предполагая, что сумеет быстро рассчитаться. А расчеты у журналистов не только денежные бывают, ты, возможно, догадываешься.

— Он что, богатого наследства ожидал? — усмехнулся Климов. — Откуда деньги-то взял бы? Вы ж не миллионеры.

— Естественно, нет. Но есть, чтоб ты знал, разные способы заработать хорошие денежки, причем совершенно открытые, легальные, безопасные. Такие, например, как скрытая реклама. Или скрытая помощь в конкурентной борьбе. Разоблачить конкурента, привлечь к нему внимание прокуратуры, милиции, словом, красиво убрать его вполне дозволенными средствами — это ведь тоже искусство.

— Ты подозреваешь, что Морозов был способен на подобные вещи?

— А это ты выяснишь сам, когда разберешься, против кого было направлено жало Леонида, ну хотя бы в том же ресторанном бизнесе. Морозова нет, но есть те, с кем он собирался встречаться. И у каждого из них наверняка имеется свой антипод. Как у вас принято говорить? Ищи, кому выгодно?

— А ты образованная девочка.

— То ли еще будет, — засмеялась Марина и тряхнула рассыпанными по плечам густыми русыми волосами.

Климов смотрел на нее с восхищением и корил себя: «Эх ты, следак! Даже не заметил, что девушка исключительно ради тебя сменила прическу! Убрала свою дурацкую, чиновничью дулю с затылка и решила всем продемонстрировать, что у нее прекрасные, душистые волосы, в которые ты же сам, кстати, зарывался вчера ночью лицом и вдыхал их аромат...» И, не находя слов, он просто показал ей большой палец — во! А она, конечно, поняла, по какому поводу был им продемонстрирован этот босяцкий жест...

## 3

Подсказка Марины оказалась более чем уместной и своевременной. Это что касалось списка «действующих лиц» из ресторанного бизнеса. Ввиду того что ни в карманах убитого, ни дома у Морозова никаких материалов, затрагивающих, хотя бы косвенно, тему этого бизнеса, как, впрочем, и других тем тоже, обнаружено не было, Климову пришлось воспользоваться только той далеко не полной информацией, которой владел оператор Виктор Пашкин. А здесь имелось, на все про все, не более десятка фамилий и трех названий ресторанов. И, кстати, все они странным образом носили имена выдающихся российских полководцев прошлого — Суворова, Кутузова и Багратиона. Правда, последний звучал с грузинским акцентом — «Багратиони».

Ну начинать, так с самого известного. И Климов отправился в ресторан «Суворов», расположенный неподалеку от въезда в Москву со стороны Новорижского шоссе. Но каково же было его разочарование, когда он выяснил у сопровождавшего его охранника — молодого, статного и довольно симпатичного парня в строгой форме с золотыми нашивками, — что названо это элитное заведение вовсе не в честь полководца, а по фамилии хозяина — Петра Егоровича Суворова, который находится на месте, и ему сейчас доложат о прибытии старшего следователя из прокуратуры. А уж как он решит — принять или отказать, — это он один знает. Вот как здесь поставлено дело! Еще «соизволят ли» господин хозяин!

Но хозяин, видно, решил зря не обострять отношений с представителями Закона и сам вышел навстречу. Был он невысок, неприметен внешне, держал себя абсолютно спокойно, как будто никаких грехов за душой не чувствовал. Может, оно так и было, кто ж сомневался? Но Морозов почему-то первым в своем списке обозначил именно Суворова. Вот об этом и стоило поговорить.

Для начала Петр Егорович пригласил господина следователя в свой кабинет, расположенный на втором этаже дома, занимаемого рестораном и еще какими-то непонятными службами. Ибо длинные коридоры и первого, и второго этажа были устланы красивыми ковровыми дорожками, ответвлявшимися в стороны, к закрытым дверям, за которыми, по всей вероятности, располагались либо ресторанные кабинеты, либо же кабинеты, но совсем иного свойства. Пока об этом говорить было преждевременно.

Суворов пригласил «присесть» — это отметил про себя Климов, формула известная, уголовники терпеть не могут, когда им говорят «садитесь». Присядьте — другой базар...

«Суворов, Суворов...», — напрягал память Климов, но ничего не мог вспомнить такого, что хоть каким-то боком высветило бы в его памяти эту фигуру. Ну то, что он из «бывших», — и двух мнений нет, достаточно взглянуть на его пальцы с вытравленными следами татуировок. Новое время — новые песни.

Климов предъявил хозяину свое служебное удостоверение, и Петр Егорович немедленно, едва они сели, выразил глубокое сочувствие и личное соболезнование по поводу безвременного ухода из жизни известного журналиста. Об убийстве Морозова он узнал из телевизионных новостей, сразу, как включил телевизор первого января.

— И за что ж они, суки, толкового парня угрохали? — задал риторический, но вполне искренний вопрос Суворов.

— А вы уже успели познакомиться с ним? — уцепился за кончик ниточки Климов. — Когда и как это было?

— Ну а как же! Он ведь прямо, можно считать, накануне обедал у меня.

— Я, собственно, и приехал к вам именно по этому поводу, — сообщил Климов, не сильно веря в удачу. Но все же... — Для того чтобы расследовать это подлое убийство, мне необходимо буквально по минутам расписать весь последний день Леонида, понимаете? То есть что я говорю? Конечно, понимаете! — поправил себя следователь, призывая свидетеля в свои соратники. — И если уж вы не станете возражать, я бы, с вашего разрешения, хотел бы запротоколировать нашу беседу. Нет? Ну спасибо, — поблагодарил, не дожидаясь, пока Суворов обдумает его предложение. — Итак, когда вы с ним встретились? Встреча была назначена заранее или произошла случайно? Звонил он вам предварительно? И чем объяснял свою нужду? Вот для начала, пожалуй. А потом пойдем дальше. Я вас внимательно слушаю. Только не торопитесь, я буду записывать...

Похоже, Суворову было нечего скрывать от следствия. Неторопливо он начал рассказывать о том, как накануне, где-то около десяти вечера, когда здесь, в ресторане, самая горячка, позвонил Морозов и условился с Петром Егоровичем о встрече на следующий день, в районе двенадцати. До этого времени ресторан бывает еще закрыт, ну разве что в исключительных случаях обслуживают особых клиентов. Каких, он не стал уточнять. А позвонил, собственно, Морозов потому, что еще прежде, с месяц, если не более, назад, Леонид посетил ресторан, пожелал оставить благодарственную запись в книге почетных гостей и сказал, что был бы не прочь снять об этом ресторане и о его приятном хозяине телевизионный репортаж, чтобы показать на всю страну, как надо уметь обслуживать клиентов. Заодно о проблемах рассказать. Кто мешает? Почему чиновники взятки требуют? Ну и все такое прочее. Совсем уже договорились. Тридцать первого специально приехал условиться о съемках, даже отобедать позволил себе. И вот... утром телевизор принес трагическую весть...

Лицо Суворова стало скорбным.

— Вы говорили с ним о проблемах? Не могли бы и мне уточнить, какие вы имели в виду? Не исключено, что именно те люди, которые вам мешали, и могли убрать Леонида, чтобы он не смог сказать доброе слово о вас? Ведь конкуренты на все бывают способны, не так ли? Как думаете?

— Ха, это вы мне говорите? Да если бы не они, я бы тут уже этот... Диснейленд бы заделал! Земли-то бросовые! А как только я малость обустроился, сразу сотня хозяев набежала, которых тут и отродясь не бывало. И все — от управы! Нет, они готовы уступить, но... бандиты, блин! Такие бабки требуют, что не всякому и поднять.

— Однако же, смотрю, вам удается? У вас ведь не только ресторан тут, верно?

— Правильно подметили. Нынче, как это говорится, каждому, у кого башли завелись, комплексную обслугу подавай! И то ему надо, и это попробовать... Но если барин хочет, отчего не дать, верно думаю?

— Но все это, разумеется, у вас в законных рамках, так? — Климов задал вопрос таким тоном, за которым уже предугадывался и ответ.

— А как же! Нам без этого нельзя. Тут другой базар Леонида заинтересовал. Мы ж против государства ничего не имеем. Закон есть, его надо слушаться, хочешь ты того или нет. Но ведь у нас как? Государство с его законами, получается, — одно, а чиновники, которые следят за исполнением, — другое. Вот я ему перечислил пяток фамилий, которые с меня взятки тянули, а он спросил только одно: кто из них чем занимается? Я ответил. Он смеется и говорит: а они иначе и не могут. Они должны с каждой сделки свой процент иметь, и ихнее начальство — тоже, и другое начальство, которое над их начальством, — обязательно. И так до самого верху. И я должен заранее, зная это, закладывать в свое дело накладные расходы — специально для чиновников.

— Ну а как вы думаете, Петр Егорович, могли, к примеру, эти ваши чиновники, обеспокоенные тем, что вы назвали их фамилии корреспонденту телевидения, решиться убрать журналиста, чтобы, так сказать, не выносить сор из избы?

— Ни в жисть, — безапелляционно ответил Суворов. — Они подличать могут, но на «мокруху» никогда не пойдут. Против них же нет доказательств! Какие улики? Взятки? А кто их видел?

— Хорошо, они не могли. А конкуренты ваши, вы говорили? У которых вы тут как кость в горле?

— Это про Реваза, что ли? Да нет... У меня «крыша», какой ему не видать! Нет, он, конечно, наезжал, даже одну пристройку поджег. Но у меня действующие менты служат. В свободное от основной работы время. По договоренности, без булды... И им солидная прибавка, и у меня порядок.

— А откуда они?

— Эти-то? А они из Кунцевского и Крылатского ОВД.

Климов на всякий случай пометил себе, чтобы позвонить и уточнить, насколько такая внештатная служба законна вообще. Хотя к его делу все это не имело решительно никакого отношения, но уж, скорее, по привычке.

— А про Реваза вы ему, я Морозова имею в виду, ничего не говорили? Может, это он организовал? Кстати, чем он занимается, этот ваш Реваз?

— Он на Кольце в основном, «крышует» торговые точки. Решил и меня, поскольку мы близко, но я ему посоветовал обратиться к ментам, чтоб те ему объяснили. Вот же суки, чернота эта вся... Скоро в собственном доме перестанем быть хозяевами!.. Извините, вам этого не понять, а мы каждый день сталкиваемся.

— Нет, ну почему же? Я понимаю... А вот мнение Морозова по этому поводу меня интересует. Вы ж наверняка беседовали с ним на эту тему? Что он вам отвечал? Сочувствовал? Нет?

— Тут наши мнения совпали. Хотя он стал философию приводить, что, мол, во всех столицах мира такое происходит... Ну мне до фени, что у них там, в столицах, а вот что в нашей, не нравится. И что зовут их со всех сторон, и сами они, как тараканы, ползут, размножаются. На хрен они кому нужны? Один появится, так за ним вся орава толпой валит... Аулами переселяются...

— Да, это беда всех метрополий... — глубокомысленно как бы подвел итог Климов.

— Во-во! И он тоже это называл... Метрополия, блин...

— Ну так мог Реваз выследить Морозова?

— Запросто, как два пальца...

— Вы, наверное, и знаете, где его найти?

— А ресторан «Багратиони» как раз он и держит. Он и мой хотел, и «Кутузова» тоже под себя, чтоб весь Запад был у него. Только с «Кутузовым» у него тоже обломилось. На Савву где залезешь, там и соскочишь!

— А кто это Савва? Просветите, я в ресторанном бизнесе не силен. И кабы не убийство, возможно, век бы не интересовался.

— Савва-то? Да Савелий Кутузов. Парень в законе, но время такое, что капиталы, извините, под жопой нынче держать западло.

— А «Кутузов», значит, не в честь полководца? — разочарованным тоном спросил Климов.

— Не, так уж вышло. А там еще и Витька Потемкин — Башмак у него погоняло — свой тоже открыть хочет.

— А вот вы, Петр Егорович, сказали, что Реваз вполне мог «замочить» Морозова. Но вопрос: а с какой целью? На нем много висит? Он — беспредельщик? И ведь его тоже кто-то «крышует»? Или Морозов действительно представлял для него серьезную угрозу?

— Я ничего не хочу сказать про то, кто конкретно содержит и стрижет Реваза, но могу предположить, что это те же менты. Ну сам сообрази, — Суворов доверительно перешел на «ты», — какая им польза нам с Ревазом «стрелки забивать»? А так, пока мы, как собаки, грыземся, им — прямая выгода от обеих сторон. Но это я так думаю, а доказательств у меня нет, можете забыть, потому как я в протоколе подтверждать не стану.

— Ну а если бы вот эту вашу точку зрения — не официальную, разумеется, — Леонид выдал бы по центральному телевидению? И спросил у милиционеров из Кунцева и Крылатского, сколь долго они собираются продолжать свою политику «разделяй и властвуй», чтобы успешно доить конкурентов, — что было бы?

— А что? — даже и не удивился Суворов. — Да «замочили» бы, и концы в воду.

И тут Климов вспомнил о том, что говорил ему участковый Рогаткин. А ведь что-то в его предположениях и в самом деле есть... Не зря же тот бывалый оперативник высказал соображение о том, что машину Морозова мог остановить в то слишком позднее время суток, к тому же накануне Нового года, только человек в милицейской форме, который для маскировки вполне способен был иметь рядом с собой, в качестве напарницы, женщину.

Ведь в таком составе патруль, как мог подумать тот же Морозов, никакой опасности для него лично представлять не должен был — женщина ведь рядом!

Так на кого грешить в первую очередь? На пахана грузинской группировки Реваза Батурию или на родную милицию? И ведь ни к одному, ни к другим не явишься с вопросом: господа, это вы убили журналиста Морозова? Значит, нужна агентура, которая была бы вхожа в эти «веселенькие» компании. А где ее взять?

Но ничего не поделаешь, надо, следовательно, придется искать. Как иголку в стоге сена.

— Извините, еще один вопрос, — вежливо сказал Климов, который совсем не собирался обострять отношения с Суворовым, напротив, у него уже созревал план, каким образом расколоть теперь Реваза, выставив против него конкурентом Суворова. Да любого, и Савву Кутузова, и Виктора Потемкина — сплошные полководцы! — А сам Морозов, он не говорил с вами о своих планах? Ну, например, как бы хотел построить свой репортаж? Что снимать? Кого снимать? У вас же наверняка элитная публика бывает, не так ли? А многие ли из них согласятся стать участниками репортажа, где будет говориться о наших общественных язвах?

— Я тебе так скажу, — Суворов уже четко придерживался избранной тактики разговора на «ты», тем более что и выглядел он гораздо старше хотя и усатого, но розовощекого еще Климова, — «светиться» захочет редкий дурак. А моя публика, как ты говоришь, она больше тишину уважает. А если шум и крики, так это в специально отведенных для этого помещениях. Массажными они называются, и работают в них такие девки, такие мастерицы, что там тебе и тайский, и китайский, и какой душе угодно массаж сообразят. Вот откушал он, потом с девочками оторвался маленько — и опять за стол. Это — нормальный отдых, он и денег больших стоит. И за дело. Туфты мы не гоним. Даже вот тебе, если появится такое желание, я могу устроить, но, сам понимаешь, бабки-бабулечки прошу в кассу. Скидки, бывает, делаю, но не халявные.

Климов ухмыльнулся, и Суворов уже было подумал, что следак поймается на его крючок. Кому из мужиков неохота оторваться маленько? Но Сергей Никитович в этот момент вспомнил, словно увидел, Марину, распростертую на ее домашнем, таком удобном ложе, с трудом переводящую дыхание, и подумал, что все эти местные, «завлекательные» соблазны — для таких вот, как сам однофамилец великого полководца, но не для него, уважающего в женщине в первую очередь ее бессмертную душу. Ну а потом, конечно, и тело. Красивая душа без хорошего тела живого интереса для него тоже не представляла.

И на скользящий взгляд хозяина заведения Климов, по-казацки подкрутив кончики усов, ответил прямо, чтоб никаких сомнений не оставалось:

— Раз потребность у публики имеется, наверное, это правильно. Но! — Он поднял указательный палец. — Необходимо, чтобы все было в строгих рамках закона. Иначе это бардаком называется! А насчет бардаков у нас строго.

— Ну дак а как же! — возвел очи к потолку Суворов. — С этим у нас строго.

— А Морозов воспользовался вашим предложением? Тут ведь тайны особой нет. Опять же, наверное, надо было узнать журналисту, как выглядит изнутри ресторанно-увеселительный бизнес, самому все пройти? Как не попробовать? А? Да уж не темните, мне сейчас дело важнее, а не ваши нюансы. Брал массажистку?

— Так а чего? Нормальное, можно сказать, дело. Хотите с ней поговорить? Можно, без проблем. — Он поднял телефонную трубку и сказал: — Надя на месте? Пусть зайдет. Да как есть. — Суворов поморщился и хмыкнул: — Не здесь же...

Вошла высокая и симпатичная девушка в коротком полупрозрачном голубом халатике, под которым, как увидел Климов и даже подобрался невольно, кроме узеньких плавочек, фактически ничего не было. А фигурка у нее была что надо.

— Сядь вон там. — Суворов показал на стул чуть в стороне. — Вот твой недавний клиент, оказывается, того, загнулся. Убили парня.

Надя никак не отреагировала. Сидела прямо, глядя кукольными чистыми глазами на хозяина.

— Он тебе чего говорил? Во время... сеанса... ну, массажа?

Девица позволила себе ухмыльнуться:

— Да кто ж со мной станет про службу свою говорить? Значит, у меня тогда работа некачественная. Нет, Петр Егорович, мои клиенты, — она горделиво повела плечиками, — могут только стонать. Когда я из них душу вынимаю. Да вы ж знаете...

— Чего я знаю, не твое дело, — сердито оборвал ее явное хвастовство Суворов и посмотрел на следователя: — Спросишь чего?

Климов, с улыбкой оглядывая девушку, отрицательно помотал головой. Но, подумав, спросил-таки:

— А во сколько у вас с ним этот... сеанс начался? Сколько длился?

Ответил Суворов:

— За обычную плату сеанс массажа длится час. Иногда полтора. Но бывает и дольше — это уже отдельно. У них там ценник висит, можешь посмотреть.

— Значит, Морозов находился у вас с двенадцати и?..

— До трех, — подсказала Надя.

— Да, в три он уехал, — подтвердил Суворов и словно прицелился взглядом в Климова. — Сам не желаешь попробовать? Как это у них, у тайцев этих, а? — Он скабрезно ощерился, явив совершенно идеальной белизны зубы. Искусственные, конечно, свои-то наверняка зона доконала.

— Я сегодня не по этой части, Петр Егорович. А девушка, ничего не скажу, красивая... Значит, с Морозовым у вас никакого разговора не было?

— Ну почему? — возразила она. — Он расспрашивал, как и с кем живу, сколько получаю, нравится ли работа? Говорил, что снимать в телевидении будет. Но как это? Ну когда лицо затемненное, чтоб его видно не было. А фигура — сколько угодно. Оплата у нас через кассу, а так — чаевые. Он не жилился.

— Изнутри, получается, изучал поточное производство? — не мог, чтоб не съязвить, Климов.

Но девица Надя все приняла за чистую монету:

— Ага, мы его снаружи, а он нас — изнутри! — и фривольно хихикнула.

— Ну-ну! — вмиг построжел Суворов. — Брось свои шуточки. Тебя серьезно спрашивают.

— Ну так и я, — не сдавалась Надя. — Петр Егорович, вы будете долго? А то там уже первые клиенты подходят...

— Ладно, иди. — Хозяин махнул рукой и, когда девица вышла, добавил: — Вот такие они все. Хорошие девчата. И зарабатывают достаточно. К зарплате — чаевые. А тот же Реваз своих бы кобелей нагнал, и те бы девок за так пользовали... Ну, видишь теперь разницу?

Климов видел. Как понял и то, что здесь фактически работает хорошо отлаженное публичное заведение. И вспомнил в этой связи старинный анекдот. Какая разница между бардаком и публичным домом? Отвечаем: публичный дом — это отлично налаженное производство наслаждений, а бардак — это стиль руководства. И в те годы, когда рассказывали этот анекдот, он наверняка был жутко смелым!

Понимая, что большего он сегодня, видимо, от Суворова не добьется, тот и так достаточно «открылся», Климов все же решился еще на один вопрос. Пока у обоих настроение благодушное и контакт вроде бы установился.

— А скажи мне, Перт Егорович, вот ты, вижу, опытный... больше того, мудрый человек, раз такое дело с душой делаешь, верно?

— Стараюсь, — снисходительно ответил Суворов, принимая, однако, комплимент.

— Тогда скажи мне... Не для протокола, не для следствия... Я просто по-человечески понять его хочу, этого журналиста... Сугубо между нами, слово даю. Вот такая реклама твоего заведения по телевидению — она дорого тебе обходится? Или обошлась, я не знаю? Но ведь теперь же все продается, верно? А роскошная реклама, да с проблемами, да еще с антуражем, после чего все сюда побегут, — это серьезное подспорье для успешного бизнеса, так? Или я не понимаю?

— Правильно ты понимаешь... — Суворов покачал головой. — Хорошие бабульки он увез. Но это дело — недоказуемое. — Он хитро подмигнул.

— Да я тебе слово дал! И не собираюсь ничего доказывать. Но вот мысль мелькнула. Ты ему когда деньги отдал, в тот день?

— Ну?

— Знаешь, почему спрашиваю? А не мог ли это быть просто грабеж? Кто-то узнал либо подглядел, вот и решил воспользоваться? Ведь при нем в ночь убийства ничего не нашли — ни бумажника, ни документов, ни «мобильника».

— А что, запросто... — подумав, ответил Суворов. — Пять кусков — нехило... И Надька, это она так, для фасона, а он у нее был халявный... я сам велел, чтоб по высшему разряду обслужила... И она — девка старательная. Эх, — вздохнул он, — промахнулся, видать, бабки на ветер, и не будет никакой твоей рекламы... Ты там, у них, не слыхал: пойдет передача?

— Вряд ли... Но я узнаю — позвоню, — пообещал Климов, вставая. — Телефон я у тебя записал...

«А я, кажется, знаю, куда они могли уйти, эти денежки... — сказал себе Климов. — Узнать бы еще, кто кредитор?.. И если Леня вернул ему свой долг, то, значит, версия с кредитором отпадает...»

Уже покидая ресторан, решил для себя: «Надо будет сегодня обязательно поделиться своими впечатлениями с Мариной... А интересно как получается: внешне она — сухарь сухарем, даже словно нарочно подчеркивает свою незавидность, неприметность. Зато когда раздевается — ого!.. Странное дело, а вот эта Надя, у которой все видно, совсем не трогает... Наверное, потому, что это — ее профессия. И она — не для любви предназначена, а для удовлетворения похоти. Пожрал, выпил, сбросил напряжение — и за работу! Бабульки лепить... Вот, видно, и эту проблему решал здесь для себя Леонид Морозов — он же, говорила Марина, дотошливым был, во все влезал сам... А пять тысяч долларов — очень неплохой гонорар, не облагаемый к тому же налогами». Правда, не знал Климов, какие вообще гонорары считаются «неплохими» на этом телевидении. Надо будет тоже у Маринки спросить...

Итак, зафиксировал Климов, Леонид Морозов в свой последний день появился у Суворова в полдень, а уехал в три. Куда? К своему кредитору? Или он мог отправиться к конкуренту Суворова?.. А что, в этом тоже имелся свой смысл... Но это уже следующий вопрос. Виктор Пашкин сказал, что у Лени были свои собственные агенты на тех объектах, где он работал. Впрочем, возможно, он пользовался в какой-то степени еще и милицейскими связями, и это все предстоит выяснять и выяснять... И когда успеть?..

Во всяком случае, здесь, у Суворова, делать было больше нечего.

А интересно, как отреагирует на визит следователя Реваз?..

## 4

Вот ведь, кажется, почти все знаешь о человеке: и где он бывает, и чем занимается, а как доходит до того, чтобы найти его, увидеть, вопрос нужный задать, так — извините. Не знаем такого, не видели, не встречали... Да оно и понятно, криминальный мир не выпячивает своих связей и контактов.

Понадеявшись на собственные силы и умение, Климов отправился прямиком в «Багратиони». Ресторан как ресторан, не хуже и, вероятно, не лучше того же «Суворова». И обслуга похожая, и кабинеты вдоль длинного коридора, — видать, все те же «секс-массажные». Разница только в обилии черноголовых парней — с синими от щетины щеками и гортанными, наглыми, как у стаи прожорливых воронов, голосами. Оно и понятно — диаспора...

Климов спросил у одного, у другого, где он мог бы срочно увидеть хозяина этого заведения? В ответ было выказано отчужденное недоумение, более даже напоминавшее реакцию нормального человека на присутствие надоедливой осы.

— Слушай, зачем тебе, а?

— По делу.

— А ты кто такой, слушай?

— Следователь прокуратуры.

Ответ не поколебал уверенности случайных собеседников. Даже отчуждения в их выпуклых глазах не прибавилось — только ленивая брезгливость.

— Слушай, ты зачем пришел? Кушать? Так иди и кушай! Не занимайся пустяками, аппетит испортишь, а? Иди, иди... Мало, что он тебе нужен, ты ему, слушай, нужен? Иди кушай... Если ты ему понадобишься, он тебя сам найдет...

«Кушать» после сытного обеда у Суворова, заплатить за который, как ни пытался Климов, ему так и не удалось, было бы просто обжорством. А вызывать на помощь милицию, чтобы помогла ему обеспечить встречу с Ревазом Батурией, никакого смысла не было, она же наверняка вся у него скупленная на корню. И сделает все, чтобы он вообще ничего тут не узнал — продажные ведь шкуры, кормятся они тут...

Но беспокойство все-таки своим неожиданным визитом он у этих сукиных детей вызвал. Во-первых, сразу заметил, как за ним стали наблюдать, причем не тайно, а внаглую, откровенно. А во-вторых, на выходе его вдруг остановила милицейская группа, выбравшаяся из подъехавших «Жигулей».

Вперед, навстречу Климову, вышел крупный и плотный, в синем зимнем камуфляже, видимо, старший группы, а двое других немедленно направили на одетого в обычную дубленку Климова свои короткорылые автоматы. Сергей Никитович обернулся и увидел сзади ухмылявшиеся рожи преступных жителей Грузии, предпочитавших красть и убивать все-таки в России, где, как они почему-то абсолютно уверены, им все сойдет с рук. И ведь сходит, вот в чем главная беда!

— Документы! — грубо потребовал милиционер с плохо различимыми на его плечах звездочками — не то две, не то три, а в общем, лейтенант, и протянул руку в варежке.

— Старший следователь Управления по борьбе с организованной преступностью и терроризмом Московской городской прокуратуры, подполковник юстиции Климов. Почему не представились по форме? — рявкнул он и полез во внутренний карман за удостоверением.

Климов, конечно, рисковал. Кто их знает, что задумали те «кавказские лица» и эти, явные холуи, примчавшиеся по первому же сигналу. Однако начальственный окрик оказался привычнее. Милиционер небрежно, но все же отдал честь и доложил невнятно:

— Старш...ант ...вирида... — и, помолчав, глядя в строгое лицо усатого Климова, медленно раскрывающего перед глазами «старш...анта» свое удостоверение, добавил: — Пятьдесят шестое от... мил... Кунцево... Сигнал поступил.

— Какой сигнал? — так же строго спросил Климов. — От кого?

— От этих... — почти брезгливо бросил милиционер. — Шляется, мол, выискивает чего-то... Проверить надо. А вы чего тут искали?

— Это дело прокуратуры. Вас не касается.

— Нас тут все касается, — снисходительно ответил, хмыкнув при этом, милиционер. — Хохол, что ль? — спросил неожиданно.

— Не угадал, лейтенант. А вы быстро примчались... Постоянно тут пасетесь? Чтоб у этих забот с законом было поменьше? Ладно, свободны.

Климов безнадежно махнул в его сторону рукой и пошел к своей машине. И поехал он не к себе на службу, а прямиком в МУР, в «убойный отдел». Передавая Климову бразды расследования, московский прокурор сказал, что он может взять в свою бригаду оперативников из МУРа, договоренность об этом с руководством уголовного розыска имеется. Но пока Климов обходился без них, а теперь потребовалась их конкретная, адресная поддержка, и в первую очередь их собственной агентурой. Ибо задуманное Сергеем Никитовичем пусть и отдавало авантюрой, однако могло и принести результат. Например, хотя бы для того, чтобы следствие могло отказаться от одной из версий, каждую из которых ты, уверен в ней или нет, тем не менее обязан полностью отработать.

«Ничего, — размышлял он, поглядывая в зеркальце заднего обзора и считая, что теперь менты просто так с него не слезут, обязательно повиснут «на хвосте», — эти «вороны» сейчас забегают. Им уже наверняка прикормленные холуи все доложили, и они будут сами искать возможности для контактов. Что ж они, полные идиоты? Не соображают, что если к ним приехал из Московской прокуратуры не кто-нибудь, а... ну и так далее, то определенно не для базара по пустякам. И если тот же Реваз Батурия решил легализоваться, ему такие непонятные визиты совершенно ни к чему... Они явно таят в себе опасность... Ага, вон и машинка появилась наконец...»

Это был далеко не новый «БМВ» черного цвета. Но шел он хорошо, гораздо быстрее климовских «Жигулей». И скоро стал догонять. А Климов и не торопился, дал себя обогнать. Он как раз ехал по Новорублевской улице в сторону Рублевского шоссе, чтобы по нему пересечь МКАД и выехать к центру. Движение здесь было не очень плотным.

«БМВ» обогнал его и притормозил впереди, показав стоп-сигналами, чтобы Климов тоже остановился. Ну что ж, можно и постоять. Из передней машины выскочил плотный, почти квадратный мужчина в распахнутом черном пальто до пяток, с крупной, лысой головой и быстро приблизился к «Жигулям». Климов предупредительно опустил стекло.

— Слушай! — с ходу с сильным акцентом затараторил мужчина — либо сам Реваз, либо кто-то из его приближенных. — Мне сказали...

«Значит, сам Реваз», — решил Климов и, открыв дверцу, выбрался из машины. Реваз ростом с трудом доставал ему до середины груди и потому вынужден был задрать голову.

— Что тебе сказали? Почему таких грубиянов держишь? Почему невежливые? Кто же после этого с вами разговаривать захочет?

— Я им уже свое сказал! — Реваз взмахнул, как отрубил, рукой. — Серьезный человек приехал! Важный! А вы — как... не знаю кто... Не обижайся, слушай! Поедем назад, посидим, поговорим, скажешь, зачем приехал, а? Нехорошо, слушай! Не обижай! Нехорошо гостю хозяина обижать! Разговор есть, пусть будет разговор, извини за тех дураков...

— Ну хорошо, — изобразив «трудное раздумье», решил наконец Климов. — Поедем, действительно серьезно поговорить хотел.

— Садись, — Реваз услужливо открыл ему дверцу, — мы впереди поедем, чтоб никто не останавливал.

«Вот оно как поставлено здесь дело: когда Реваз едет, никто не должен его останавливать... — покачал головой Климов, трогая машину следом за развернувшимся «БМВ». — Да полно, Москва ли это? Или какой-то заштатный грузинский городишко?» И повторил про себя мысль, возникшую при первом посещении «Багратиони»: «Все досконально известно про этих уголовников, а посадить не можем... За руку ж не поймали!»

Реваз должен был точно знать, зачем приезжал и почему требовал встречи с ним этот «важняк» из горпрокуратуры. По пустякам эти люди сами ездят только на задержания, причем не в одиночестве, а во главе группы захвата. Уж это знал на собственной шкуре старый «законник» Батурия. А если один приехал, это означает, что у него нет к Ревазу недоверия. Как же можно грубить? Ты узнай сначала, в чем дело...

Климов отказывался от застолья, но Реваз уговорил его на чашечку хорошего кофе по-турецки. От коньяка Климов категорически отказался: за рулем!

Батурия смотрел выжидающе, но не торопил гостя. И Климов начал рассказывать о том, как накануне Нового года нашли убитого телевизионного журналиста Морозова недалеко от дома, где тот проживал. И вот, изучая различные версии, следствие пришло к выводу, что причиной убийства вполне могла стать профессиональная деятельность Морозова.

Ревaз внимательно слушал, не перебивая вопросами, и Климов по его реакции видел, что тот либо талантливо, по-актерски, скрывает, что знаком с Морозовым, либо действительно не знает, кто он такой. И слушает он тогда, считая, видимо, что это предисловие к чему-то, что должно его дальше определенно касаться. С одной стороны, это хорошо, а с другой — доигрывать партию надо было все равно до конца.

Ну, словом, разбирая материалы, которые остались у покойного, следствие обнаружило, что незадолго до гибели Морозов изучал тему ресторанного обслуживания, в том числе некоторые криминальные аспекты этого бизнеса. И тут появились первые зацепки. Среди объектов, которые изучал журналист, значились рестораны «Суворов», «Кутузов» и «Багратиони» — всё имена великих русских полководцев. И в частности, его интересовал конфликт, который возник между хозяевами «Суворова» и «Багратиони». И вот тут Реваз возмутился:

— Слушай, какой такой конфликт? Не знаю такого! Морозова тоже не знаю! Не был у меня... А если бы приехал и сказал, что снимать будет, а потом по телевизору показывать, я бы ему лучший стриптиз показал! Это же реклама!

— Да вот видишь как, Реваз, получается? Морозов-то твоего конкурента слушал, все записывал, нехорошо о тебе думал... А в таком случае разве тебе реклама нужна? Тебе совсем не нужно, чтобы про тебя говорили по телевизору, будто ты — беспредельщик. А твои люди — бандиты. Разве не так?

— Э-э, ты какой умный! — почти взвился Реваз. — Значит, если меня какой-то Петька ругает, бандитом зовет, я с ним соглашаться должен? Если твой Морозов про меня плохо сказал, я его убивать буду? Слушай, зачем? Сколько на меня всякого дерьма лили, и что все они — покойники? А Петьке скажи: сволочь он. Я ему еще ничего худого не сделал, но он увидит...

— Войну ему, что ли, объявите? — усмехнулся Климов, но Реваз не принял шутку, нахмурился сердито. — Вот есть у меня сведения, что вы хотели два ресторана забрать себе — суворовский и кутузовский, но якобы у вас обломилось, «крыша» у них сильнее вашей оказалась, и поэтому вы готовы предпринять все, чтобы наказать конкурентов. А Морозов, получается, на них работал и, значит, против вас.

Реваз вскинулся, но Климов остановил его мягким движением ладони:

— Нет, вы не поняли, я вас не подозреваю, я разобраться хочу. Вот их «крышует» милиция, вас, вероятно, тоже. И выходит, что вас много, а милиция — одна. И она с вас кормится. И ей выгодно, чтобы вы все время ссорились, не так?

— Слушай, ты умный мужик! Очень правильно понимаешь... Может, менты замочили? Чтоб потом на кого-то из нас показать, а?.. Слушай, давай покушаем!

— Да не могу уже, спасибо. У Петра пообедал.

— Э-э, обижаешь! Разве он может накормить? Никакого сравнения, слушай! Ну разреши нэжный шашлык скажу?

— Ну скажи, — не выдержал Климов. И не пожалел, когда принесли такую вкуснятину, которой он никогда не ел.

Реваз что-то прокричал по-грузински, и те его «мальчики», которые хамили Климову, теперь подобострастно исполняли указание хозяина. А разговор продолжился. Реваз стал жаловаться, как местные чиновники совершенно не дают развиваться, взятки требуют. Про торговые точки свои стал рассказывать, которые автомобилистов, особенно дальнобойщиков, на Кольце обслуживают. О том, что если бы ему только не мешали, а «помогать» не надо, он бы всю торговлю по Кольцу на такой высокий уровень поднял, что в других странах позавидовали бы. Словом, он развивал свои планы, найдя в Климове хорошего слушателя, и Сергей убедился в конечном счете, что никакого дела Ревазу не было до каких-то телевизионных проблем и склок. Все его интересы лежали в совершенно иной плоскости. Он, кстати, сожалел, что не забрал под себя — а ведь большие бабки предлагал! — бизнес тех же Суворова с Кутузовым. Один хороший хозяин нужен, тогда и порядок будет. Даже Сталина вспомнил, к слову. Вот ведь какие образованные нынче уголовные авторитеты пошли!

Уходил Климов, уверенный, что убийц Морозова искать здесь — пустое дело. Но он все равно решил обговорить свои соображения с оперативниками МУРа, у этих ребят наверняка имелись и свои собственные подходы, и чего ему не удалось узнать, могли выяснить они. Но это уже завтра. Надо бы успеть за Маринкой заехать — а это другой конец Москвы. Позвонить ей он решил из машины.

Но больше всего его смешило то, что, когда закончили легкий обед с безалкогольным вином — вкусным и безопасным, Реваз приказал принести целую сковородку приготовленных в каком-то вкуснейшем соусе с орехами и острыми приправами петушиные гребешки. Вот тут, с истинно кавказским восторгом, Реваз заявил, что настоящий мужчина должен обязательно съесть это блюдо. Тогда у него появится такая сумасшедшая потенция, которая ему даже не снилась! А что потом скажет женщина! О-о! Это невозможно представить!

Насчет потенции — это было очень интересно, хотя Климов не мог на себя пожаловаться, да, впрочем, и Маринка, кажется, тоже. Но наверняка не помешает!

Окончательно успокоенный Реваз проводил следователя до дверей и еще раз извинился за своих дураков. Ну как можно было допустить, чтоб такой хороший разговор не состоялся? И он пригласил Климова приходить сюда, и самого, и с друзьями, при этом настоящее кавказское гостеприимство гарантировалось.

Оно, конечно, так, но лучше не надо, решил про себя Климов.

А в последовательность событий последнего дня Леонида Морозова, которые со скрупулезной точностью фиксировал для себя Климов, он не стал вставлять казавшийся вполне возможным визит журналиста к сопернику Суворова — Ревазу Батурии. Искать надо было в другом месте. Может, у кредитора? Но кто он? Неужели это было «страшной тайной» Морозова и он никому ни разу об этом не обмолвился? Но ведь знают же! Тогда откуда?

## 5

Его появления на студии в Останкино становились, похоже, регулярными, словно приходы на работу. И, кстати, Марина, видимо, тоже стала привыкать к тому, что внизу, на контроле, ее ожидает рослый мужчина с могучими усами, похожий на бравого телохранителя.

«Телохранитель... Хранитель тела... Но не охранник, а славный мужик, помогающий телу сохранить свою молодость и живость... Здорово, между прочим, помогающий... — Так забавлялась Марина «словотворчеством», как она это называла, спускаясь в лифте на первый этаж. — А может, хранитель не тела, а души? Душехранитель? Нет, звучит некрасиво. А слово, которое некрасиво звучит, не может отражать правду... И в этом есть великое таинство языка, как это ни странно...»

Он стоял на привычном уже месте — высокий, плечистый, черноволосый, — у огромной стеклянной стены, и глядел на улицу.

— Милый... — тронула она Климова за плечо, и тот резко обернулся: в глазах его вспыхнул азарт, усы встопорщились, и Марина засмеялась: — Ты сейчас похож на огромного котяру, который увидал лакомую мышь и уже прикинул, как он ее будет...

— Употреблять? — подсказал Климов, смутив бедную девушку. — Вот интересно! А чего ты-то краснеешь? Чего я не так сказал?

— Нет, я все-таки не встречала таких наглых котов... — Марина вздохнула глубоко и смешно оскалилась, согнув при этом пальцы когтями: Которых так и хочется погладить... против шерстки... ух! Чтоб электричество затрещало!

— Ну ты, мать, садистка, — радостно прошептал Климов. — А у меня есть новость.

— А у меня тоже. Даже две. Хорошая и не очень...

— А-а, понятно, — посерьезнел Климов. — Все бизоны сдохли, остался один навоз. Но навозу — много, так?

— Нет, мой дорогой! — хитро улыбнулась она и на мотив «Подмосковных вечеров» пропела: — Обна-ружился кре-ди-тор... та-та-та!

— Ты — золото! А я узнал, где ваш Ленечка пользовался услугами симпатичных девочек и брал «бабульки», каково?

— Значит, все-таки брал? — как-то скисла Марина. — Девки-то, черт с ними...

— Не расстраивайся, поедем-ка лучше домой... Куда сегодня желаешь? К тебе? Ко мне?

— А какая программа?

— Буду тебя кормить и разговаривать, а потом мы долго не будем разговаривать, а потом... Потом я чего-нибудь придумаю такое, чтоб тебе было интересно, но не утомительно. А совсем уже потом...

— А потом — суп с котом. Едем к тебе. Я терпеть не могу у себя мыть посуду, а у тебя, думаю, буду это делать даже с удовольствием... А разговаривать, между прочим, можно и в машине, — многозначительно сказала она.

— Я понял. Это был весьма прозрачный намек на то, что все деловые вопросы должны остаться в машине?

— Именно так. У меня нет ни малейшего желания обсуждать грешную жизнь Морозова, лежа в твоих объятиях. Это — на будущее. И чтоб ты больше не считал, что нам с тобой не о чем говорить, милый.

— Кошечка показывает коготки... — засмеялся Климов. — А что, мне нравится!

Когда они сели в машину и Марина обернулась, чтобы кинуть свою сумочку с неразлучным целлофановым пакетом на заднее сиденье, она увидела лежащий там большой сверток.

— Батюшки, а это что? Как вы их называете — вещдоки?

— Дело в том, что по долгу службы и против собственной воли, естественно, я вынужден был дважды пообедать сегодня у двух непримиримых соперников и противников, с которыми работал твой подопечный журналист. Но я посчитал, что это было бы в высшей степени несправедливо, если бы и ты, хотя бы частично, не разделила мое вынужденное пиршество. Вот и заехал на рынок, тут, неподалеку. Буду угощать тебя таким мясом, которого ты отродясь не едала. По-нашему, по-донскому, по-казачьему. Так что готовься морально. А теперь к делу...

И Климов, не упуская подробностей, посвятил ее в суть своих посещений ресторанов Суворова и Батурии. Не упустил и Надю с ее рассказом об известном клиенте и комментариями Петра Егоровича. После чего высказал и свои собственные соображения. Он ничего уже не скрывал от Марины, потому что видел в ней свою не только единомышленницу, но и самого близкого друга, если так можно сказать о женщине, с которой с удовольствием делишь постель...

Марина слушала его с некоторым напряжением, особенно то, что касалось последней части — по поводу «друга в постели». Но промолчала, оставив без комментариев. Зато касательно взятки в пять тысяч баксов выразилась довольно откровенно:

— Это еще немного. По нынешним временам — цветочки. Хотя обидно. Впрочем, теперь уже не о чем жалеть. Кстати, похороны назначены на завтра. Приедут наконец родители, соберется нижегородская родня... Место выбили на Ново-Кунцевском, знаешь? В двенадцать. И завтра же будет объявлено о призе в миллион рублей тому, кто поможет раскрыть убийство. Вот такие новости. А насчет кредитора — это, Сереженька, отдельный разговор. Лучше не на бегу.

— Ну кредитор — это у тебя хорошая новость, а где которая не очень?

— Так миллион же! Ты сам говорил, что тебе это только помешает... Свистопляска начнется...

— Если уже не началась, — кисло ответил Климов и поводил из стороны в сторону усами. — Твой же секрет, поди, давно для «верхних» никакая не тайна, так? И там наверняка уже распределили роли и ответственность... Ну и черт с ними. Давай так, пока я буду готовить, ты мне обрисуешь этого кредитора. У тебя, кстати, какое впечатление о нем? Ты его видела?

— А если нет, что это меняет?

— Только то, что я верю твоим глазам и твоему чутью. Правда, с Ленечкой у вас, дорогая моя мадам, вышел маленький прокольчик, нет? Не кажется?

— Нет, Сереж, о Морозове я все-таки догадывалась. Точнее, знала, но просто хотелось ему верить... Чистота принципов там, то-се... Муть это, конечно, Сережа. Какие могут быть принципы, когда на карту ставятся, с одной стороны, жизнь, а с другой — большие деньги? И плюс азарт загонщика, почуявшего затравленного зверя! Какая после этого справедливая движущая сила?.. Значит, ресторанщики, ты считаешь, не могли мстить? Ведь у них же есть что скрывать от вас?

— Нет. Завтра в МУР скатаю, посоветуюсь с операми, послушаю, что они думают по этому поводу. Почти уверен, что наши мнения совпадут. Да, в двенадцать же — похороны! Родные будут к тебе подходить, да?

— Не только. К Сапову в первую очередь. К Эльдару. Ну и ко мне. Но я им в принципе не нужна, поэтому буду переключать их сразу на тебя, так что ты далеко не отходи. Может, тебе и командировка в Нижний не потребуется, не появится и повода подозревать меня, будто я хочу от тебя избавиться.

— Ну ты и вредная девушка! Когда я это тебе сказал? Уже позабыл давно, а ты все вспоминаешь и накачиваешь себя? Смотри, если я буду сердитым, мясо не получится, либо подгорит, либо еще что-нибудь нехорошее случится, — это я тебе точно говорю, примета есть такая нехорошая.

— Молчу, кормилец! — засмеялась Марина и ласково поглядела на него. — Ну ладно, пока время есть... Короче говоря, этот кредитор, он мне представился — я записала и фамилию, и адрес, и номер телефона, — никакого долга с Леонида не получил. И когда узнал о его смерти, очень расстроился. Думаю, искренне. О сумме речь у нас не шла, но, думаю, немалая. Что-нибудь в тех параметрах, о которых рассказал ты. О чем это говорит?

— О том, что мне с ним надо срочно встретиться, — мрачно сказал Климов. — И чем скорее, тем лучше. Это далеко?

— Ты хочешь сейчас? — насторожилась Марина.

— Боюсь, что завтра будет некогда... А мне и разговору-то — в глаза посмотреть, выслушать да себя проверить. Ты могла бы и в машине полчасика посидеть. Либо вместе бы зашли, так даже и доверия больше... А за ужин ты не беспокойся, я сказал, значит, будешь сегодня пальчики облизывать.

— Ну давай посмотрю... — Марина потянулась на заднее сиденье за сумочкой. — А знаешь, Сережка, — вдруг отчего-то развеселилась она, — мне нравится такая непредсказуемая жизнь! Раз — и поменяли планы.

— Два — и снова все расставили по своим местам! — продолжил Климов. — И чего тут хорошего для любимой женщины?..

— О-о! — многозначительно протянула она и удивленно уставилась на него. — Это у нас что-то новенькое!.. Может, мы еще и жениться захотим?

— А почему бы и нет? — Климов пожал плечами. — Вот спросим... Разрешат?.. Женимся... Подумаешь, тоже мне алгебраические уравнения Эвариста Галуа!

— Чего-о? — У Марины даже челюсть отвисла от изумления.

— Да ничего, — так же невозмутимо ответил Климов. — Это я так, просто к слову вспомнил его теорию уравнений высших степеней с одним неизвестным... Способный был мальчик... — Серьезно посмотрел на Марину и не выдержал, расхохотался: — Что, а? А всего и делов-то — энциклопедический словарь вовремя полистать, так-то, госпожа главный редактор. Ух, как же я тебя сегодня целовать буду, кто бы знал! Давай звони своему Шейлоку.

— Нет, — безнадежным голосом пробормотала Марина, вытаскивая «мобильник», — это что-то невозможное...

Шейлок, иначе говоря Герман Романович Шнейдер, считался довольно известным коллекционером всяческой старины. Что называется, от картин старых мастеров до пуговиц и от антикварной мебели до хрустальных подвесок для бра. Однажды, делая передачу о различных человеческих увлечениях, Морозов узнал об этом странном собирателе, посвятившем себя всему. Ну все, что есть, то и интересно. Причем каждая вещь в коллекции имела, разумеется, свою историю. И не в том суть, дорогая она была — в материальном смысле — или дешевая, акцент ставился в первую очередь на ее истории — происхождении, судьбе, переходящих хозяевах и так далее. Подходящая? — ступай в коллекцию. Другими словами, грабителям у Шнейдера делать было нечего, а вот любителям исторических загадок — полное раздолье. И бескорыстной, ну или почти бескорыстной, помощью Шнейдера чаще всего пользовались театральные постановщики, художники театра и кино, даже некоторые писатели, обожавшие необычные сюжеты, и так далее.

Передача получилась интересная, Шнейдеру стали чаще звонить, обращаться за помощью, жизнь собирателя перестала быть затворнической. Помня доброе дело, Герман Романович неоднократно выручал Леонида в трудных ситуациях: он понимал, что профессиональная деятельность тележурналиста опирается тоже на некоторые тайны, которые, иначе как оплатив определенные услуги, не раскроешь широкой публике. Но и Леонид никогда, оказывается, не подводил старика: долги возвращал в срок. А небольшой процент? Ну кто в наше время станет вообще говорить о такой мелочи?.. Надо — значит, надо. Леонид всегда мог рассчитывать на Шнейдера, как в недавнем прошлом на кассу взаимопомощи.

И вот старик неожиданно узнал о трагедии. Он места себе не находил, поскольку долг Морозова был на этот раз довольно значительным — пять тысяч долларов. К кому обращаться, Шнейдер не знал. Считал к тому же, что в несчастье такого рода требовать возврата долга не очень красиво. Но ведь это — не пять рублей. А журналист, знал старик, был человеком не бедным, если мог позволять себе подобные заимствования. И это не было в принципе чем-то из ряда вон — у Германа Романовича была расписка Морозова. Дружба, как говорится, дружбой, но финансовые расчеты должны иметь порядок.

Вот, собственно, с этим и обратился он в дирекцию канала РТВ. А из приемной генерального его переправили в ту редакцию, в которой и творил свои разоблачительные репортажи Леонид Борисович Морозов. Так Шнейдер и вышел на Малинину.

Герман Романович оказался невысоким, довольно щуплым пожилым человеком в больших очках, со встрепанной седой гривой волос, в теплой толстовке. Если сюда добавить еще висящий над верхней губой крючковатый нос, то сразу можно было обнаружить в его облике поразительное сходство с филином.

И вот этот филин просил помощи. Он заранее предупредил, что особо на возвращение долга не рассчитывает, мол, времена теперь не те, но за пять тысяч долларов его легче убить, чем заставить отказаться от долга. Так что делать? Ждать, когда убьют? Или надеяться, что родственники покойного отнесутся к долгам его не так, как отнесся Ленин к долгам царского правительства? Он еще острил, этот смешной филин. Задавать же вопрос, откуда у него вообще такие деньги, и Сергей, и Марина не считали тактичным.

Для того чтобы гостям легче думалось, Герман Романович принес с кухни необычную, вероятно доисторическую, медную кофемолку, в которой, по его словам, мололи ныне утерянным специальным способом поджаренные кофейные зерна для турецкого султана Османа Первого еще в конце XIII века, и попросил Климова намолоть зерен. Сам он не имел сил справиться с этим кухонным снарядом, обычно это делал Леня, когда бывал у него по своим надобностям. Варил старик кофе по-турецки, и, разумеется, в такой же древней, медной турке.

Кофе был, конечно, прекрасным, но от этого Климову с Малининой не стало легче. А старик тем временем цитировал им по своим записям, собранным в разных архивах, описания того, как шло приготовление этого древнего напитка и чем один способ коренным образом отличался от другого. Короче говоря, демонстрировал свои энциклопедические познания, увы не приносящие решительно никому никакой пользы. Хотя, с другой стороны, если вдуматься?.. А что, подумала вдруг Марина, может, в самом деле, в утренние часы, когда по всем программам идут всякого рода домашние советы, сделать несколько познавательных передач, пригласив в студию этого чудака? Пусть хоть чем-нибудь компенсирует свою потерю? Надо подумать...

Ознакомившись с распиской, Сергей понял, что и версия со зловредным кредитором тоже отпадает на корню. А из советов, как поступить, какой он мог предложить? Хочет старик судиться с родителями покойного? Иного способа законно вернуть свои деньги у него просто нет.

Герман Романович обещал подумать, потому что, как он сказал, этическая сторона вопроса все-таки не является для него пустым звуком. Подумает и позвонит. Тем более что Климов оставил ему свою визитную карточку.

Собственно, на этом и закончился их визит. Неудача? Это смотря как считать. Отпала еще одна версия, и туда ей дорога. Легче разбираться с оставшимися. А разбираться было с чем.

Распрощавшись со Шнейдером, они сели в машину, переглянулись, чувствуя, что уже подходит оно — время для поцелуев, и... помчались домой. В смысле к Сергею, на Басманную. Ведь надо было успеть так много!

## Глава третья

## НОВОЕ НАПРАВЛЕНИЕ

### 1

У Климова больше не было оснований задерживать по каким-то еще не выясненным для себя причинам такой важный акт, подводящий итоги человеческой жизни, как похороны. И он дал разрешение, выяснив, нет ли у судмедэкспертизы еще нерешенных вопросов. Их не было. Пулю из головы извлекли, баллистики определили, что стреляли из пистолета Макарова. Вторую пулю, выпущенную из того же ствола, обнаружил эксперт-криминалист застрявшей в обшивке автомобиля Морозова. Значит, тянуть больше нет необходимости. И Климов «обрадовал» сотрудников РТВ, а те, в свою очередь, родителей Морозова, находившихся еще в Нижнем Новгороде. Они понимали, что с прокуратурой спорить смысла нет. И как только им передали, что все формальности завершены, они тут же выехали в Москву.

С утра пораньше Климов, как обычно уже, отвезя Марину на службу в Останкино, тут же помчался обратно, в центр, на Петровку, 38, пообещав ни в коем случае не опоздать на похороны, как бы это ему ни было трудно. Все-таки концы по столице — приличные.

В МУРе, в «убойном» отделе, он уже разговаривал с давно знакомыми операми, с которыми не раз, и даже не десяток, а гораздо больше раз, ему приходилось работать в совместных оперативно-следственных бригадах. Смысл вопросов заключался в одном: у кого из коллег имеется агентура в Западном административном округе, способная прояснить проблемы сегодняшнего ресторанного бизнеса, имея в виду, что там подразумевается даже отчасти ведение боевых действий. Но, сказав «а», пришлось продолжать алфавит, то есть указывать конкретные адреса, а главное, причину, по которой у следователя Мосгорпрокуратуры возник такой интерес.

Народ в отделе был ушлый, особых разъяснений не требовал, опреры поняли Климова с полуслова. И когда он в общих чертах обрисовал им свою ситуацию, они, даже и не обращаясь к существующим или предполагаемым агентам, довольно убедительно изложили ему свою достаточно твердую, а главное, проверенную на практике точку зрения.

Из нее вытекало то, что, какими бы методами те же Суворов, Кутузов, Потемкин и Батурия ни пользовались при переделе ресторанного пространства, ни один из них не поднял бы руку на журналиста. Все это выдумки самих же продажных журналюг, чтобы придать своим персонам особую значительность. Нет, случается, что они становятся жертвами бандитов, но в каких случаях? Во-первых, когда становятся участниками собственных внутренних разборок. И одна из сторон нанимает киллеров для окончательного решения междоусобного вопроса. А примеров тому — сколько хочешь, начиная с имен, известных всей стране. В самом деле, можно согласиться с тем, что в современной России журналистов отстреливают с завидным постоянством и что журналистская профессия стала одной из наиболее опасных. Но тут уместно вспомнить и «во-вторых». Они же бесцеремонно порой вторгаются в запретные зоны некоторых ведомств, коммерческих структур и отдельных лиц, вовсе не желающих публичной огласки. Но обычно в таких случаях сперва следует предупреждение, а когда оно отметается, может возникнуть и «мокрое» дело. Профессия это твоя или не профессия, а целенаправленная акция конкурента — не суть важно. А способы наказаний не претерпели изменений со времен Средневековья. Ты влез не в свое дело, тебя предупредили, ты не послушался — пеняй на самого себя. И никого не касается, что твое вмешательство в чужие дела — это якобы исполнение твоего гражданского долга, а вовсе не участие в битве на стороне одного из противников, за что ты получаешь и соответствующие гонорары, — в данном случае ты враг. Значит, и судьба у тебя такая. Ну и, наконец, третье. Личность самого журналиста. Если он поддается внушению, способен правильно оценить расстановку сил, не хамит и не обманывает, ему могут и оказать определенную помощь при случае. Но если он набрал «зелени» под несуществующие авансы и пытается обвести партнера вокруг пальца, тут вступает в силу всеобщий закон расправы с несостоятельным должником. Есть и еще некоторые аспекты, но в принципе все сходится в основном к этим трем вариантам.

Такая расстановка, кстати, существует во многих сферах бизнеса, но ресторанные разборки с участием журналистов — подобного еще пока не было. Спалить кабак — это конкуренты могут. Избить там, запугать или переманить поставщиков, обслугу — тоже. Да много имеется в наличии способов прижать и убрать с рынка своего соперника, учить этому уже никого не надо. Но при всей кровожадности теневого российского бизнеса до расстрелов пишущей братии руки у них не доходили. Легче ведь перекупить, чем убить. И всем это известно, включая в первую очередь самих журналистов. Как это теперь называется? Ангажированность? Вот-вот... Взяток же теперь у нас нет, как заявил один широко известный новый российский «публицист», а есть оплата услуг. И как много всего разного ныне подходит под это «крылатое» выражение!

Словом, общий вывод был таков, что следователь зря себе морочит голову несуществующими проблемами. Впрочем, если у него есть охота возиться с пустышкой, можно посочувствовать и даже посодействовать отчасти. Если будет официальное представление, оперативники согласны прощупать свою агентуру. Но общее мнение оставалось прежним — зряшная потеря времени.

Короче говоря, Климов решил-таки добить эту свою версию более конкретными и вескими доказательствами. Он на другой же день привез в МУР соответствующее постановление для проверки изложенных фактов и теперь постоянно названивал, не открылось ли чего нового. Однако это слова говорятся иной раз быстро, а серьезные дела так не делаются. Жди, и тебе воздастся!

Вот и теперь, по дороге в Кунцево, ибо уже приближалось время похорон, он продолжал размышлять над выкладками оперативников. В общем-то они казались вроде бы и правыми, но ведь уже было избиение, сопровождавшееся угрозами, исходившими от имени шоу-бизнеса. Были, опять же, и педофилы, которые вроде бы в своей мести не засветились. А ведь там наверняка, как и в шоу-бизнесе, миллионами, если не миллиардами, ворочают. Но, между прочим, прошла в эфир и «царская охота», после которой Морозов проскочил как бы не наказанным. А ведь и там задевались очень крупные шишки, да что там крупные, — можно сказать, вершители судеб нынешней России. И что, тоже, как и педофилы, они простили журналисту его смелость?

Зато сюда, к факту мести, можно отнести и то, что из квартиры Морозова исчезли бесследно компьютер, записные книжки и прочие материалы, которые могли иметь непосредственное отношение к текущей работе телевизионного журналиста, у которого все его выходы в эфир, как говорила Марина, всегда отличались острой критической направленностью. Точно так же были похищены с места убийства его телефоны, документы, ключи и деньги — в сумме пяти тысяч долларов. И тут иначе, видимо, и нельзя было поступать киллерам — имитировалось же убийство с целью грабежа...

Но появлялось противоречие: если на улице целью являлся в первую очередь грабеж, тогда зачем было выносить из квартиры документы? С компьютером понятно, на нем имя владельца не написано, его продать можно или, на худой конец, отдать своим детям — пусть играют...

Ну а материалы, а записные книжки им зачем? Никак не согласовывалось... Значит, все-таки был интерес — убрать даже малейшее напоминание о тех темах и разработках, которыми занимался Морозов. И самое скверное, что работал он в одиночестве, никого практически не посвящая в свои планы, разве что оператора, и то, по утверждению Пашкина, только на стадии съемок.

Короче говоря, раз имелось сомнение, никакие выкладки оперативников-муровцев Климова по большому счету удовлетворить не могли, уж если делать, как острили лет этак двадцать назад, так по-большому...

А сегодня, решил для себя Сергей Никитович, надо будет воспользоваться тем, что на похороны помимо многочисленных коллег Леонида Морозова, толку от которых, в общем и целом, для расследования никакого, соберутся родные, друзья и знакомые покойного, не связанные с ним профессиональными узами. Наверное, будут и те женщины, с которыми у него были интимные связи. Но об этом наверняка лучше известно Маринке, с которой Леонид делился своими победами и неудачами. Странно! Даже приблизительно не представлял себе Климов, как это можно обсуждать с женщиной, которая тебе не любовница, а обычная коллега, такие интимные подробности своей жизни! Или у них что-то все-таки было?

Климов даже рассердился на себя от столь неуместной постановки вопроса. Неужто ревность заговорила? А что он, собственно, может предъявить Марине? И какое имеет право? Он что, сам святой? Но нет, речь же не о нем с Мариной, а о любовницах Морозова. Между прочим, с повестки дня не снималась пока и такая версия, как месть на почве ревности. И орудием мести могла быть не только оскорбленная женщина, но и обманутый муж... Хотя, опять же, по нынешним временам таким образом вопросы ревности не решаются — устарело, не модно... Но и со счетов сбрасывать нельзя.

Действо на кладбище отличалось от сотен других подобных лишь тем, что в толпе, окружающей дорогой, под красное дерево, с белой атласной внутренней обивкой гроб с покойным, было множество легко узнаваемых лиц, большинство из которых простому российскому телезрителю были отлично знакомы по ежедневным телевизионным передачам. Но, обычно жизнерадостные и неутомимо говорливые, здесь они были мрачно молчаливыми и словно сосредоточенными на каких-то определенно тяжких мыслях, которые булыжниками ворочались в их и молодых, и благородно седеющих, и модно выбритых наголо, до зеркального блеска, головах. Впрочем, отметил Климов, последние позволили себе лишь на короткое время снять головные уборы, — колючий ветер со снежными зарядами не располагал к долгому и трогательному прощанию. И речи говорились коротко, предельно ясно и без особой ораторской выдумки. Смысл укладывался в несколько фраз: был... пользовался уважением (иногда — любовью друзей и коллектива)... безвременная гибель заставит теснее сплотиться ряды коллег... убийства журналистов становятся дурной российской традицией... и, наконец, ни власти, ни правоохранительные органы ровным счетом ничего не делают, чтобы защитить и без того надорванный голос народа.

Насчет «голоса народа» получилось неплохо, Климов позже протолкался к Марине и спросил, кто это про «надорванный народный голос» вещал? Марина искоса, не привлекая к себе внимания, взглянула на Сережу и негромко ответила ему, вложив в свои слова, однако, изрядную долю сарказма:

— Спонсор программы... Интекс-банк... по связям с общественностью... У них такая работа, ничего не поделаешь, надо терпеть...

Но ее реплику все-таки услышал и неодобрительно обернулся стоявший впереди рослый парень с характерной внешностью — горбоносый, с треугольным лицом и со сплошной линией густых темных бровей. Потом он перевел презрительно-вопросительный взгляд на Климова. А Сергей взял да и ткнул ему прямо под нос свое красное удостоверение. Парень словно бы смешался на миг, отшатнулся и, отвернувшись, начал пробираться в сторону от могилы и гроба с покойным, стоящего на металлической подставке, затянутой красным сукном.

— А этот еще откуда? — бросил ему вдогонку Климов.

Но парень даже не обернулся. А Марина пожала плечами:

— Понятия не имею. Здесь я вообще не знаю половины народа.

А речи продолжались — короткие и по-прежнему обличительные по адресу нерадивых «правоохранителей», которые всякий раз, когда беда настигает славных «трубадуров» отечества, оказываются абсолютно бессильными и не могут назвать ни убийц, ни тех, кто стоит за ними. В общем, получалось так, что в заказчиках вполне можно было подозревать кого угодно, даже милицию, но никак не коллег Морозова, его конкурентов по цеху, либо обиженных им «героев» всегда острых, публицистических телепередач.

Климову надоело слушать одно и то же, и он, нагнувшись к плечу Марины, негромко попросил ее показать ему родственников покойного. Та кивнула вправо от микрофона, где чуть застыла пара — совсем еще не старые мужчина и женщина.

— Морозовы... Наталья Ильинична и Борис Петрович. Оба — профессора, она — в пединституте, он — в Политехническом университете.

— Понятно... А не ты ли мне говорила, что в Нижнем у него была какая-то любовная история?

— Возможно, и я... Героиня ее вон стоит, — кивком показала Марина на весьма миловидную девушку в белой меховой шубке и такой же, похоже песцовой, шапке.

Климов вгляделся. Всем хороша девушка, но... что-то не понравилось Сергею Никитовичу, может, взгляд ее какой-то безразлично-спокойный, даже надменный, что ли. Этому впечатлению способствовало и то, что девушка выпустила из-под шапки на лицо, с обеих сторон, по густой черной пряди, вот именно они, возможно, и дорисовывали портрет современной молодой ведьмы.

Проследив за его взглядом, Марина откинула голову назад, к Сереже, и шепнула:

— Неужто она тебе понравилась?

— А ты откуда ее знаешь? — спросил он в свою очередь.

Марина хитрым-хитрым взглядом посмотрела на него и ответила:

— А она несколько раз приходила к нам, на студию. Насмотрелась... А ты что, запал?

— С ума, что ли, сошла? Да я на пушечный выстрел... А вот поговорить надо бы... Она где живет?

— В Нижнем... Работает в Кардиологическом центре... кажется. Или работала. Он что-то говорил.

— Леонид?

— Ну а кто же еще?.. А Зоины родители, Сергей Иванович и Елена Федоровна, и родители Леонида не только дружили долгие годы, но и детей своих решили когда-то поженить. Только ничего из этого союза не вышло. Они даже работали вместе — отцы в Политехническом, а матери — в педагогике. Но... разбежались в разные стороны, а когда Леонид отказался от этой Зои, вообще перестали здороваться. Такие дела. Этих Воробьевых я здесь сегодня не видела. Странно, не правда ли? Все-таки говорят, что смерть иногда сближает... Не понимаю...

— А тебе и не надо. Меня другое интересует. Значит, не исключено, что они — и родители Морозова, и несостоявшаяся невеста — прямо после похорон отбудут к себе? Какие у них планы? Не делились?

— Поминки мы заказали в ресторане гостиницы «Космос». Напротив метро «ВДНХ», знаешь? Сняли небольшой банкетный зал... на сто двадцать человек... Придется сидеть. А потом, наверное, они уедут. Если не останутся заниматься квартирой Леонида и тем, что после него осталось. Но это уже будете решать вы — прокуратура, разрешать им или не разрешать, как у вас там полагается... Так что, думаю, ты можешь начать с ними свое знакомство с этой темы. А я тебя им, если хочешь, представлю. Меня они уже знают. Что же касается этой?.. Решай сам, мне она антипатична. Мы даже не поздоровались, хотя Леонид нас однажды знакомил.

— Ну и хрен с ней...

— О женщине! Фи! — Марина с укором посмотрела на Сережу. — А еще классику почитываешь...

— Классики, между прочим, и почище выражались. Привести примеры?

— Самое время нашел... — Сдерживая смешок, Марина прикрыла рукой в пушистой варежке лицо. — Скорбный же день, как тебе не стыдно! — Но самой ей не было стыдно.

— Ладно, — решился наконец Климов, — соответствуйте ситуации вашего скорбного дня, мадам, а я пошел работать. «Мобилу» не отключай, я тебя вскорости высвищу, будешь лично мне показания давать. Не фига красивой и умной женщине среди пошляков дорогое время растрачивать, настоящим делом надо заниматься.

Марина отреагировала тем, что совсем спрятала лицо уже за обеими варежками, и плечи ее затряслись. Кто-то мог бы подумать, что не выдержала коллега, расплакалась от полноты чувств, но, когда Марина отняла варежки от лица, оно у нее было красным, однако совсем не от слез.

А Климов обогнул толпу и подошел к родителям. Те молча и отрешенно стояли рядом с гробом, пока длились речи. И тогда, когда началось прощание и каждый из провожавших, проходя мимо гроба, трогал полированное дерево пальцами и шел дальше, они по-прежнему молчали. Сергею Никитовичу было нетрудно представить, о чем думают эти двое. А в самом деле, ну что должны были чувствовать эти пожилые люди, потерявшие своего единственного ребенка? Растили, учили, любили, он вырос, прославился на всю страну и так нелепо ушел... И что теперь? Как у Гамлета: дальше — тишина? Навсегда... На все оставшиеся тяжкие и одинокие годы... Просто жуть берет...

Видимо, эти мысли и были написаны на его лице, когда он подошел ближе и обратился к мужчине:

— Здравствуйте, Борис Петрович и Наталья Ильинична, поверьте, я глубоко сочувствую вашему горю. Но, увы, суровая необходимость. Я именно тот, о ком сегодня здесь говорили чаще всего, обвиняя в бездействии и потворстве преступникам. Вот мое удостоверение... Я расследую это преступление и уверен, что в конечном счете назову имя преступника, хотя вам от этого вряд ли будет легче... Но мне надо обязательно встретиться с вами и поговорить. Лучше воспользоваться вашим пребыванием в Москве, тем более что и в квартире Леонида Борисовича еще не закончена работа экспертов-криминалистов. Кроме того, никто не мог до сих пор подсказать, что из вещей там было похищено, а это обстоятельство сильно затрудняет, как вы понимаете, поиск преступников. Где бы мы могли встретиться для беседы?

— Квартира его опечатана... — ответил отец Леонида. — Здесь нам предложили номер, в «Останкинской». Но сейчас все отправятся на поминки. Если угодно, можно позже, вечером. Или завтра утром... Лучше сегодня, потому что завтра мы хотели уехать... тяжело это все...

Мать лишь кивнула и заплакала. А ведь до сей минуты держалась, видел же Климов.

— Извините за, может быть, не очень тактичный вопрос... — Климов помялся. — Зоя Воробьева, бывшая, насколько нам известно, невеста вашего сына... она вместе с вами приехала? Из Нижнего, я имею в виду.

— Нет, мы с Воробьевыми не видимся, — резко ответил отец. — С некоторых пор. Но это, извините, долгая история... и не очень уместная... здесь...

— А они в курсе, что?.. — Климов кивнул в сторону могилы.

— Разумеется, раз... эта здесь. Она даже не соизволила подойти!

Сказано это было с заметным раздражением, и мать тут же тронула отца за рукав:

— Не надо, Боря. Не трать нервы...

Сергей Никитович решил тоже больше здесь не испытывать судьбу. Он записал телефон номера в «Останкинской» и пообещал позвонить в районе девяти вечера. К этому времени все ритуальные дела, по его мнению, должны были закончиться.

Отойдя от Морозовых, он снова обратил внимание на отчужденный взгляд Зои, так и не подошедшей к гробу, в то время как поток прощающихся уже иссякал и появившиеся могильщики переминались, опираясь на свои лопаты с прямоугольными, особой формы, лезвиями.

— Извините, Зоя Сергеевна, если не ошибаюсь? — спросил он, остановившись чуть сзади и сбоку от девушки в белой дорогой шубке. Та резко обернулась, взглянула враждебно, но, увидев незнакомого высокого мужчину с пышными черными усами, смягчила взгляд.

— Да, я, а что вам угодно? Кто вы? — Нет, враждебность продолжилась в интонациях голоса.

— Я — старший следователь Климов, расследую это убийство. Могу я задать вам несколько вопросов?

— А зачем? С какой стати? Разве я имею отношение ко всему этому? — Она зло кивнула в сторону гроба.

— Я хотел бы уточнить ваши отношения с покойным Леонидом Морозовым.

— А нечего уточнять! Их не было...

— Ну как же не было? — удивился Климов. — А зачем же вы тогда неоднократно являлись к нему?

— К кому я являлась и когда? — холодно переспросила Зоя и поплотнее закуталась в шубу. Здесь действительно дул пронизывающий ветер.

— Вот об этом я и хотел с вами поговорить... Может быть, вам что-то известно о тех, кто был враждебно настроен по отношению к вашему бывшему жениху? Кто мог желать ему зла?

— Вам и это уже известно? Да, большой город Москва, а сплетни разносятся... позавидуешь... Были. Когда-то. А позже сохранялись чисто деловые отношения. Они к вашему расследованию никакого отношения не имеют. Я вообще уже сожалею, что пришла сюда... взглянуть в последний раз... на несостоявшегося... Извините, мне некогда.

— Вам лучше согласиться, Зоя Сергеевна. Иначе я буду вынужден вас вызвать повесткой в прокуратуру.

И будет уже не беседа, а допрос. И вы не одна поедете в поезде, а вас, как важную свидетельницу, доставят под конвоем. Разве вам такой позор нужен? Соглашайтесь, будет проще.

— Хорошо, — не раздумывая, сказала она. — Считайте, уговорили. Куда я должна явиться?

— Вы где остановились?

— Неважно... У друзей, а что?

— Вы на поминки в «Космос» поедете?

— Меня никто туда не приглашал! — почти фыркнула она.

— А где вы обычно завтракаете, когда бываете в Москве? Или обедаете? Ужинаете?

— Где придется. Ну перестаньте спрашивать глупости, говорите, куда приехать? И когда?

И Климов хотел уже назначить ей встречу в прокуратуре, на Пятницкой улице, на завтра, в одиннадцать часов. Но не удержался и задал последний, как он думал, на сегодня вопрос:

— Скажите, Зоя Сергеевна, а почему ваши родители не захотели проститься с Леонидом? Воробьевы ведь, насколько я знаю, давно дружили семьями с Морозовыми? Не так?

— А об этом, если у вас есть желание, спросите у них самих. Мои родители уже несколько лет не разговаривают с этими жлобами.

— Вот как? Хотя работают вместе?

— Хотя работают вместе. Да, так, к сожалению или нет, но бывает в жизни.

— Скажите, а зачем нам оттягивать разговор? Вы сейчас куда-то торопитесь? Вы, кажется, обмолвились, что вам некогда, но, может быть, уделите мне полчасика? Поговорим у меня в машине, а потом я вас доставлю куда прикажете, как?

Вот тут она задумалась. Но потом решительно тряхнула головой:

— Согласна, если больше потом не станете морочить мне голову. Где ваша машина?

— У выхода, на площадке. Вы меня там подождите, пожалуйста, нужно перемолвиться кое с кем из сотрудников телевидения. И я — к вашим услугам.

Зоя с иронией посмотрела на разговорчивого следователя, покачала головой и кивнула:

— Договорились. — И отправилась к выходу.

Стараясь не упускать ее из виду, Климов стал оглядываться в поисках Марины. И увидел ее неподалеку от Морозовых, в группе знакомых ему лиц с телевидения, фамилии которых с ходу назвать он бы затруднился.

Сергей Никитович решительно направился к ней, но притормозил, заметив, как в глубине аллеи к Зое, хорошо заметной в своей шубке, присоединился мужчина, похожий на того, кому Климов ткнул под нос свое удостоверение прокуратуры. И они пошли, о чем-то разговаривая. Знакомый, мало ли!..

Марина увидела Сережу и шагнула навстречу, что-то сказав своим коллегам, те обернулись, смерили взглядами рослую фигуру «сыщика» — так надо было понимать их мимику — и равнодушно отвернулись. Она посмотрела на Климова вопросительно.

— Со всеми договорился. А с этой — прямо сейчас, в машине. Так что тебе придется ехать с кем-нибудь из своих. А со стариками у меня встреча сегодня в девять, в «Останкинской». Думаю, не больше полутора-двух часов. Ты не обидишься?

— За что? — Она пожала плечами, но видно было, что осталась недовольна.

— А вот за то, о чем ты совершенно зря сейчас подумала. Когда тебе позвонить, чтобы подъехать и забрать домой из ресторана?

— Я сама позвоню тебе, — суховатым тоном ответила Марина. — Между прочим, ты тоже мог бы поехать на поминки. Или это не входит в твои рабочие планы?

— Не язви, дорогая. Чего-то у меня препаршивое настроение... Ну хорошо, я непременно буду ждать твоего звонка, и скорее всего на стоянке у «Космоса», — терпеливым тоном ответил он и быстро отправился к выходу с кладбища.

## 2

— Зоя Сергеевна, прежде чем мы начнем разговор, я хотел бы договориться с вами об одной мелочи, которая для вас ровным счетом не будет иметь ни малейшего значения, а мне важна, поскольку я веду, как вы знаете, расследование тяжкого уголовного преступления. И в любом случае должен был бы встретиться с вами и допросить. Но я не хочу формально усложнять наш разговор, рассчитывая на ваше понимание моих проблем. Поэтому, если вы не станете возражать, я включу диктофон, и он зафиксирует нашу с вами беседу. Но вы должны для этого дать ваше согласие, желательно в письменном виде. Буквально две фразы: о том что идет запись и вы не возражаете. Это чисто формальная вещь, иначе нам пришлось бы ехать в прокуратуру, записывать каждый вопрос и ответ в протокол допроса. Тягомотина. А так мы поговорим, потом запись расшифруют, а я вам покажу ее, чтобы вы внесли свои коррективы, или пришлю, если вас не будет уже в Москве. Я к тому, что это здорово сократило бы ваше время, тем более что без вашей подписи все это будет недействительно. Как?

— Да, в общем, не возражаю. Надо так надо, о чем спорить?

— Благодарю вас. Вот я текст набросал, прочитайте, пожалуйста, и распишитесь, что не возражаете... И я разъясню вам ваши права, предусмотренные Конституцией и УПК РФ.

Климов объяснил ей обязанности свидетеля, его права и ответственность, достал из папки лист бумаги и быстро написал нужный текст, протянул ей. Она пробежала глазами несколько строчек и расписалась, где он показал.

— Так, спасибо. Тогда начнем, я включаю... — И он поставил между собой и ею небольшой диктофон, нажал клавишу записи. — Что вы думаете, Зоя Сергеевна, по поводу этого трагического происшествия — убийства вашего друга?

— Что я думаю?! — Девушка изобразила, впрочем довольно естественно, изумление. — Это вы, следователь, у меня спрашиваете?!

— Именно у вас. Вы были достаточно, как мне известно, близки с Леонидом Борисовичем. Хорошо, видимо, знали его характер. Его слабости и сильные стороны. Его привязанности, интересы помимо чисто служебных. И все это на протяжении многих лет, не так ли? — Климов, конечно, блефовал, но делал это уверенно.

— От кого вы это все узнали? Это же чушь собачья! Я — знала Леонида?! Да его собственные родители толком не знали! Кто все это вам наплел?!

— Вы не поверите, но эти сведения исходили от него самого. Мне передали лица, которым он доверял.

— И даже наши интимные подробности? — уже не с иронией, а с откровенным сарказмом спросила Зоя.

— Насчет интима ничего не могу сказать, не интересовался, но к вам он относился, насколько мне известно, по-доброму.

— Ничего себе доброта!.. Задним числом...

— Вы что имеете в виду?

— Добрым ему надо было быть раньше...

— Ну хорошо, не будем спорить, вам все-таки видней. Как вы думаете, кому он мог перейти дорогу?

— Не знаю... Он говорил однажды, что ему постоянно угрожают. Но я почти уверена, что это было обычное мужское кокетство. И он был не лишен этого противного для мужчины качества.

— Когда вы с ним виделись в последний раз?

— За неделю до его гибели.

«Ответила уверенно, но слишком быстро, — отметил про себя Климов. — А как найти следы ее пребывания?»

— Вы были у него? На работе или дома?

— Приезжала на студию... потом куда-то поехали. Кажется, в тот же «Космос»... Нет, «Космос» был до того. А тогда поехали на ВВЦ. В «Подкову». Однажды к нему домой заезжали, показал, как живет.

— О чем говорили, если не секрет?

— Теперь-то уж какой секрет?.. Ну, словом, я решила, что сидеть у моря и ждать погоды... В смысле в Нижнем... Бессмысленно. И поставила вопрос ребром. Он начал юлить. Врать. И я поняла, что у него здесь кто-то завелся. Он говорил, что не готов к браку, что впереди большие планы и брак будет его стреноживать, да, именно так и сказал.

— А вы не пытались узнать, кто ваша соперница?

— А зачем? Я хоть и простой врач, но чести своей не лишилась. Человеческой, — поправилась она. — Проверять? Выслеживать? Вы так это понимаете? Нанимать сыщиков?

— Почему бы и нет? Многие так делают, когда хотят быть твердо уверены. А может, он тянул по той причине, что не хотел, чтобы и вы были замешаны в те разборки, которые у нас устраивают уголовники? Может, он в первую очередь о вас заботился?

— Как же, как же! Он ни о ком, кроме себя, не думал... Типичный эгоист.

— Но товарищи отмечали его высокое гражданское мужество. Как-то не совпадает.

— А почему? Можно быть в одном смысле мужественным, а в другом — тряпкой. И одно другому в характере человека не противоречит. Человек — сложный организм.

— Это в вас, видимо, врач говорит, — улыбнулся Климов.

— Я ему не раз говорила: оставь ты свои дурацкие темы, за которые тебе однажды башку оторвут! Думаете, послушал? Как же! Он ведь был упрямый. Зацикленный. А больше всего любил деньги. Вот из-за них мог и погореть однажды.

— Деньги, уважаемая Зоя Сергеевна, вопрос спорный. На студии я узнал, что Леонид Борисович на свои средства содержал целую армию собственных агентов, скажем так, которые помогали ему в его опасных расследованиях. А эти люди бесплатно не работают, по своей практике знаю. Так что деньги ему были нужны в первую очередь для дела. Вот этого вы могли не знать.

— Все равно я замечала, что в последнее время он заметно изменился, и в худшую сторону. Стал неаккуратным. Приличную квартиру превратил в хлев...

«А вот это — зря, — подумал Климов. — Оператор как раз утверждал обратное, называл Леонида «аккуратистом», и ему можно верить больше. Зачем она это говорит?»

— Да, тут я с вами, пожалуй, соглашусь, — кивнул Климов. — То, что мы увидели при обыске в его квартире... Нет, конечно, там хорошо порезвились те, кто, вероятно, и участвовал в его убийстве.

— Ну вот видите, а вы мне не верите...

— Почему ж не верю?.. Значит, у вас никого нет на подозрении? Я имею в виду тех, кто мог бы пожелать отомстить ему за что-то? Ревность там, еще чего-нибудь? Нет?

— Категорически отметаю. — Голос ее стал холодным, как недавно на кладбище. — Но, я смотрю, мы крутимся вокруг одного и того же. Поэтому, если у вас нет ко мне еще вопросов, я хотела бы прекратить этот наш, я считаю, бессмысленный разговор. Извините, я вовсе не желаю вас задеть или, пуще того, обидеть. Просто и вы меня поймите. С Лениной смертью поневоле и мне пришлось завершить не самый приятный этап в моей жизни. Я долго мучилась, не скрою, но теперь все кончилось, жаль, что настолько трагически. Но, видимо, так было записано в книге судеб, и нам не дано что-то в ней изменить.

— Вы верующий человек? — участливо спросил Климов. Но Зоя вспыхнула:

— А какое вам-то до этого дело? Лучше убийц ищите...

— Хорошо, я прислушаюсь к вашему совету. Простите, а кто был тот молодой человек, который подошел к вам на кладбище?

— Кого вы имеете в виду? — после паузы спросила она. — Я не помню, чтобы ко мне кто-то вообще подходил с разговорами. Кроме вас. Но я бы и вас не запомнила, не в том находилась состоянии... Вы же понимаете меня? Сама атмосфера, эти стандартные речи, сытые физиономии страдающих якобы коллег... Ужасно!

— А по-моему, вы выглядели прекрасно. Этот парень, почему я и спрашиваю, подошел к вам, когда вы уже уходили по аллее к выходу. Причем как к своей старой знакомой. А может, мне показалось так издалека. Высокий, горбоносый такой и с густыми, сросшимися на переносице бровями. Неужели не запомнили? Характерное лицо.

— А-а... постойте! Да, припоминаю... Уже в аллейке, верно... Но как вы заметили? Сами же говорите — далеко?

— Нет, его-то я уже видел достаточно близко. Потому и удивился. Видя вас, такую, простите, заметную, яркую, он почему-то не подошел сразу. Я б так не упустил бы случая, извините. Ну и что ему понадобилось от вас?

— Ему? — Она попыталась изобразить улыбку, но получилась какая-то вымученная гримаса. — Догнал и спросил... Что же он спросил-то?..

— Наверное, — приветливо улыбнулся Климов, — как проехать к метро?

— К метро? — Она настороженно задумалась. — А почему именно к метро?.. Нет, о метро речи не было. Он спросил, куда я еду, не в «Космос» ли? И если да, то предложил меня подвезти. Но я сказала, что никуда не еду, что у меня еще дела. И он отстал. Наверное, познакомиться хотел. Есть такая публика, что предпочитает знакомства на кладбищах, особенно с молодыми и симпатичными вдовами. Психологически легко объяснимо.

— Вы и психологией занимаетесь?

— Почему — «и»? Что вы вообще обо мне знаете, кроме того, что вам натрепали приятели-сплетники покойного Лени?

— Решительно ничего такого, что могло бы вас скомпрометировать в моих глазах.

— Ну слава богу! И на том спасибо... — хмыкнула она. — Так я теперь свободна? Больше у вас нет вопросов ко мне?

— Естественно. Но я обещал вас доставить, куда вы скажете.

— Это любезность? Или вам надо проследить, куда я поеду? Не к любовнику ли, да?

— Именно любезность, не больше. Я же вас задержал, а автобусы с провожающими уже уехали. И как добираться отсюда в центр, каким видом транспорта, я, честно говоря, не знаю. Поэтому вы можете назвать мне любой адрес, который вас устроит. А мне, не скрою, будет приятно доставить такую молодую и красивую девушку...

Она назвала станцию метро «Кутузовская». Это было Климову по дороге.

Больше они практически не разговаривали. Ограничивались репликами: «Какая сейчас погода в Нижнем Новгороде?», «Когда вы уезжаете?», «У какого выхода из метро вам удобнее остановиться?» А в общем, все это уже не имело значения.

Выходя из машины и демонстрируя Климову свою обнаженную в распахнувшейся шубке совершенно очаровательную ножку, Зоя на миг задержалась и сказала:

— Я думаю, вы можете не напрягаться и не высылать мне расшифровку нашего разговора. Все сказанное мной остается в силе. До свидания.

Они простились, не пожимая рук, но обменявшись любезными улыбками.

И Климов, когда она ушла, отметил, что от Зои пахло очень хорошими, вероятно, дорогими духами. Их запах останется на какое-то время в машине, и хорошо бы спросить у Марины, что это за духи? Странно ведь, едет девушка на кладбище, причем к нелюбимому человеку и где она, по правде-то говоря, далеко не самая желанная гостья, а душится так, словно идет в Большой театр... Что-то тут есть нелогичное. Надо будет подумать. И адрес с телефоном ее оставить у себя — на всякий случай. Ну, скажем, а вдруг какой-нибудь неразрешимый вопрос возникнет, не вызывать же девушку в Москву!.. А что касается ее приездов к «любимому», то, поскольку она работает в медицинском учреждении, а там с дисциплиной наверняка строго, можно будет аккуратно потом проверить, когда она набирала себе дополнительные дежурства, чтобы воспользоваться отгулами для кратковременных поездок в Москву. Это была хорошая мысль.

Поминки тоже кончились достаточно скоро. Во всяком случае, долго ждать Климову не пришлось. Не прошло и часа, как он заметил потянувшихся от выхода из отеля некоторых уже знакомых ему персонажей из тех, кого он видел на кладбище, а привычная память зафиксировала их. Он стоял с машиной довольно далеко, но видел выходящих. И вот среди нескольких мужчин вышла и Марина. Все они что-то оживленно обсуждали, будто шли не с поминок, а с делового заседания. Кто-то из мужчин даже размахивал руками. Марина спустилась вместе со всеми, не оглядываясь и не ища машину Климова глазами. Потом все они сели в большую черную иномарку и укатили в сторону Останкино. Возможно, на работу. Странно, что Марина забыла о телефонном звонке.

До встречи с Морозовыми было еще много времени, и Климов поехал к себе домой. Принял душ, казалось, что его преследует запах духов Зои, поел как следует остатками приготовленного мяса и присел к письменному столу, чтобы записать некоторые свои соображения по расследованию. По ходу дела появилась интересная идея, и Сергей Никитович сделал несколько междугородних телефонных звонков, если быть точным, три, после чего покопался в своей домашней библиотеке, нашел нужный сборник, полистал и положил, чтобы потом посмотреть внимательнее. Так, за заботами, и время подошло.

«Мобильник» выдал сигнал в тот момент, когда он сидел еще в машине, но напротив входа в гостиницу «Останкинская». Звонила Марина. Нейтральным, можно сказать, равнодушно-спокойным голосом она поинтересовалась, как у него дела, как движется расследование и где он сейчас находится? Несколько ничего не значащих вопросов подряд и в таком тоне, будто ответы ее не интересовали.

Ответил, что сидит в машине, ожидая контрольного времени.

— Что, все еще у «Космоса»? — удивилась она, но не сильно, а так, якобы.

— Нет, — спокойно ответил он, — возле «Останкинской». А у «Космоса» я тоже был, видел, как вы по-деловому разъезжались, и подумал, что у тебя, наверное, сели в аппарате батарейки. Не забудь на ночь поставить на подзарядку... А у вас все благополучно закончилось? На вас было приятно смотреть... Нормальные, в меру оживленные люди. Все-таки, я понял, живое — живым, и нечего подолгу кукситься.

— Даже это заметил?

— Ну недалеко же было...

— А ты чем занимался? Допросил? Как это у вас называется? С пристрастием, да?

— Нет, просто поговорили, — не принял ее саркастического тона Климов. — Больше для порядка записал на диктофон, получив предварительно ее официальное согласие, естественно, тут не должно быть никакой самодеятельности... И осталось странное впечатление. Что-то не то, а вот что, пока понять не могу.

— И на чем же основаны твои... хм, колебания? — попыталась она сострить.

— Да это не колебания. Смутное ощущение какой-то неправды. Тут я пока не имею доказательств, одна голая интуиция. И у меня в этой связи, вообще-то говоря, была просьба к тебе, но сейчас, понятно, уже поздно.

— А что за просьба?

— Дело в том... ну как бы объяснить? Словом, представь: нелюбимая женщина, притом красивая и знающая себе цену, и эта цена, по ее убеждению, определенно высокая... Так вот она едет на кладбище специально, чтобы присутствовать при погребении бывшего любимого, но теперь уже ненавидимого ею человека. И употребляет такие духи, будто едет не на похороны, а на званый прием в иностранное посольство. И тем более что ни на какой прием, имея в виду даже ваши поминки, не идет, а собирается уже завтра покинуть Москву. Не странно? Зачем это все? Что за игра?

— А чего странного? Она — женщина. И ты сам заявил: красивая. Ты же первый и клюнул. Разве не так?

«Вот оно в чем дело! — молча рассмеялся Климов. — Первая семейная сцена...»

— Я-то клюнул, ты права, но по должности, а вот некий молодой человек, который стоял перед нами, горбоносый, помнишь? Он действительно клюнул. И когда я спросил ее о нем, она ответила психологическими примерами: мол, есть такой тип мужчин, которые высматривают себе специально на кладбищах молоденьких вдовушек. Шик вроде в этом есть какой-то. Что-то я помню из литературных примеров... Ба, да это ж пушкинский Дон Жуан с донной Анной, ну как же! Действительно, тонкий психологический ход: увлечь вдову прямо у гроба супруга. Есть в этом что-то завлекательное...

— А что же сам, не захотел попробовать? — насмешливо спросила Марина.

— Сам-то? Да нет, — вздохнул Климов, — как-то даже и в голову не пришло. А вот тебя я хотел попросить понюхать оставшийся в салоне запах тех духов, может, удалось бы определить, что это?

— Ты знаешь, это, конечно, очень оригинально. Меня впервые просит мужчина понюхать и определить качество духов его дамы! Очень остроумно.

— Ни черта ты не поняла, — усталым голосом ответил Климов. — Меня совершенно другое интересует. Дорогие это духи или нет — раз. Где такие можно достать простому медицинскому работнику и есть ли они в Нижнем Новгороде — два. Почему она пользуется неподходящими для себя духами и едет на кладбище, как я уже говорил, в таком виде, словно на банкет, — три. Для кого она это делает — четыре. И пятое — что обозначает этот ее приезд и присутствие только во время похорон, причем демонстративное? Ни поминок, ни даже формальной встречи с родителями покойного. Ну, в общем, долго перечислять возникающие вопросы, потому что у меня имеются еще и шесть, и семь и так далее. Извини, я понимаю, что тебе это скучно, как и абсолютному большинству нормальных людей. Но это — моя повседневная работа.

— Тогда и ты меня извини, я не хотела тебя обидеть. Мне было просто интересно узнать, чем вы занимались с этой дамой?

— Всего-то? Посидели у меня в машине. Я спрашивал и слушал, как она отвечала на мои достаточно простенькие вопросы. Потом, когда закончили беседу, я довез ее до метро «Кутузовская», где она и вышла. Ну а после этого у меня были еще дела, в частности и возле гостиницы «Космос», как тебе известно.

— Так ты что же, целый день в машине? — всерьез забеспокоилась Марина.

— Нет, я успел еще съездить домой и поесть. Позвонить кое-куда по служебной надобности, кое-что выяснить. Ну поразмышлял малость и отправился сюда. Через пятнадцать минут поднимусь к Морозовым. Я люблю быть точным.

— Да, я это поняла. А потом что?

— Хм, вероятно, суп с котом...

— Но, выходя от них, ты сможешь мне позвонить?

— Разумеется, только ты сегодня устала.

— Ничего, я думаю, у меня хватит сил, чтобы обнюхать, подобно ищейке, салон твоей машины, если это тебя устроит. Она, к счастью, невелика. Устроит?

— Устроит. Так, значит, я могу рассчитывать, это хорошо. Потому что сам я в нюансах запахов не силен. А салон у меня действительно куда меньше, чем у той машины, на которой вы разъезжались с банкета.

— С поминок, — сухо поправила Марина. — Ну ты нахал! Я таких, пожалуй, еще не встречала!

«Вот и встретила!» — уже отключив телефонную трубку, ухмыльнулся про себя Климов...

## 3

Разумеется, он позвонил. Ведь теперь Марина точно его ждала. Сказал, что освободился и уже едет, скоро будет. Еще раз перезвонит уже от подъезда, чтобы не заставлять ее встречать его на улице — очень холодно, пусть оденется потеплее.

Вроде и ничего особенного не сказал, но почувствовал, что голос у Марины потеплел, причем заметно. А всего и дела-то — проявить минимум заботы: оденься потеплее! Как не хватает иной раз у мужиков этой теплоты... Это уже в свой адрес. Так ведь и не состоялся его первый брак, а причина теперь-то уж ясна: отсутствие этой самой, будь она неладна, теплоты...

Едва подъехал, из подъезда выпорхнула Марина и быстро забралась в салон. Посмотрела на Сережу блестящими глазами, словно проверяя свое впечатление, потом подвигала носом, как маленькая лисичка, и сказала:

— Что-то я ничего не чувствую... А ну-ка, может, на тебе сохранился? — Она принюхалась к нему, прижавшись почти вплотную. — Нет, и так ничего не чувствую... Слушай, а ты не врешь?

— Жаль, — ответил он искренне, — был очень сильный, пряный такой аромат... Что-то он мне напоминал, может, еще из детства. У матери была вечная «Красная Москва» — большой матовый флакон в виде Кремлевской башни и такой же, но маленький. На буфете стояли. Духи и одеколон. Но это — не они, я вспомнил потому, что у них был довольно... как бы сказать?.. Тяжелый, что ли, запах. Плотный такой. Сильный и резкий аромат. Вот что это сегодня может быть?

— Плотный, резкий, сильный? — задумалась Марина. — А почему ты решил, что он обязательно должен быть и тяжелым? Не мог ли он ей просто не идти? Скажем, девушка молодая, красивая, а запах, как... ну как от пожилой кокотки? Не то говорю?

— Нет, пожалуй, даже ближе, чем ты думаешь... Да, он ей явно не годился. Противоречил. Ты — умница, совершенно точно угадала!

— Ну тогда легче... Из дорогих могли быть от Джанфранко Фере... У Кристиана Диора есть «Пуазон»... Ну и, конечно, «Шанель». Это — в первую очередь. Самые распространенные и далеко не дешевые... А ну-ка постой! — Марина вдруг насторожилась и стала снова шумно принюхиваться. Посмотрела на Сережу и улыбнулась: — Вот видишь, сама себе же и подсказала: «Шанель», и двух мнений не может быть!

— Дорогие духи?

— Что тебе сказать? Если маленький пузырек стоит две-три сотни долларов, это как? Но точно могу заметить: духи не для девочек.

— В том-то и дело, что она давно уже не девочка, а духи ей не идут... А вот у тебя — и хорошие, и подходят тебе. Как называются?

— Тебе-то зачем?

— Как зачем? А может, я хочу тебе целую поллитру этих духов преподнести на Восьмое марта!

— Ради бога, не надо! Что, я их пить буду? — засмеялась Марина. — Да у тебя столько и денег нет. А называются они «Клима» — от Кристиана Диора. Значит, говоришь, мне идут?

— Очень! Я чувствую, что уже и сам начинаю ими пахнуть, а как помоюсь, чего-то уже не хватает. Еще как идут!

— Ну пойдем... — с лапидарностью мифического таможенника Верещагина пригласила Марина.

После короткого ужина, который тоже заранее приготовила Марина, они уселись в обнимку перед выключенным телевизором, и она велела рассказывать все по порядку. Как встретили, о чем говорили, какова была их реакция, что он, наконец, для себя вынес из этой беседы?

Сергей уже подметил интересную особенность у Марины. Она сразу формулировала несколько вопросов, как бы давая главное направление рассказчику (или информатору), а затем слушала не перебивая и словно бы подстегивая собеседника своим напряженным вниманием. Так и тут у них получилось.

И Сергей стал рассказывать...

Приняли его, естественно, неохотно, и поначалу у него складывалось ощущение, что они нарочно отделываются междометиями и пожатием плеч: не знаем, не слышали, мы давно не виделись с сыном, он не писал и не приезжал. Не желали ничего рассказывать. И тут могли быть, по его мнению, два варианта. Первый — это то, что они действительно не могли ничего рассказать, ибо смерть сына застала их врасплох, и по причине этого состояния еще не до конца осознанной трагедии они все еще пребывают в растерянности. И второй — все они знают, все понимают, но чего-то, возможно, боятся, поэтому и держат рты на замке. И то и другое плохо. Как ни подбирался к ним следователь, четких ответов не было. Даже когда речь зашла о семье Воробьевых и прошлых взаимоотношениях Леонида с Зоей, родители посмотрели друг на друга, и Борис Петрович, словно получив разрешение от жены, произнес наконец нормальную фразу:

— Были времена, когда мы дружили семьями и намеревались так прожить всю жизнь. Увы, ожидания не оправдались.

И замолчал, посчитав, видимо, что все сказал. Но теперь уже Климов решил не слезать с них.

— Расскажите о причинах ваших расхождений, это может оказаться очень важным.

— Мы так не думаем, — парировал Борис Петрович. — В основе всего — зависть проклятая... Поясню. Мы в начале карьеры шли ровно, ноздря в ноздрю. Девочки работали в педагогическом институте, обе защитили диссертации и стали доцентами, а затем — и профессорами. Елена возглавила кафедру русского языка, а моя Наташа преподавала на этой кафедре. У нас с Сергеем тоже дела шли отлично: работали поначалу в «почтовом ящике», потом, под влиянием будущих жен, вместе перешли в тогдашний Политехнический, который теперь стал университетом. Тоже профессора. Сергей занимался сугубым преподаванием, а я не терял времени, выпустил пару десятков книг и монографий. Добавлю, мы практически одновременно женились, и дети появились в один год. У них — Зоя, у нас — Леня. Собирались их поженить...

Молодые еще были, о себе думали. А у них ничего не вышло... Причину их размолвки мы так и не узнали, но Воробьевы во всем винили нашего сына. С этого и началось наше расхождение. И в быту, и, к сожалению, на службе. Скажу только, что всевозможные сплетни, довольно гнусные, я не хочу даже и вспоминать о них, распускались ими. Естественно, нам приходилось как-то защищаться. Вот, собственно, и вся история.

Климов своими вопросами хотел расшевелить Морозовых, но это у него получалось плохо. Будто они сдулись, как воздушные шарики. Причем оба сразу. Климов поставил вопрос резче: «Могли ли Воробьевы, и в первую очередь Зоя, возненавидеть Леонида до такой степени, чтобы пожелать его смерти?» Они снова мельком переглянулись, и Морозов отрицательно покачал головой:

— Категорически нет. Они, конечно, поступали гадко, но чтоб смерти желать мальчику? Нет, на убийство они неспособны. Но какой смысл обсуждать эту проблему, если мальчика больше нет?

Морозов нахмурился и опустил голову, Наталья Ильинична поднесла платок к глазам. Муж обнял жену одной рукой, и они замерли в своем безутешном горе.

И снова бесконечная пауза, не говорящая ни о чем. И тогда Климов решил ввести в действие свои «домашние заготовки».

— Значит, если я вас правильно понял, причиной разрыва родителей была обыкновенная человеческая зависть?.. Обскакали вы их? Ну и что, если отношения были нормальные в чисто человеческом плане? Не понимаю. Ну хорошо, предположим, что Сергею было чему завидовать: вы, Борис Петрович, выпустили много книг, прославились, а он остался тем, кем и был, простым преподавателем, — это понятно. А Елена чему завидовала?

— Ну как же! — удивился Борис Петрович. — Наташа тоже выпустила несколько книг — по Серебряному веку, вам это говорит о чем-нибудь?

— Естественно, — пожал плечами Климов с таким выражением на лице, будто только этим Серебряным веком всю жизнь интересовался. — Смотря о ком конкретно речь, а то ведь в последнее десятилетие наиздавали столько новых материалов, что их просто пролистать времени не хватает, не говоря уж об углубленном чтении. А у вас, Наталья Ильинична, какая тема?

— Ну, если вам это что-нибудь скажет, — со снобистским превосходством ответил все-таки Борис Петрович, — то об Андрее Белом. Читали? Или, может быть, слышали?

— У меня, в моей личной библиотеке, есть полное собрание господина Бугаева, выпущенное десять лет назад. В том числе и большой том «Воспоминаний» о нем. Чрезвычайно интересная книга. Но, простите, я отвлекся. А что у вас, если конкретнее?

— Тоже воспоминания, — продолжал отвечать Морозов. Но Наталья Ильинична подняла голову и в первый раз посмотрела на следователя. И в глазах ее, в отличие от мужа, не было неприязни. — Переписка, прочее. Это — новые материалы. Оттуда, их еще не касалась рука отечественных исследователей.

— Вот как? Так это же наверняка безумно интересно! А самого Штейнера вам удалось раскопать?

— Ну зачем же его раскапывать? — вмешалась наконец Морозова. — О нем и так много известно.

— Естественно, вам — специалистам. А нам, читателям? Откуда? Из отрывочных воспоминаний Аси Тургеневой? Или Владимира Соловьева? Или Маргариты Кирилловны Морозовой? А кстати, — уже с азартом уставился Климов на Наталью Ильиничну, — у вас с ней ничего общего?.. Господи, что я несу! Вы ж Морозова — по мужу... А та, по-моему, жена того знаменитого фабриканта? Что на портрете Серова, да? Извините. А меня в свое время, когда учился, много читал, штейнеровская антропософия заинтересовала, но так путем я и не разобрался в его философии. Скорее на уровне любителя. А у вас, значит, есть об этом? Просто замечательно. Скажите, как называется сборник, и я обязательно куплю.

— Ну зачем же такие муки? — уже как профессионал ответила Морозова. — Оставьте ваш адрес, и я вам обязательно пришлю. А что вас вообще интересует в антропософии?

Вопрос был коварен, но недаром же звонил в Нижний Новгород старший следователь Климов, не зря копался в книгах у себя дома.

— Стыдно признаться, но все мои знания почерпнуты из воспоминаний об Андрее Белом близких к нему людей и философского словаря Ивана Тимофеевича Фролова, еще советского издания. Я вам буду очень признательным... Да... Увы, сейчас не до этой философско-религиозной мешанины... Так кого же подозревать? Вот вопрос.

— А вы до сих пор так и не разобрались? — с иронией спросил Морозов.

— О! Если б вы только знали, сколько уже у следствия имеется версий! И по каждой идет напряженная работа. Мы же подняли все материалы Леонида Борисовича за последние годы, выбрали наиболее уязвимые моменты с точки зрения криминала. Кто мог мстить и за что?.. Но само убийство — странное, можете мне поверить. Будто ради ограбления... При себе — ничего. Дома все перевернуто, поставлено с ног на голову. Украдены компьютер и все его рабочие материалы, включая записные книжки. Ну а это ворам зачем? Нет, тут нас кто-то сознательно вводит в заблуждение. Но мы обязаны все тщательно проверить... Я, грешным делом, думал уже, что, может быть, связано как-то с его личным конфликтом. Разговаривал с Зоей Сергеевной — пустышка. И вы ничего не можете подсказать.

— Но есть же какие-то следы? — возмутился Морозов.

— Следы ни о чем не говорят. Их снег засыпал. Правда, — сугубо между нами — есть один след, его видел тот, кто первым оказался у места трагедии. Но я еще не могу даже вам открыть эту тайну следствия. Во всяком случае, мы сейчас проверяем и эту версию. Коллеги Леонида Борисовича, те, кто работали постоянно рядом с ним, показали, что у него были некоторые, скажем так, связи с женщинами. Вы понимаете, о чем я? Ничего незаконного здесь не было, человек молодой, не обремененный семьей, но в принципе может и здесь отыскаться причина. И все, знавшие его, за малым исключением, утверждают, что он был скрытным человеком. А потому, стало быть, о его личной жизни никто толком не знает. А придумывать не хотят.

— Мы тоже не думаем, что здесь личные мотивы, — безапелляционно заявил Морозов.

— Дай-то бог... — ответил Климов и вздохнул...

— И на этом закончилась ваша беседа? — спросила Марина.

— Нет, еще долго говорили. Кстати, они мне и сказали, что кто-то из твоего начальства, то ли гендиректор, то ли кто-то из главных продюсеров или спонсоров — старики и сами толком не разобрались, — объявил во всеуслышание о том призе... Ну о котором ты мне как-то намекала.

— Да, я тебе уже говорила, что наши собирались это сделать. Разговоры шли о миллионе рублей тому, кто решит важнейшую задачу следствия — найдет или поможет найти преступника. Либо заказчика убийства. Но при всем том, что это было практически решено, наши не очень были уверены, надо ли это делать именно в такой обстановке. Все-таки круг собравшихся на поминках был достаточно узок и специфичен...

— В каком смысле? — перебил Климов.

— Ну в том, что широкой прессы не было. А ее не было именно потому, что никто никакой сенсации не ожидал. Всем известно, как у нас вообще ведется следствие — ни шатко ни валко... Только, ради бога, Сереженька, не принимай мои слова на свой счет. Я просто повторяю не раз говоренное в кулуарах, да ты и сам знаешь, как вашего брата полощут — был бы повод... Вот поэтому, я думаю, у наших еще оставались какие-то сомнения. Не в смысле — объявлять или нет, в том плане, когда, в какой обстановке? Может, собрать прессу отдельно, устроить небольшую пресс-конференцию... Ну чтобы придать акции дополнительное общественное звучание. Словом, говорили, говорили, и неожиданно, по-моему, для всех Генка Сапов, наш генеральный, встал и объявил. Будто в речку бултыхнулся. Мне показалось, что действительно никто не ожидал. И даже не знали, как отреагировать на его заявление. Вроде претензий официальных к следствию не было. Запросов там, протестов и прочего — тоже. Депутаты вопрос не заостряли, как это обычно делается ими, чтобы придать себе максимум значительности в своей неустанной заботе о свободе слова и демократии. В общем, не мне тебе рассказывать. А что будет дальше, пока никто не знает. Вероятно, завтра эту весть уже озвучат официально. Напечатают в нескольких газетах. Пошлют, наконец, запрос в прокуратуру — не с бухты же барахты такие акции объявляются! А на нашем канале — так вообще впервые. Надо, значит, оправдать ее хотя бы формально. Ох, а в принципе только очередную заботу свалили на собственные головы.

— А что, у идеи не оказалось оппонентов? — «тонко» поинтересовался Климов, с улыбкой глядя на огорченную Марину.

Ему, конечно, хотелось верить, что она действительно огорчена тем, что не сумела хотя бы как-то прикрыть его, зная, что он работает честно и ответственно и в любой момент готов положить на стол своего руководства подробный отчет о произведенных действиях. И все это — не липа. И что всем также известно, что подобные убийства просто так, случайно, не раскрываются. Уж если к ним тщательно готовились, то и расследование должно быть серьезным и основательным, а самое главное, доказательным. Не секрет, что в последнее время по причине вынужденной торопливости следователей переданные в судебные инстанции дела разваливаются до основания. То доказательная база отсутствует, то свидетели отказываются от своих показаний, то даже пойманный и сознавшийся в своем преступлении киллер начинает утверждать, будто на него было оказано давление. Куда уж дальше-то ходить?..

И все равно было неприятно. Но приносить Марине дополнительные огорчения он не желал и попытался смягчить свою невольную колкость:

— Да ты не бери в голову. Думаешь, у меня это впервые? Я уж привык, что каждый считает, будто следователь, как в книжке, все наперед знает. И чаще всего такие заявления звучат из уст именно тех, кто ни черта не понимает в нашем собачьем деле. Уж куда тебе бороться с этими!.. Ничего, милая, завтра объявят, а послезавтра или раньше вызовет на ковер мой прокурор и станет пенять. И придется мне, вместо того чтобы искать подходы к шоуменам, педофилам или там участникам «царской охоты» — к ним ведь с простым вопросом: «Это случайно не вы «замочили» журналиста Морозова?» — не придешь, самого «замочат» за милую душу, — садиться и писать длиннющий отчет. Со всеми рабочими версиями. С имеющимися на руках фактами, которых не так и много. Со всей уверенностью, что ты действуешь в правильном направлении. А знаешь, для чего?

— Для чего? — с усталым выражением на лице спросила Марина.

— А чтобы мой шеф, Прохор Петрович, мог ясно и четко изложить в кабинете генерального прокурора либо у его заместителя, что мы все в городе не зря едим казенный хлеб. Только и всего. И при этом преданно смотреть в глаза верхнему начальству, когда оно станет выражать недовольство. Как же, вторая неделя пошла, а то, что осталось от некогда живого человека, уже землей засыпали! Общественность не спит! Она взбудоражена откровенным бездействием тех, на ком лежит ответственность! Мы требуем! Мы поднимаем голос!.. Что, не так формулировали причину?

Неожиданно простой вопрос, после пафосных восклицаний произнесенный спокойным, даже несколько интимным тоном, застал Марину врасплох, и она покраснела.

— Ах ты, девочка моя милая, — с нежной улыбкой Климов посмотрел на нее. — Совсем ты врать не умеешь. И слава богу, что вовремя не научилась, а теперь тебе уже поздно усваивать чуждые твоему характеру инвективы.

У Марины в глазах сверкнул огонек.

— Послушайте, любезный господин следователь, вы что, нарочно словари читаете перед тем, как приехать ко мне ужинать?

— Извините, мадам, но, во-первых, не только ужинать, а во-вторых, я и сам считаю, и вам советую заглядывать в них иногда, что чтение вообще вещь полезная во всех смыслах. Вон словарь, видите? Откройте на букву «и». Из всех значений я выбрал «устное обвинение», хотя оно может быть и «гневным письменным». А говорю к тому, что, сказав «а», ваши должны сказать и «бэ». То есть направить в прокуратуру как минимум жалобу на мое бездействие. Иначе объявление приза в миллион рублей, хоть и лишенных конвертации, но все же денег, теряет всякий логический смысл, верно? Так куда решили жаловаться, к нам или выше?

Неприятный это был вопрос для Марины, всячески хотела она его избежать, потому что, в худшем случае, выглядела бы предательницей, а в лучшем, хотя и тут не было ничего хорошего для Сережи, просто неумной женщиной. И она, томительно размышляя, физически ощущала на себе его насмешливый взгляд. Это было и унизительно, и обидно, тем более что он, по ее мнению, был при любом из вариантов абсолютно прав. Нечего было соваться со своей помощью. А может быть, и вообще не стоило доводить знакомство до такой близости...

— Э-э, милая, — предостерегающе заметил он, — ты, по-моему, не о том сейчас думаешь.

— А почем ты знаешь, о чем я сейчас думаю? — прямо-таки рассердилась она. — Тоже еще Вольф Мессинг на мою шею! — И осеклась, почувствовав, что перебрала с эмоциями.

— Да у тебя же все на лице написано, — совсем мирным голосом ответил он. — Я же тебе сказал: не бери в голову. Больше того, не фрондируй и, если потребуют, ставь и свою подпись под петицией. Я тебя все равно меньше любить не стану. Этому-то хотя бы веришь?

И вот тут Марина не выдержала дневного, долгого напряжения, заплакала — навзрыд, как девчонка. Вопрос о ее подписи под обращением руководства телевизионного канала и общественности, причастной к его работе, в Генеральную прокуратуру мучил ее с самого утра, с начала заседания в дирекции. Естественно, она не могла заявить во всеуслышание, что спит со следователем, ведущим расследование, и потому знает, в каком оно состоянии. Но, увы, знала это лишь она одна. Для всех остальных работа Климова была тайной — одни разговоры, расспросы, просмотры видеоматериалов, а дела-то — никакого, получается. И сколько эта волынка будет тянуться, никто не мог ответить определенно — неделю, месяц, год? А всем хотелось, чтоб завтра, пока память о погибшем при исполнении обязанностей журналисте не иссякла.

Вот и оказалась Марина на распутье. И на нее смотрели уже с некоторым подозрением, видно, кто-то успел доложить начальству, что Малинина и тот следователь постоянно встречаются в холле в конце каждого рабочего дня.

Как там в свое время придумал Юлиан Семенов в своих знаменитых «семнадцати мгновеньях»? Где знают двое — знает и свинья? Вот то-то и оно, шепоток уже пошел...

А с другой стороны, что она должна была делать? Докладывать о проведенных следственных мероприятиях, суть которых они каждый вечер, а также по пути на работу и с работы, обсуждали с Сережей? Может, еще им рассказать, как они целуются после всех этих утомительных разговоров, чтобы почувствовать себя не машинами, переваривающими информацию, а мужчиной и женщиной?

Словом, уговаривать ее ставить подпись никто не стал, она сама подошла и расписалась. И всем своим видом показала, что да, следствие неоправданно затягивается, хотя подобные расследования, как известно, длятся годами, если не десятилетиями — примеры нужны? А посмотрите на давно выцветшие от времени на этажах портреты Листьева, Холодова... не убеждает? Ну конечно, нет, ведь всегда кажется, что твой случай — исключительно ясный и понятный, значит, и думать не о чем...

Разумеется, она высказала эту мысль, но не для того, чтобы вызвать волну протеста против петиции, а в плане размышления о самом факте. И с ней согласились, а как же! Но петицию, как назвал открытое обращение в Генеральную прокуратуру Сережа, отправили с курьером на Большую Дмитровку, в приемную. И завтра же обещали опубликовать это письмо за двумя десятками подписей известных среди российской общественной элиты лиц в нескольких газетах.

И вот это обстоятельство Марина посчитала своим невольным предательством. И побаивалась взглянуть в глаза Сергею, который неизвестно еще как мог бы отреагировать.

Однако его реакция оказалась для нее не только неожиданной, но и все поставившей на свои места. Знать о письме он, конечно, не мог, значит, что же? Получается, что этот расклад был ему в самом деле давно известен? И вся эта мутота не принималась им всерьез? Но почему? Ведь есть же и определенная угроза для его карьеры, не может не быть! Или он просто легкомысленный человек?

А слезы лились уже, словно по инерции. Но он обнял ее, стал вытирать глаза собственным чистым носовым платком — выглаженным и аккуратно сложенным до момента употребления — это она уж как-нибудь успела отметить. Все-таки женский глаз — ох и острый!

— Ну что ты, ей-богу? Нашла из-за чего расстраиваться! Самое неприятное, скажу тебе, будет, если у меня заберут к чертовой матери это дело и передадут другому следователю. Возможно, из Генпрокуратуры. Но легче им от этого не станет, нет. Я хоть дело знаю, а им придется все начинать по новой. Так что, я думаю, произойдет следующее. Вот послушай и перестань реветь, столько дождя никакая природа не выдержит. Очередной великий потоп устроить хочешь?

А попутно Климову вспомнилась его сегодняшняя, вроде бы и пустячная, утренняя жалоба на препаршивое настроение. Вот и разгадка. Но сваливать собственный груз на Марину было бы просто нечестным, не мужским шагом по отношению к ней. Она ведь и так переживает, видно же...

Но Марина улыбнулась сквозь слезы и, всхлипывая, спросила:

— А ты меня з-за это... не будешь през-зирать?

— Не-а, — мотнул головой Сергей. — Наоборот, ты сумела сохранить нашу тайну, молодчина. Итак, вот тебе моя версия. Возглавит... Да я тебе уже говорил! Повторять, что ли? Найдется хлопец, который уже нацелился на ваш приз, а если еще не нашелся, то его срочно найдут и назначат, можешь не беспокоиться. А работать заставят меня же, включив в его бригаду. И сколько времени займет у меня дальнейшее расследование, их этот вопрос колыхать не будет. Хоть год, хоть всю жизнь. Но я же когда-то закончу? Вот тут и окажется, что расследование всегда возглавлял сам генеральный прокурор, который немедленно доложит, что президент России поручил ему вон еще когда взять следствие под личный контроль, а под его рукой без устали пахали... И дальше — список доверенных сотрудников Генеральной прокуратуры, которым нужны денежки, даже неконвертируемые. Вот и вся история. Другой вопрос: не станешь ли теперь ты, зная всю эту подноготную, презирать меня? Тут надо подумать. Я ведь могу и отказаться от дальнейшего участия в расследовании, только мне постараются этого не позволить. Вплоть до... как ты понимаешь. И здесь уже обидами там, амбициями не отделаться — всыплют по первое число. И переведут подальше, на периферию. Правда, можно будет написать заявление и перейти в адвокатуру, так у нас часто делают те, кому надоедает эта свистопляска. Зарабатывают огромные деньги, защищая как раз тех, кого я должен сажать. Но это, милая, уже совсем иная песня. Думаю, не для меня... Ну ладно, давай оставим эту ненужную тему. Бог не выдаст, свинья не съест. О чем я тебе говорил, напомни?

— Ты рассказывал о беседе с Морозовыми, — ответила Марина, окончательно пришедшая в себя и довольная тем, что Сережа так хорошо и необидно помог ей выпутаться из неприятной ситуации. — О Воробьевых, о Леониде...

— Ах да. Я просил их вспомнить, о чем он рассказывал, приезжая домой. Но ничего конкретного так и не услышал — через пень-колоду. Их тоже можно понять: сегодня похоронили единственного сына, а тут — я с вопросами.

— Но на главный твой вопрос они ведь так и не ответили, верно?

— Ты имеешь в виду причину их расхождение с Воробьевыми? Да, они откровенно и не скрывая этого уклонялись от прямого ответа, а я и не настаивал, потому что он был для них, я почувствовал, очень неприятным. И это обстоятельство я взял себе на заметку. Придется, видимо, ехать в Нижний, ничего не поделаешь. Не исключаю и встречи с Воробьевыми, хотя те уж точно, я просто уверен, не пойдут мне навстречу. Но там есть какой-то непонятный узел, и, пока я его не отыщу и не развяжу, боюсь, дело с мертвой точки не сдвинется.

— Слушай, а как тебе вообще пришла в голову эта антропософия? Я просто удивляюсь. И окажись я на месте матери, ни за что бы не поверила, что обычный следователь и... Ну ты понимаешь, о чем я хочу сказать?

— А я позвонил в Нижний, переговорил с коллегами и попросил их выяснить, чем занимаются родители Морозова? Там слышали уже об убийстве известного тележурналиста! Да еще родом из их мест. Мне сказали, к кому обратиться, чтобы не светиться раньше времени. Вот и узнал. Остальное — дело техники.

— И не побоялся, что она тебя разоблачит?

— Э-э, милая моя, а уверяешь, что сильна в психологии. В этом деле самое главное — не переборщить с информацией, а то никто не поверит.

— Но ты же авантюрист! — воскликнула Марина, будто сделала величайшее для себя открытие.

— Суть, дорогая моя, если тебя это действительно интересует как рабочий метод, в том, чтобы заранее точно определить дозу информации. Ибо недосказанность, что и произошло в нашем случае, предполагает углубленные познания. Ну и плюс скромность. Простому следователю, как ты полагаешь, это простительно. Во всяком случае, у нас контакт наладился, без враждебности обошлось, я ж не все тебе рассказал. Вот она теперь с радостью, если не забудет, что вряд ли, пришлет мне свою книгу. И потребует прочитать. А потом еще и высказать свои соображения. Ничего не поделаешь, придется нам с тобой читать вместе, я уверен, тебе может показаться интересным. Там же, в этой антропософии, столько намешано, мама родная! И мистика, и гностика, и каббалистика, и даже масонство! От Пифагора и неоплатоников до оккультиста Штейнера, представляешь? А я послушаю, что ты скажешь, и выдам ей твои перлы за свои. Если ты позволишь, конечно. Иначе придется самому думать. А убийц тогда кто станет ловить? Вопрос!

— Да-а... Я и не предполагала, что с тобой зевать в самом деле не придется! Не соскучишься, нет...

— Мы многого в жизни не предполагаем. Поэтому давай не будем забегать вперед, жизнь прекрасна именно сегодня, сейчас, а завтра она может оказаться снова непредсказуемой. Поэтому я и предлагаю пользоваться ее дарами, как говорится, не отходя от кассы. Есть возражения? Нет возражений. А теперь, дамочка, топайте в мои объятия!..

Последнее, о чем она его спросила, имея в виду связанное с его работой, прозвучало так:

— Сереж, скажи честно! А тебе самому разве не хотелось бы получить этот приз?

Он усмехнулся, пожал плечами:

— А мне его никогда и не дадут. Надо ж смотреть на вещи реально.

— Нет, ну а если бы?

— Терпеть не могу сослагательного наклонения... Смотри, наше с тобой время бесцельно и бездарно уходит!

И он протянул к ней руки.

## 4

Как и говорил вечером Сергей Никитович, с утра его, буквально с ходу оторвав от материалов дела, которое он понемногу приводил в соответствующий вид, вызвал Прохор Петрович:

— Не сильно занят? — Прокурор слыл справедливым и тактичным человеком, без дела не отвлекал. — Зайди.

— Материалы взять?

— Ну-у?.. — словно раздумывая, медленно протянул прокурор. — Ладно, захвати, посмотрим...

Войдя в приемную с тощенькой папкой, Климов взглянул первым делом на Татьяну Ивановну, всеопытнейшую секретаршу прокурора. Эта пожилая женщина, работавшая еще при прежнем прокуроре, знала все. Или почти. И ей не задавали вопросов.

Она подняла к нему голову от клавиатуры компьютера. Климов изобразил на лице вопрос. Не отвечая, она показала указательным пальцем в потолок и снова опустила голову к клавиатуре. Диалог был более чем понятен. Звонили сверху, Прохор недоволен, оттого и так вежлив.

«Значит, вчерашний скорбный день, как назвала его Маринка, еще не закончился... — подумал Климов, открывая дверь прокурорского кабинета. — Или он плавно перетек в сегодня, чтобы уже никогда не кончаться, что ли?»

Прохор Петрович не приподнялся, руки, как обычно, не пожал, а молча оторвал, подобно своей секретарше, лицо от кипы документов в папке и указал пальцем на лежащую сбоку на столе газету «Известия». Посмотрел вопросительно.

— Еще не читал, — поняв вопрос, ответил Климов.

— Читай. — Прокурор кивнул и углубился в свои бумаги.

В принципе Климов уже знал, о чем речь в этом «Открытом письме» и в каких выражениях высказываются претензии. Но все же было интересно, насколько мог ошибиться. Оказалось, что самую малость. И это почему-то обрадовало. Но другое — огорчило. Четвертой по списку стояла фамилия Марины, а за ней — еще полтора десятка. Но те совершенно не интересовали Сергея Никитовича. И хотя он вчера сам снял с повестки дня вопрос ее участия, в душе шевельнулась обида — маленькая такая, как у обиженного птенчика. И тем она была болезненней. Ну ничего не мог с собой поделать Климов, знал, понимал, оправдывал, и тем не менее. Ладно, это тоже — не главное. А главное теперь то, какое решение уже принято. В том, что оно принято, он не сомневался ни минуты. Ну и что? Разве на этом кончается жизнь? Другое дело, в какой форме ему будет предложено передать материалы. И — кому? Могут ведь самим этим фактом оскорбить, унизить, а могут... даже и поощрить... по-своему...

— Ну? — спросил, не поднимая головы, прокурор, словно затылком видел, что Климов прочитал и теперь думает.

— Хотите знать мое мнение?

— А что, есть еще кто-то?

— Обычная история, Прохор Петрович. Я даже предполагал, что так и случится, когда вы назначили меня. То, что понятно нам и даже не вызывает сомнений, никогда не объяснить обывателю. Тот всегда прав. Как в гастрономе. И ветчина — всегда второй свежести, и продавец — зажравшийся хам.

— Осетрина, — сказал прокурор.

— При чем здесь осетрина? — не понял Климов.

— Книжки читать иногда надо, — отрезал прокурор.

— А-а, вы имеете в виду Булгакова?.. Верно, у него осетрина. Но разницы никакой. Я захватил, как вы велели, то, что наработано. Могу полный отчет представить. Раскрыть все рабочие версии. Расследование продвигается, есть новые соображения. После вчерашних бесед с родственниками.

— Что-нибудь конкретное?

— С одной стороны. А с другой — нуждается в тщательной проверке. Не в Москве, в Нижнем.

— А чего не работаешь? — Прокурор уже требовательным взглядом уставился на следователя. — А-а-а... Ну да... Прочитал, значит? Не нравится?

— Мне другое не нравится. Не письмо. У нас — демократия, каждый имеет право высказать свое конкретное мнение, даже собравшись с коллегами за общим столом. А не нравится то, что из-за этого их совершенно дурацкого приза может начаться свистопляска. А работать-то все равно придется нам. В смысле тому, кому будет поручено. Я готов передать дело.

— А чего так торопишься? Не уверен? Или надоело? Сам же говоришь, что версий хватает? Кто их станет отрабатывать? Ишь умненькие все стали! На тебе, боже...

— Я не отказываюсь. Но практика показывает...

— Мало что она показывает! — сердито выкрикнул прокурор. — А благодарить нас пока не за что. И это — правда. И нечего отмахиваться. Бригаду создал?

— Был в МУРе, мне выделили оперативный состав. Сложно с агентурой, но ребята обещали постараться. Да и времени-то ушло — всего ничего! Праздники же, будь они неладны! Это мы пашем, а народ, он гуляет и никак не может опомниться от своего счастья. Надо ж было придумать вескую причину, чтоб заставить людей пить так долго!

— Ну не все же... Был звонок.

— Понятно.

— Чего тебе понятно? Там тоже не олухи сидят. И не твои обыватели. Вот им все понятно. И поэтому принято решение... Чтоб снять ажиотаж, вся твоя бригада, кто у тебя там есть, войдет в подчинение Александру Борисовичу Турецкому. Слышал о нем?

— Даже видел. Однажды.

— Нормальный мужик. Я с ним разговаривал, он ведь старший помощник генерального сейчас. Недавно, — прокурор кивнул на телефонный аппарат, — сам позвонил, интересовался, как движется расследование. Я сказал, что работаем. У тебя есть о чем докладывать? Или одни предположения?

— Есть то, чего, по моему убеждению, уже не надо делать, не терять время. Круг версий сужается.

— Очень хорошо, — даже как будто обрадовался Прохор Петрович, — просто отлично! Я обещал перезвонить ему... Ты знаешь, одно время, я помню, когда он в «важняках» бегал, еще тут, у нас, его звали «мастером версий». И не просто так, а за дело. Очень у него в этом смысле хваткий ум был. Не знаю, сохранил ли? Так вот вам и карты в руки. Приготовься, наверное, с этими материалами и поедешь на Большую Дмитровку докладывать. А я влезать в это дело уже не буду, даже и смотреть не стану, нам двух «мастеров» — во как! — Прокурор провел указательным пальцем себе по шее. — И — все! С Богом. Сиди у себя, я ему дам твой номер.

Направляясь к себе в кабинет, Климов как-то отстраненно подумал, что его предсказания сбываются по всем параметрам. Правда, о Турецком он не думал, а это был далеко не самый худший вариант. Правда это или врут, но Климов определенно слышал, и даже не раз, что у Турецкого нет вообще ни одного незавершенного производством дела. За все его годы работы в прокуратуре. Так просто не бывает. Но ведь есть же! Хотя говорили, что многие его дела, особенно в лихие девяностые годы, в первую их половину, ему не давали доводить до суда — слишком большие шишки светились. Их легче иной раз было вообще убрать, чем выводить на суд. Но тут вины следователя уже никакой — конъюнктура!

Поэтому, если Турецкий действительно возьмется за это дело, результат — хотелось верить — будет обязательно. Да с ним и не грех поработать. И вообще, говорили, что мужик он — свой, не наглеет, на чужом горбу не катается, а ношу тянет наравне со всеми. Зато возможностей у него куда больше! Тут того не допросишься, этого, а старшему помощнику генерального прокурора кто посмеет отказать?

Нет, такой вариант совсем не плох, окончательно решил Климов и пошел готовиться уже к детальному разбору каждой выдвинутой им самим версии.

А телефонный звонок не замедлил последовать.

— Климов? Привет. Турецкий. Вы занимаетесь делом Морозова?

— Да, я, здравствуйте. Меня предупредили. Будете смотреть, Александр Борисович?

— Обязательно. У вас транспорт имеется? Или прислать машинку?

— Спасибо, своя есть.

— Обедали?

— Так еще утро.

— Точно?.. Ну и ну... Ничего себе денечек начинается! А у людей — праздник. Ладно, садитесь-ка в свою машинку и катите сюда, в Генеральную. На четвертый этаж. Со всем барахлишком, разберемся и будем думать, как жить дальше. Не растеряйте по дороге свои предложения. И учтите, если вы привыкли жить по расписанию, лучше перекусите по дороге, а то будем сидеть до упора. Кофе есть, ну еще, кажется, немного печенья, а больше ничего.

— Вполне достаточно, — буркнул Климов, несколько озабоченный таким стремительным напором. Но снова вспомнил, как про Турецкого говорили, что он вполне нормальный мужик, во всяком случае, не зацикленный и не вредный...

«Не вредный мужик» на стук в дверь крикнул: «Войдите!» — и поднялся навстречу Климову. Вышел из-за письменного стола, пожал руку. Был он такого же высокого роста, только светловолосый, с косым чубом набок. Чуть склонив голову к плечу, окинул Климова с ног до головы и улыбнулся:

— Привет. Оказывается, мы почти ровесники? Вам сколько?

— Скоро будет сороковник.

— Ну... небольшая разница. Но вы не торопитесь, успеется. Как говорил один знакомый доктор: не надо быть чрезмерным оптимистом на этот счет. Если не возражаете, давайте на «ты» и попросту. Саша.

— Не возражаю. Сергей.

Следуя приглашающему жесту Турецкого, Климов сел на «посетительский» стул у приставного столика. Турецкий устроился напротив. Сергей положил на стол папку, хотел ее раскрыть, но Турецкий остановил его жестом:

— Давай сперва своими словами. А посмотрю потом, а ты прокомментируешь. Итак, что случилось и когда, я уже знаю. Твой Прохор достал меня во время завтрака. Тогда еще, первого января. Такое благостное настроение испортил! Я еще подумал: ну все, весь год — коту под хвост. А сегодня газетку в руки взял и носом почуял: оно! Только явился, Меркулов звонит. Еще слова не сказал, а я уже окончательно убедился, что не избежать. И точно. А ты говоришь: нет интуиции! Как же!..

— Я ничего не говорил, — возразил Климов, — напротив, я сам свято верю в интуицию.

— И правильно делаешь. Ну давай.

Турецкий откинулся на спинку стула и прикрыл ладонью глаза, словно они у него побаливали от слишком яркого света из окна. А Климов все-таки папку открыл и, глядя в свои выкладки, начал рассказывать. Он старался не растекаться, выстраивал основное, что считал возможным расследовать как одну из рабочих версий. И так подряд обо всех своих соображениях. Рассказывать было легко, Турецкий не перебивал, но, Климов видел, внимательно слушал. А в какой-то момент взял со своего стола лист бумаги и карандаш и начал делать какие-то непонятные пометки: не слова писал, а будто рисовал маленькие картинки.

Доклад занял, ни много ни мало, что-то в районе полутора часов. Поставив точку, Климов устало выдохнул:

— Вот и все. К сожалению, что успел наработать на сегодняшний день. Я понимаю, мало. Опять же — праздники, чтоб они... Да и народу задействовал минимум. У людей ведь тоже праздник. Ну а сам — это уж привычное дело.

— Нет, Сережа, не скажи. У меня совсем другое впечатление от твоей работы... Ну насчет версий, это мы с тобой еще подработаем...

Климов улыбнулся.

— Я чего-то не так сказал? — словно насторожился Турецкий.

И Климов, уже откровенно смеясь, рассказал, что ему говорил недавно прокурор по поводу «мастеров версий». Турецкий тоже рассмеялся — легко и беззаботно. И Климов поверил, что работать им вместе будет действительно просто и удобно, без фальши, это уж точно.

— Они вот подъелдыкивают, а сами, как те хитрые коты, исподтишка поглядывают, как бы мышь не пропустить, когда мы ее из норки выманим. Известная тактика. Давай-ка я сейчас кофейку поставлю. А ты рассказывай, что с кадрами? Кто есть и чего не хватает.

И пока он заряжал кофеварку, Климов рассказал, как он работал с дежурной оперативно-следственной бригадой из Свибловского ОВД, с ребятами из Бабушкинского отдела, как ходил в МУР и писал постановление, Турецкий лишь кивал, как бы выражая свое полное согласие. Но когда Климов закончил, спросил:

— И много тебе те муровцы наработали?

— Пока похвастаться не могу. Но обещают. У них агенты имеются свои в Западном округе. Еще работают по педофилам и шоу-бизнесу. От последних Морозов уже пострадал однажды, в госпитале отлеживался.

— Хорошо, разберемся. Вот выпьем кофе и разберемся. Напиши фамилии тех, кого уже задействовал. Ты же понимаешь, Сергей, что нам с тобой телиться времени совсем не оставили. Раз эти ходоки уже до президента добрались...

— Что, до самого? — даже вроде бы испугался Климов — такой ответственности он еще на плечах не таскал.

— А зачем мне тебя обманывать? Или себя? Я сегодня спозаранку уже имел беседу с Костей, я говорил тебе. Он открытым текстом изложил «верховное», так сказать, недовольство. Но с одним тобой некоторые «отдельные лица» разделались бы не глядя, а с нашей компанией сделать это им трудновато. А вообще говоря, у меня в этой связи промелькнула одна крамольная мыслишка... Не знаю, стоит ли она затраченного времени, но в промежутках где-нибудь обдумать ее можно. Потом поделюсь. Пей кофе.

Турецкий передал ему чашку с душистым кофе. Вторую взял себе. Они вернулись на свои места у приставного столика и молча выпили кофе. И это тоже понравилось Климову: с одной стороны, никакого панибратства, покровительства, а с другой — товарищеская простота отношений. Интересно, как отреагирует на это Маринка? Она вчера была очень обеспокоена возможным резким поворотом в расследовании, но главным образом тем, что Климова могли отстранить от него, а это сулило определенные неприятности Сергею. И тут Марина была искренней, во всяком случае, какой-то игры с ее стороны интуиция Климова не обнаружила. А откровенность в людях, особенно близких, он ценил выше всех остальных качеств, пусть даже эта их откровенность будет неприятной для него.

— Так. Кто у нас тут? — Турецкий взял листок с написанными фамилиями. — Герасимов... Гуляев... Петухов... А эти — из районов? Они пока, пожалуй, не понадобятся, но будем иметь в виду. Эксперты дельные, ты видел?

— Работал с ними в квартире Морозова. Результаты — тут. — Климов показал на папку.

— Хорошо, я еще посмотрю. Так, теперь об этих... Ну Колю Герасимова я лично знаю. Он еще с Грязновым работал. А начальником Второго отдела он, кажется, стал уже после ухода Славки в министерство. Это когда мы с Вячеславом устроили в его епархии ту самую первую, знаменитую чистку, помнишь? «Оборотни»? Во, я тебе скажу, был номер! — Турецкий хвастливо показал большой палец, и выглядело это по-хорошему, по-мальчишески. — Значит, Коля. А что он взял на себя?

— Мы договорились, что он прокрутит по своим каналам шоу-бизнес, используя материалы Морозова. У него там есть свои зацепки.

— Отлично. Только такие вещи за три дня не делаются. Если хотим толкового результата, придется ждать. Там же обосновались настоящие акулы. А эти двое — Гуляев, Петухов? Что-то не помню... Они на чем?

— Евгений Романович Гуляев, он капитан, взял на себя рестораны, про которые я рассказывал. А вот Игорь Савельевич Петухов... Я его нацелил на педофилов. Там что-то непонятное: межрайонная прокуратура собиралась, судя по репортажу Морозова, возбудить уголовное дело, но ей явно помешали. Кто или что — об этом речи не было. Я видел эту передачу на студии. У Морозова об этом ничего не говорится. Консультировался в главной редакции канала, там никакими материалами, кроме тех, что были использованы в программе «Честный репортаж», не располагают. Значит, и проверка, как я понимаю, тоже не на один день.

— Все так, но это, к сожалению, только мы, практики, понимаем. А начальство хоть и знает, что почем, но имеет свою собственную точку зрения. И одна из них — типа массовой зачистки. Предложили создать крупную, слава богу не межведомственную, бригаду и навалиться всей массой. Но я считаю, всей массой можно только групповуху устраивать... Извини, если ты нервный, — добавил со смешком Турецкий, заметив, как слегка опешил Климов. И продолжил назидательным тоном: — Но даже в групповом сексе каждый участник и, соответственно, участница должны иметь свою яркую индивидуальность! Это я тебе как специалист говорю, иначе получится не секс, — тут Турецкий поднес к губам и чмокнул сложенные щепотью подушечки пальцев, — а обычный свальный грех. Ни красоты, ни удовольствия! — И уже окончательно «добил» смущенного Сергея: — Верно? — И захохотал, тыкая в него пальцем.

— Нет, ну... зачем? — Климов конечно смутился, хотя и понимал, что, вероятно, для друзей Турецкого подобные его «вольности» были делом привычным.

Но Александр уже снова стал серьезным.

— Ну все, расслабились маленько... Пойдем дальше. А на охотников ты кого-нибудь бросил?

— К сожалению, нету у меня подходящей кандидатуры. Там же уровень совершенно другой, обычного опера они пошлют так далеко, что тот может и не вернуться. Я думал, как закончу с родственниками, сам возьмусь.

— А вот это, извини, неграмотно. Что все — сам. Так нельзя... Хорошо, сейчас решим про твоих охотников... Значит, по порядку: что у нас остается? Родственники в Нижнем, друзья детства и прочие — раз. И повторный обыск в квартире — два.

— Ты уверен, что надо повторить?.. — усомнился Климов.

— Старик, пойми, — совсем по-простецки перебил его Турецкий, — речь не идет о недоверии к тебе и тем ребятам, которые там работали в Новый год. Я о другом. Сколько вы там работали, ну?

— Где-то полдня, может, чуть меньше. Но старались тщательно...

— А теперь прикинь: мужики после праздника. Головки — бо-бо! Во рту — колючки пустыни Сахары. Перед глазами — единственная свежая мысль: как тут, по радио, один поет? Я в машине слышал: «Мне с утра бы пивка — ледяного, искристого... Пусть не чешского, финского, а простого российского!» Вот, понял? Это ж первое января! Да им памятник надо поставить уже за одно то, что они приползли на службу! Нет, обыск учиним по всем статьям, с лучшими нашими кадрами — это во-первых. А во-вторых, ты сколько времени еще собираешься издеваться над родственниками покойного? Ты же их не пускаешь в жилье сына. А они станут жаловаться. А ты будешь туманно объясняться непонятной следственной надобностью. И в результате схлопочешь от своего Прохора по шее. И потеряешь возможные следы, которые вы просто обязательно пропустили, что называется, по определению. Готов поспорить, ну?

— Нет, — замотал отрицательно головой Климов, — я согласен. Жаль, что самому не пришло в голову.

— А хочешь скажу, почему не пришло? — И, не дожидаясь ответа, Турецкий закончил: — Потому что ты знал, что тебе выпало новогоднее дежурство, и ты только нюхал спиртное и злился на судьбу-злодейку. А те ребята гуляли, как люди. Ну, скажешь, не прав?

Климов не выдержал серьезного тона и рассмеялся:

— Все точно, один к одному.

— Значит, решили. Спецов я наберу сам, на Петровке, возьму тех, кому верю, как себе... Значит, проводим большой «шмон» и... звоним в Нижний: вступайте во владение, как положено по закону. И пока они будут здесь, ты с ними проведешь дополнительную работу. Они отнесутся уже иначе, верно? А я тем временем, наверное, смотаюсь в Нижний и попробую «пошерстить» их прежнюю компанию. Есть одна мыслишка. Вот мы с тобой одновременно и убьем двух зайцев. И все твои версии, таким образом, будут закрыты... Твоя очередь варить кофе. А я пока звоню.

Климов заряжал в кофеварку следующую порцию и слушал телефонные переговоры Турецкого. Он, конечно, догадывался, что у Александра имеются свои связи и контакты на достаточно высоком уровне, но стремительность, с которой он решал только что обговоренные ими же самими проблемы, восхищала Сергея. Разумеется, совершенно иной уровень — и не только постановки проблем, но и их понимания.

Первый звонок, как сразу догадался Климов, был в МУР. Турецкий не мелочился, позвонил самому начальнику, Владимиру Михайловичу Яковлеву. И не через секретаршу, а по прямому номеру.

— Привет, генерал, Турецкий. Сильно занят? Три минуты... нет, пять, уделишь? По государеву делу... Володечка, ты в курсе про того журналиста? Морозов, да... Знаю, ребята Коли Герасимова... Как они, умеют бегать?.. Отлично, тогда к тебе просьба, моя личная. Мне будет неловко их шпынять... Нет, с Колей у меня уже сто лет все нормально, без вопросов, я про этих... — Турецкий «пошарил» глазами по столу, придвинул лист бумаги с фамилиями: — Гуляев и Петухов, ага. Объясни им по-свойски, как мы привыкли с тобой работать, ладно?.. Ну ты же Костю знаешь! Сан Борисыч, вам оказано доверие... В первый раз, что ли?.. Ты смотри, даже и пяти минут у тебя не занял!.. Ну да, у тебя же и учусь, мой генерал! Если они на Петровке, подошли всех троих... Спасибо. Ну что, — посмотрел он на Климова, — готов кофе?

— Сейчас. Хочешь совет собрать?

— А что? По-суворовски: каждый солдат должен знать свой маневр... Сейчас Володя им маленькую взбучку даст, и они прибудут готовенькими. Поехали дальше.

Он снова набрал номер, долго молча ждал. Положил трубку, набрал снова.

— Алло, Галочка? Привет, красавица, а где твой беспутный шеф?.. Да ну? И скоро?.. А если я ему на «мобилу» кину, как ты думаешь, ваш министр сильно на меня обидится?.. Шучу. Но как придет, чтоб сразу, ладно?.. Как праздники-то?.. А чего так?.. Да плюнь ты на ваши дома отдыха! Знаю я, о чем ты, был однажды, сдуру даже семью захватил, а там только водку пить можно и за девками ухаживать, а я с Ириной, представляешь? Даже приличной бани с бассейном не было. Нет, поезжай-ка ты со своим муженьком к нам, на Истру. Все есть: ему — отличный буфет, тебе — роскошный бассейн, кино и танцы — каждый день... Во как! Обеспечу, запросто, говори, с какого числа? Сейчас запишу. — Турецкий взял карандаш и стал записывать на перекидном листе календаря — допотопном, напомнившем Климову советские времена. — Появился? Давай его, а я записал, вечерком перезвоню. Или ты — мне, завтра, с утра... Привет, Славка! Что ж ты не можешь обеспечить собственную секретаршу, которая тебя такой шикарной грудью прикрывает, приличной путевкой? Стыдно, генерал... Ладно, иди в свой кабинет и перезвони по прямому.

Турецкий отхлебнул глоток кофе, пополоскал его во рту и сказал:

— Коньячку не хватает, а так — ничего, — и благосклонно кивнул Климову, а Сергею все больше нравилась эта непринужденная обстановка, напоминавшая некую якобы игру, в то время как они занимались вполне серьезными вещами.

И тут зазвонил телефон. Александр поднял трубку:

— Ну, словом, чтоб не растекаться, Морозов этот — наш теперь. Лично тебе Костя велел, как обычно, соответствовать и оказывать нам всемерную помощь. Выражаться она будет в следующем. Ты прямо сейчас берешь бутылку коньяку, вызываешь Галку... Нет, не так, сперва

Галку, а потом коньяк. Да не секретаршу, это у меня с ней роман, а не у тебя, успокойся. Я про Романову. И говоришь ей, что она поступает в полное мое распоряжение. Не навсегда, только на время. На всякий случай будем иметь в виду и Володьку Яковлева... Нет, с папашей я уже говорил, я про сынка. Далеко его не усылай, может понадобиться. Сам тоже подключаешься, как же это я могу забыть лучшего друга? Короче, сейчас третий час, а мы тут с утра, по твоему выражению, не жрамши и выходить не будем... Да, соответственно, и бутерброды. И пирожки... С мясом, разумеется! Ты еще повидло предложи, охальник... Ага, и ждем... Его зовут Сережей Климовым, «важняк» у Прохора, наш человек. Давай, Славка, не тяни.

Положив трубку, Турецкий с хитринкой посмотрел на Климова:

— Знаешь, чего я придумал? Это про твоих охотников. Мы к ним Славку отправим. Он и сам — страстный охотник, а сейчас как раз сезон. Вот и увидит, и встретится, и обсудит, и всех их там наизнанку вывернет! И в неделю обернется. А пока его не будет, и Галина Ивановна отдохнет, надо будет ей с мужем сегодня путевки заказать... Видишь, как хорошо устраивается?.. А Галя Романова — опер у Славки, вот такая дивчина! — Турецкий показал большой палец. — Она этих нижегородских баб и расколет, и на блюдечке нам поднесет. И кто чем дышит, и на кого конкретно — все узнает. Так что с этой стороны, я уверен, нерешаемых проблем не будет. А я мужиками займусь — Воробьевым, прочими... Судя по твоему рассказу, Сережа, там изначально вызрел некий конфликт, который все они тщательно скрывают — и от других, и от самих себя тоже, возможно. А на таком фоне действия бывают непредсказуемыми. Тут ты, по-моему, зришь в корень.

Турецкий допил кофе, подумал и вдруг спросил:

— Слушай, Сережа, а чего бы тебе самому в Нижний не смотаться? Галка бы тебе помогла, а? Ну а я бы тем временем здесь пошуровал?

— Да ты ж сам и предложил мне снова войти в контакт с Морозовыми. Они, насколько мне известно, еще не уехали, проживают в «Останкинской», а когда узнают, что можно будет войти в квартиру сына, естественно, обрадуются. Не так уж и много им теперь осталось «радостей»... А я надеюсь, что сумел как-то добиться ну хотя бы доверия с их стороны, что ли. А с Воробьевыми я совсем незнаком. С дочкой только, но с ней, с этой несостоявшейся невестой, как раз контакт не очень толковый получился. А вот на тебя она точно клюнет.

— Это почему? — удивился Турецкий.

— А вот увидишь ее, сам поймешь, — многозначительно заметил Климов.

— Да-а? Меняет дело, — ухмыльнулся улыбкой опытного котяры Александр. — А твое семейное положение? Жена, дети?

— Ни того, ни другого. Было, но прошло без особых потерь. Хотя родственников хватает. Встретил вот недавно... на телевидении... одну взрослую девушку... очень мне понравилась...

— И как? Есть перспективы?

— В принципе рановато говорить, чуть больше недели всего... Но не исключено.

— Так ты у нас, значит?.. А-а, тогда все понятно, какой Нижний! Тут же наверняка судьба решается, не меньше, а я тебе — про командировку! Извини, но ты сам виноват, предупреждать надо.

— О чем? — со смехом удивился Климов.

— Как о чем? Ну о том, что девушка приличная, что даже краткая разлука нежелательна, поскольку... да чего я тебе объясняю? Сам знаешь, чем надо заниматься с любимой девушкой, пока существует неясность в отношениях. Это уж когда все у вас «устаканится» окончательно, тогда сам запросишься — да чтоб подальше, да подольше. Ой, все мы прошли через это!.. А зовут как?

— Марина...

— Как в каком-то кино — редкое имя!

— А тебе зачем было знать?

— Чудак, я ж позвоню по делу, а трубку возьмешь не ты, а, к примеру, она. Я и «угадаю»: это вы, Мариночка? Как здоровье? Как супруг? Ах, простите, разве он еще не супруг? А чего тянете? Ну и так далее, глядишь, и диалог состоялся. И к тебе сразу другое отношение: уважают супруга, или как там его... Старик, лесть — это тонкая наука. Просто некоторые у нас сегодня думают: ежели не обгадил с ног до головы, то уже, считай, польстил. А хорошая, правильная лесть горы переворачивает. Вот тот же Славка, например. Поедет он к этим охотничкам. Они что, не знают, кто он такой и откуда? Да про седьмое колено выяснить успеют, пока он бриться будет. А он им: ну, молодцы, ну, артисты! Да плюньте вы на всех журналюг, вместе взятых, как я это постоянно делаю! Давайте лучше делом заниматься! И на привале, да после рюмочки-другой, они ему сами все про себя выложат как миленькие. Еще и нажалуются на того Морозова, который их на весь белый свет оболгал и опозорил. И станет ясно, могли они «замочить» Морозова или им начхать на его репортажи с той высокой вышки, с которой они стреляли и будут продолжать стрелять своих благородных оленей. Скажешь, не так?

— К сожалению, так.

— Сожалеть, Сережа, можно сколько угодно, но для нас с тобой это всего лишь одна из рабочих версий, которую надо либо разрабатывать, либо отказываться, не теряя времени. Реально давай смотреть на вещи. А с ними пусть экологическая милиция разбирается — это ее хлеб, зачем же отбирать? Про нас с тобой все равно не забудут... Так, а теперь позвоню-ка я в ЭКУ ГУВД. Нам с тобой завтра, при обыске, классный эксперт-криминалист понадобится. Я знаю кто. А оперков мы у Славки попросим, как рабочую силу. А теперь?.. Ну сам смотри. Основные дела мы с тобой решили. О времени вечером договоримся, оставь телефон, по которому будешь находиться, и обязательно мобильный. Для уличной связи. Впрочем, если не сильно торопишься, дождись Славку, он в течение часа наверняка подъедет, я вас познакомлю. Хотя можно будет это сделать и завтра. Я хочу попросить его, чтобы он тоже при обыске присутствовал: генеральская форма впечатляет население. Ты, кстати, тоже на такие мероприятия обязательно надевай китель. Опыт мне подсказывает — совсем другой разговор получается. Ну а если сегодня притомился с непривычки, вали к своей жемчужной даме.

— Почему — жемчужная? — прямо-таки изумился Климов, и перед его глазами вдруг всплыла светлая, с именно жемчужным отливом, прическа Марины. Точнее не скажешь! Как же самому не пришло в голову такое роскошное сравнение?!

— Жемчужная-то? — машинально переспросил Турецкий. — Понятия не имею. А, я просто представил на миг рядом с тобой девицу, которая именно в этом твоем возрасте пришлась бы тебе по душе. Ну по формам, по цвету... Показалось, что-то в этом духе. Не угадал? — поскучнел он.

— Наоборот! — воскликнул Климов. — В самую точку!

— О-о, — задумчиво уставился на него Турецкий. — Как у вас, однако, все запущено... Тогда вали отсюда, не теряй драгоценных минут. Ты сегодня уже — по глазам вижу — не работник и даже не собутыльник. Привет... Телефоны, телефоны оставь!..

И пока они заканчивали с формальностями, приехал генерал Грязнов...

## 5

Уже усевшись в машину и включив зажигание, Климов вдруг вспомнил, что за все время разговора с Турецким, ознакомления его с материалами расследования, разбора планов следственных мероприятий, уточнения версий, а потом и знакомства с Вячеславом Ивановичем они все ни разу почему-то не вспомнили о призе в миллион рублей, установленном телекомпанией РТВ. Поразительно, но это было действительно так. То есть отсюда следовал вывод, что никакой денежный вопрос решительно не интересовал ни Турецкого, ни Грязнова, которые наверняка уже знали об этой инициативе телевидения. Неужели такие уж бескорыстные? Или по собственному опыту знают, что призы подобного рода потом, когда дело уже сделано и виновный наказан, обычно долго и тщательно обсуждаются в различных инстанциях. И все лишь ради того, чтобы приз, не дай бог, не получил именно тот, кто напрямую причастен к удаче. Нет, он должен быть с помпой вручен именно тому, кому следует. А публика — дура, она верит. Верит и завидует счастливчику...

Климов хмыкнул: а сам то он что же? Тоже ведь не возникло даже намека на уверенность в том, что «миллиончик» совсем не помешал бы в устройстве новой жизни. Ну вчера еще, под свежим впечатлением, зашел разговор с Мариной, но тут же иссяк, как все слишком фантастическое и невероятное в этой жизни. Значит, получалось, что никто всерьез и не собирался даже упоминать об этом факте. Зато о самом процессе расследования разговор шел углубленный и конструктивный.

Сергей позвонил Марине, узнал, какие у нее планы, оказалось, что важных проблем и совещаний не предвидится и она просто формально «отбывает» время. Могла бы этого и не делать, но ведь он же, Климов, небось в бегах или в генпрокурорских «заморочках», поэтому она вынуждена...

— Я пришел, чтобы дать тебе волю! — продекламировал Климов. — Сейчас подъеду и буду ожидать на стоянке, хватит мне светиться у вас, неблагодарные вы людишки! Никакой признательности, видно, от вас не дождаться!

— Ах, ах, ах! — кокетливо воскликнула Марина. — Какие мы щедрые! И куда ж вы меня зовете, кавалер достойный?

— Есть хочу. Вкусно и много. Они там остались, эти генералы, коньяк трескать и сплетничать, а я почти и не причастился! И они, узнав, какая у меня нужда в последнее время объявилась, хором заставили бросить все дела и мчаться к даме, не теряя драгоценного времени. Они, оказывается, тоже так считают — про бездарные потери времени.

— Так-так-так, — сквалыжным тоном произнесла Марина. — Значит, все-таки причастился? Я не понимаю, как это можно не причаститься «почти»? Хорошо, я уже выхожу, чтобы понаблюдать, какие кренделя ты будешь выделывать, чтобы подъехать к нашей стоянке. Оч-чень любопытно посмотреть!..

И первое, что она сказала, прежде чем села в машину, сунув в салон голову через открытую дверь, было:

— Дыхни!

— Запросто! — ответил он и, сложив губы трубочкой, дунул на нее.

Марина постояла, согнувшись, подумала, посмотрела на него исподлобья:

— Странно, почти нет запаха. Кофе пил?

— Много, — с самодовольным видом заявил Климов. — Оказывается, Саша вообще без него не живет. Мы по очереди заваривали. Пять или шесть раз. Или больше — со счета сбился.

— А кто этот Саша?

— Турецкий, не слышала о нем? Старший помощник генерального прокурора. Ему от президента пришло личное поручение по этому несчастному Морозову. — Климов произнес эту фразу с заметной долей пафоса, чтобы придать повышенное значение бывшей своей, а теперь уже и общей с Турецким, миссии. — Поэтому ему поручено и руководить бригадой.

— А тебя, значит, ку-ку? — огорченно заметила Марина.

— Да ты что?.. Садись, все расскажу по порядку... Маришка, ты не поверишь, да я бы и сам сегодня утром, после разговора с моим прокурором, не поверил бы, честное слово. Это же просто отличные мужики! По высшему классу! Давно я таких не встречал!

— То-то ж, я смотрю, ты весь светишься, — с чуть заметной долей ревности сказала Марина. — А как же с нашим призом? Был у вас разговор? Они небось набросились, аки голодные звери?

— И опять ты не поверишь. Об этом вашем дурацком призе я вспомнил только тогда, когда отъезжал от Генеральной прокуратуры. Даже и намека не было. И никому, так я понял, этот ваш приз не нужен. А вот по делу... Ты знаешь, просто замечательный был разговор. И, главное, Саша тут же принимал решения. «Согласились? Нет вопросов? Давай!» И тут же звонок в соответствующую инстанцию, а там уже заранее рады оказать нам содействие. Все уже поняли, от кого исходит задание! — ну не мог, чтоб немного не прихвастнуть, Климов. Но ведь для дела. — Вот как надо работать! Класс, искренне завидно. Куда нам с нашим Прохором...

— А чего ты все — Саша, Саша? Он что, совсем молодой человек?

— Нет, он старше меня так примерно на десяток, ну чуть меньше, лет. Но сразу, едва я вошел, сказал: давай на «ты» и по-простому: Сережа — Саша, чиниться незачем, не у генерального на приеме. Тут другое интересно. Я уже мог ехать, но у него должен был появиться генерал Грязнов, это бывший начальник МУРа, он сейчас в министерстве, в управлении по особо тяжким преступлениям, заместителем начальника Первого департамента. Так вот, Саша с ходу и его привлек к нашему расследованию: будешь, говорит, помогать — и точка. Они, оказывается, старые друзья. А третий у них — ни мало ни много сам заместитель генерального прокурора Меркулов, они его Костей кличут. Ничего компания подобралась?

— Да, я смотрю... В другой обстановке сказала бы, что ты даром времени не терял! И еще меня удивляет, что ты радуешься, как ребенок, я тебя в первый раз таким вижу.

— А я разный бываю! Кстати насчет милого... Ну мы с Турецким, пока делали краткие перерывы, отдыхали маленько, кофе пили, говорили о домашних делах — что и как, есть ли семья и так далее. Нормальный мужской разговор, без всяких этих... — Климов покрутил растопыренными пальцами. — Он спрашивает, есть ли у меня кто? Ну типа жены. А почему вопрос? Мы решали, кому отправляться в Нижний, ему или мне? И вопрос еще висел. Я и рассказываю, что вот недавно, неделю с чем-то назад, познакомился на телевидении с одной девушкой. Помоему, говорю, то самое, что всю жизнь искал.

— Да ладно тебе заливать!

— Честное слово. А он смеется: «Какой же после этого, — говорит, — у тебя Нижний может быть? И о чем ты там будешь думать? Ты знаешь, чем сейчас должен заниматься?» В общем, угадал, о чем... точнее, о ком я думал. «Вали, — говорит, — отсюда прямо к ней, только не забудь завтра на обыск явиться». Мы решили еще раз пройти по квартире Морозова. Саша прав, конечно, первый-то обыск производили сразу после новогодней пьянки, наверняка эксперт что-нибудь упустил. «Надо ж, — говорит он, — понимать состояние мужиков, у которых все мысли были не о вещдоках и отпечатках пальцев, а исключительно о свежем пиве!» Ну, честное слово, и смех и грех! Зато не представляешь, какое удовольствие с ним работать! Вот где школа!

— Нет, теперь я понимаю, что не ошиблась, ты действительно будто светишься изнутри! А что, никакой ревности не испытываешь, что теперь не главный?

— Дорогая моя, какая ревность? Это если б молодому художнику сказали: хочешь поработать в мастерской с самим Рембрандтом? Он тебя приглашает... А потом, когда Вячеслав явился, Саша ему рассказал про нас с тобой, так тот прямо напустился на меня — в шутку, конечно: «Пока ты, чудило, — ну вообще-то он покрепче сказал, — здесь торчишь, твою Маришку уже из стойла увели!» И хохочут оба: «Беги и нигде не задерживайся! Цветочек не забудь купить!» Нечего, мол, зря штаны на государевой службе протирать, успеешь еще... Как с мальчишкой, ей-богу! Кстати, цветочек-то — вот он. — Климов смешно шмыгнул носом и взял с заднего сиденья целлофановый кулек с пышной розой на длинном стебле, подал Марине. — Прошу, мадам... А Саша вообще меня поразил. Ну когда я про тебя рассказывал, причем ничего конкретного, конечно, не говорил, внешности не описывал, просто есть такая девушка на телевидении, и все. Он вдруг сказал: «Вали к своей жемчужной даме!» Я изумился: немедленно представил себе тебя и понял, что портрет совершенно точный. Ну и спрашиваю: почему, мол, жемчужная? А он отвечает, так, небрежно, как бы к слову: «А я, — говорит, — прикинул, какая женщина может рядом с тобой стоять, ну чтоб полностью соответствовала, и решил, что она должна быть жемчужного окраса».

— Да что я, лошадь, что ли? — делано возмутилась Марина.

— Нет, у лошадей — масть, а окрас?.. А правильно сказать: тон прически? Или нет?

— Тон — куда ни шло, а то — окрас!.. Ишь ты! Я вам покажу окрас!

— А мне понравилось. Уж очень точно сказано, черт меня побери... Ты ж ведь на самом деле у меня и есть жемчужина — и по тону прически, и вообще — редкая и прекрасная. Как же я не обращал внимания до сих пор? Нет, видел, но...

— И после всех этих слов у тебя еще находятся какие-то «но»?!

— Молчу и сдаюсь на милость победителя.

— Другое дело. Так какой у тебя план?

— Я подумал, что мы в последние дни слишком много времени тратили на приготовление пищи, на обеды, ужины и прочее. Наверное, настала пора отказаться от самодеятельности. Давай поужинаем где-нибудь, чтоб было вкусно, а потом...

— Ты прямо на глазах умнеешь, Сереженька. Не только согласна, но и сама хотела предложить. Это значит, что мы даже думать начинаем одинаково. К чему бы это? — И она, резко тряхнув своими действительно отливающими перламутровым блеском длинными волосами, разбросанными по воротнику шубки, загадочно уставилась на него большими, в очках, и темными, загадочными глазами...

— А к тому, что сгинул казак, утонул в очах девичьих... Слышал я когда-то такую песню...

## Глава четвертая

## ПЕРВЫЙ ПРОРЫВ

### 1

В жилищно-эксплуатационной конторе кооператива «Стрела» поднялась легкая паника, когда утром в нее явились сразу два генерала — милицейский и прокурорский — и категорическим тоном потребовали, минуя небольшие очереди, чтобы ответственные лица немедленно проследовали за ними в квартиру Леонида Морозова, где будет произведен повторный обыск. А из всех «ответственных» на месте оказалась одна бухгалтерша, выдававшая квитанции для оплаты коммунальных услуг и принимавшая всевозможные платежи, в том числе ежемесячные взносы от владельцев автомашин, размещенных на огороженной стоянке. И звали ее красиво и даже изысканно: Элеонора Израилевна Масловская. «Пока произнесешь, — негромко заметил Грязнов Турецкому, — можно успеть и хорошо выпить, и ответственно закусить». Но так как хлопот у нее было действительно много, она упросила ее не беспокоить сегодня. Народ подходит, пользуясь тем, что дни нерабочие, а иначе потом придется за всеми самой бегать. Заботы ее были понятны, но дело — делом.

— Кстати, — поинтересовался Турецкий, — а как у Морозова обстояли проблемы с оплатой жилья и прочего? Он не ходил в должниках?

— Ну что вы! — всплеснула руками эмоциональная Элеонора Израилевна — женщина излишне полная, но подвижная, — он даже по отдельным услугам вперед оплачивал. Не то что другие. И за стоянку — за полгода вперед, и за кладовую — тоже.

Турецкий обернулся к Климову, тоже находившемуся «при параде», в мундире подполковника юстиции, и посмотрел вопросительно: ни о какой кладовой в отчетах о производстве обыска в квартире речи и близко не шло. Сергей тоже вопросительно взглянул на него, потом перевел взгляд на Масловскую:

— Простите, а что это за кладовая? Первый обыск производился в квартире под моим руководством.

— Ах, вы, значит, не в курсе? — похоже, обрадовалась Масловская возможности продлить приятную беседу с такими симпатичными молодыми генералами. Кажется, она и парочку звезд на погоне Климова тоже приняла за генеральские. — Так это у нас практикуется. Понимаете, еще при строительстве кооператива было предложено подвальную часть помещения, обычно пустующую и потому привлекающую к себе внимание всякого постороннего населения, неприкаянной молодежи, бомжей и другой неприятной публики, отвести под персональные кладовые комнатки — для жильцов дома. Там они могут хранить какие-то припасы — картофель, овощи, велосипеды, старые предметы, которые жалко выбрасывать, но могли бы пригодиться летом на даче, и прочее. Этих кладовых, конечно, немного, на всех не хватило, да и... стоят они недешево, их могли оформить на себя более-менее состоятельные жильцы. Некоторые снимали на двоих-троих соседей — по-разному. Но у Морозова была своя, персональная. Что он там хранит, я не интересовалась, но оплачивал он также вперед. Сейчас я вам скажу, по какой месяц включительно...

И Масловская начала шустро перебирать папки, а затем и листать ведомости. Но ее остановил Климов:

— Не торопитесь, Элеонора Израилевна, эти ваши документы, вероятно, потребуются новым владельцам квартиры покойного. Наверное, это будут его родители, если не отыщутся иные претенденты. Вы скажите нам, где она находится и есть ли у вас ключи от нее. Суть в том, что при самом Морозове мы ключей никаких не обнаружили и дверь вскрывали с помощью слесаря и под надзором милиции. У вас в конторе первого января, естественно, никого не было, это понятно. Но сейчас-то уже нету этих трудностей, мы правильно вас понимаем?

— Так мы поэтому и устроили для себя скользящий график ради жильцов, пока они все дома. А потом не только не отыщешь некоторых, но даже не дозвонишься, чтоб не задерживали с оплатой. Понимаете?..

В общем, с бухгалтершей вопрос был ясен, она прочно сидела на своем коньке. И у нее в делах был порядок. Потому что не прошло и получаса, как она откуда-то принесла связку ключей и, выделив один, с пластмассовой биркой «72», сняла со связки и передала... Грязнову, как самому старшему среди присутствующих. Кроме того, он молчал с важным видом и был одет в милицейскую генеральскую форму, а она была привычнее ее глазу.

— Только вы, пожалуйста, верните, а то потом придется еще замок менять, а это деньги, хлопоты...

— Не потеряю, — с важным видом успокоил ее Вячеслав Иванович и тут же передал ключ Климову: не генеральское это дело — с замками возиться! — Но желательно, уважаемая, чтобы кто-то от вашей конторы все-таки присутствовал при обыске в квартире. Нам в принципе неважно, кто этот будет — начальник или заместитель, но обязательно лицо ответственное. Вот вы вполне бы нас устроили. А из отдела милиции сейчас тоже подъедут. Но кладовую... Как, Александр Борисович?.. И вы, Сергей Никитович?.. Не возражаете?.. Уж ее-то можем осмотреть в первую очередь. А с квартирой, так и быть, постараемся обойтись без вас.

Ну как было отказать такому любезному генералу? И Элеонора Израилевна поспешила одеться. Вот тут Климов оказался первым, подал пышной даме ее ярко-оранжевый пуховик с капюшоном, в котором она выглядела по меньшей мере путешественницей, собравшейся покорить бескрайние полярные просторы. «Вырвиглаз» — так, наверное, назывался этот цвет, но Масловская себя чувствовала комфортно.

Климов же ощущал себя весьма некомфортно: этот явный прокол с кладовкой был ему чрезвычайно неприятен. И хотя Турецкий и Грязнов ни словом не намекнули ему о его ошибке, уже по тому, как, с каким видимым подтекстом, Вячеслав Иванович передал ему ключ, Климов понял их снисходительное отношение к «молодому следователю». Просто унизительно! Хотя и крыть нечем...

Но когда выходили из жилконторы, Александр Борисович обернулся к нему, шедшему последним с мрачным видом, и негромко сказал:

— Кончай дурью маяться... Не комплексуй... Откуда ты мог знать про кладовку?.. А наперед нам — наука...

И все, и пошел вперед. А у Климова в буквальном смысле словно гора с плеч свалилась.

Едва открыли подвальную комнатушку с индивидуальной лампочкой под потолком и стеллажами, охватывающими все четыре коротких стены, едва посмотрели на идеальный порядок на этих полках, как Турецкий не выдержал и почти по-хулигански присвистнул, добавив:

— Эге! Да тут полное решение вопроса! Или я ничего не понимаю в колбасных обрезках, господа... Как считаешь, Сереж?

— А я теперь понял муки соседки с нижнего этажа, кажется Твердолобовой, которой ни праздновать, ни спать спокойно не давали в новогодний вечер. Вот что было предметом настойчивого, но, видимо, безрезультатного поиска непрошеных гостей в квартире Морозова. Ну что? Составляем акт и изымаем, Александр Борисович?

— А что ж, молиться, что ли, на них? Забирай, протоколируй, мы сейчас с Вячеславом Ивановичем поднимемся в квартиру, начнем там шуровать, а к тебе пришлем помощника, чтоб все аккуратно переписали, упаковали и вынесли. Штаб переносим ко мне в кабинет, в Генеральную, нет возражений?

— А у меня и невозможно, — ответил Климов, — втроем сидим.

— Тем более. Ну пошли, Вячеслав Иванович? А вам, Элеонора Израилевна, огромное спасибо от имени Генеральной прокуратуры и Министерства внутренних дел Российской Федерации за неоценимый вклад в расследование уголовного преступления! — Он вежливо пожал вспыхнувшей от приятных слов даме ручку и, обернувшись к остальным, негромко закончил: — Вот кому приз пригодился бы, да фиг надеяться... А! — И безнадежно махнул рукой.

И это было первое и последнее упоминание о том, что телевидение собиралось кого-то награждать за помощь в расследовании убийства своего корреспондента.

Когда позже Сергей рассказал об этом своем наблюдении и выводах Марине, та посмотрела на него с недоверием, наверное, посчитала какой-то кокетливой игрой в кристальную чистоту своих принципов и намерений. Но Климов настаивал, и тогда она сделала совершенно уж неожиданный для него вывод:

— Похоже, вы все там просто ненормальные какие-то... Тоже мне бессребреники! Брось мне мозги полоскать... Может, кому-то из вас постоянно не везло в жизни? — прозрачно намекнула она.

— Нет, дорогая, — возразил он, словно и сам заразился уже равнодушием своих старших коллег, — это, я думаю, тебе крупно повезло. Ну и мне.

— Разъяснить не желаешь? — ехидно спросила она.

— Не-а, умный и так поймет, а дураку — бесполезно.

— Ты у меня все равно молодец, — целуя, шепнула она ему в ухо.

Это то, что касалось денежного приза. А все остальное, особенно найденное в кладовой, вызывало несомненный и самый пристальный интерес следствия.

Едва Сергей принялся за разборку аккуратных стопок тетрадей, блокнотов, коробок с компьютерными дискетами и дисками, чтобы не сваливать все найденное в кучу, а как-то разложить в разные пластиковые пакеты, хотя бы для начала поняв, что к чему, в подвал спустился молодой, не знакомый ему человек. Подошел, представился:

— Старший оперуполномоченный Кузьмин. Вячеслав Иванович прислал вам в помощь, чтоб ускорить процесс. Что надо сделать, Сергей Никитович?

— Зовут-то вас как?

— Виктор Алексеевич, можно просто Виктор.

— Ну а я — Сергей. Давайте, Витя, сделаем с вами следующее. Вот возьмите один из блокнотов, тут чистые листы остались, выдирайте их, и будем отмечать материалы по темам. Чтобы разложить по пакетам и знать потом, где — что. Я буду называть, а вы записывайте. Ручка есть?.. Поехали... Так... «Курск». Это, — Сергей бегло пролистал толстую тетрадь, — о гибели «Курска»... Ну да, он там работал, мне говорили... Значит, это и, вероятно, вся стопка — его архив по гибели подводной лодки с экипажем. Сейчас проверю — и в мешок, сюда...

В тесном помещении было душно и пыльно — известно же, что всякие бумаги, собранные в пачки, словно бы сами притягивают к себе пыль даже там, где ее постоянно вытирают. Не были исключением и те, что хранились на полках у Морозова. Многие стопки покрывал почти незаметный слой пыли, которая поднималась, стоило на нее легонько дунуть, и вызывала резкое першение в горле. А другие выглядели такими свежими и чистыми, будто их положили недавно — вчера. Ну или накануне Нового года.

Усвоив эту элементарную истину, Климов решил сперва сложить в большие пластиковые пакеты и пронумеровать отработанные материалы — на всякий случай, нельзя отбрасывать версии и о том, что причина смерти журналиста может «прятаться» в его прошлом. А в принципе же эти запыленные горы Морозов хранил наверняка по той причине, по какой всякий человек его профессии никогда не выбрасывает отработанного уже материала, — не исключено, что судьба может сделать вираж, и придется возвращаться к давно пройденному материалу. Чья-то жалоба, неточность, на которую тебе указали с большим опозданием, но обязательно предполагая, что ты допустил ее умышленно, наконец, просто необходимость дополнительного комментария — мало ли на свете причин?

Работа в паре продвигалась споро. Архив они разобрали, обозначили темы и сложили в отдельные пакеты, чтоб потом удобнее было найти, если понадобится. И когда фактически наибольшая часть материалов была разобрана и уложена, Климов принялся за «чистые». И скоро понял, что не прогадал.

Это были, только по первой, весьма приблизительной прикидке, заготовки для будущих репортажей, журналистских расследований и, вероятно, очередных громких сенсаций, которые сопровождали каждое новое появление морозовского «Честного репортажа».

Все-таки Морозов был молодец. И Виктор Пашкин сказал правду, назвав своего коллегу и друга, хотя последнее было довольно условно — по словам Марины, хорошо, как она говорила, знавшей Леонида, — большим аккуратистом. И разбирать его материалы было одно удовольствие.

Неожиданно вспомнив о Марине — в связи с морозовской аккуратностью, — Климов вдруг сообразил, что ему в голову пришла совершенно потрясающая мысль, а он едва не упустил ее! Да надо же немедленно позвать сюда Марину! Кому, как не ей, и знать, что из собранного здесь могло стать сенсацией, а что являлось обычной повседневной работой, не претендующей на «вечность»! Просто замечательная мысль! И девушка наконец поймет, чем заниматься приходится серьезным людям...

Но «проклюнулась» и подспудная, тайная мыслишка — уж очень хотелось похвастаться своей Маришкой перед Турецким с Грязновым — этими зубрами, которые, правда, сдержанно, однако все же позволили себе позубоскалить насчет того, чем следует заниматься с «дамами» в его возрасте и положении. И вообще вели себя фривольно в отношении «чужой женщины» — «Из стойла свели!» — это ж надо?.. Но в любом случае необходимо было посоветоваться с Александром, чтоб дело не выглядело самодеятельностью.

— Послушай, Витя, посмотри пока вот эти, верхние, тетради, а я на минутку поднимусь в квартиру, одна идея проклюнулась, посоветоваться с высоким начальством хочу...

В квартире все еще продолжался обыск. Грязнов сидел на стуле посреди комнаты, чтобы не мешать ходить двоим экспертам-криминалистам — пожилому и помоложе, — снимавшим отпечатки пальцев буквально с каждого предмета. Столь тщательной работы Климов, десяток лет проработавший в прокуратуре и знавший, что и как делается, до сих пор не видел.

Турецкий, склонившись над Грязновым, разглядывал небольшие предметы, лежавшие на ладони генерала. В стороне, у стены, на стульях молча и отрешенно сидели двое — пожилой мужчина и молодая женщина, очевидно понятые.

Александр Борисович поднял голову, спросил:

— Что, закончили?

— Еще нет, но наконец, как я понял, подошли к главному. И у меня появился вопрос, можно?

— Сперва на мой ответь, — ухмыльнулся Грязнов, глядя поверх очков, — как это вы умудрились, ребятки, проглядеть такую красоту, а? На, взгляни, — и протянул ладонь.

Достаточно было беглого взгляда, чтобы опознать в двух «кругляшках» с усиками самые элементарные подслушивающие устройства. Климов вмиг забыл, зачем пришел, так ему стало стыдно за собственный промах. Конечно, свой, на кого валить, если ты — старший? Ой, позорище!..

— Гля, Саня, осознал! — хохотнул Грязнов. — Ладно, не тушуйся, лучше скажи большое спасибо Иосифу Ильичу. — Он показал на пожилого эксперта-криминалиста, «колдовавшего» у подоконника. — Это его персональная заслуга. Мне тоже не пришло в голову, что у журналиста в квартире могут быть поставлены «жучки» с Митинского радиорынка. А Иосиф Ильич, зная, оказывается, прекрасно эту пишущую и снимающую братию, прямо с этого и начал. Во-он в той розетке снял. — Он указал на настольную лампу. — А второй, разумеется, на кухне, где всегда, со дня рождения советской власти, «заседали» штабы всех недобитых оппортунистов, диссидентов и любых «протестантов» — где ж еще и поговорить-то за жизнь, как не на кухнях? Психологию понимать надо, молодой человек! Ну так где твое спасибо?

— Спасибо! — нагнулся в низком поклоне Климов. — Премного благодарны-с!

— Нет, — покачал головой Грязнов, — низкопоклонство тебя не красит. Короче, с чем явился? Витька помогает?

— Отлично, спасибо. Скоро закончим. Но тут обнаружился новый аспект. Могу?

— Естественно, — ответил уже Турецкий.

— С архивом все понятно, это мы переписали, составили подробную опись и запаковали. Но теперь пошли новые материалы. Их значимость с ходу не определить. Нужен длительный анализ, а потом...

— Еще короче, — кивнул Турецкий. — Твои предложения?

— Я хорошо знаком с главным редактором программы Малининой. Она, по ее словам, достаточно знала Морозова, чтобы сейчас, на мой взгляд, заранее отделить, так сказать, зерна от плевел...

— Во дает! — восхищенно заметил Грязнов. — Надо будет запомнить и при случае блеснуть на коллегии, а, Сань?

— Да ладно тебе, — засмеялся Турецкий, — не смущай человека, фольклорист! Так, я понимаю, ты хочешь ее привлечь?

— Было бы неплохо, если бы она согласилась нам помочь. Мы бы наверняка решили в течение вечера то, над чем сами будем ломать головы, возможно, не одни сутки. Записей и планов много, а какие главные, и что, так сказать, всего лишь попутный материал, нам же неизвестно, если не знаешь специфики его работы, верно?

— Во всяком случае, логично. Нужно, чтоб я попросил? Сам не можешь?

— Она — на работе, так солиднее.

— Не возражаю. Набирай номер и дай мне трубку.

Климов по памяти, естественно, набрал телефонный номер и заметил удивленно вскинутые брови Турецкого. Услышал вопрос:

— Постой, а как зовут эту барышню, главную редакторшу?

Тоже улыбавшийся Грязнов открыл было рот, но Турецкий перехватил инициативу:

— Подожди, пусть сам скажет.

— А ты еще не понял? — обрадовался Грязнов, совсем смутив Климова. — Не, ты, Саня, на его усищи погляди! Так бы и забодал!

— Марина Эдуардовна, — взяв себя в руки, ответил Климов. — Алло? Одну минуточку, Марина Эдуардовна, здравствуйте, — сказал он сухим тоном. — Я сейчас передам трубочку руководителю оперативно-следственной бригады Александру Борисовичу Турецкому. У нас имеется к вам просьба. — И хмуро протянул трубку Турецкому. А у того играла на губах хитрая улыбка.

— Здравствуйте, госпожа Малинина. Просьба действительно серьезная. Мы наконец обнаружили личный архив вашего коллеги Морозова и пытаемся разобраться в нем. Честно говоря, нужна помощь специалиста. Сергей Никитович подсказал вашу кандидатуру. Суть в том, чтобы в максимально сжатые сроки мы могли отделить важное от второстепенного. Ваша консультация может быть неоценимой. Мы все тут очень надеемся, что вы нам не откажете, тем более что речь идет, прежде всего, ведь и о престиже вашего телеканала, не так ли?

Марина, видимо, что-то сказала, потому что Александр Борисович помолчал, кивая, а потом снова заговорил:

— Но если у вас действительно напряженка, я мог бы немедленно связаться с вашим гендиректором... — Он повернул голову к Климову: — Как его?

— Сапов, — негромко подсказал Климов, — Геннадий Васильевич.

— С Геннадием Васильевичем, да. Надеюсь, он нам не откажет в такой любезности... А сделать это просто. Сейчас мы отправим за вами машину, и она привезет вас сюда, на Чичерина, это же недалеко. Какая машина?.. — Турецкий тронул за плечо Грязнова: — Славка, я твою, ладно? Она с мигалкой.

— Да ради бога... Для хорошей же... ну для хорошего дела — какие разговоры?

— За вами приедет джип «Мерседес» с мигалкой, вы легко его обнаружите. Одевайтесь. Сейчас Сергей Никитович спустится к водителю и объяснит, куда ему ехать. Еще раз благодарю вас... — Он отдал трубку Сергею и сказал многозначительно: — Голос, доложу вам, друзья мои, очень приятный. Я ничего лишнего не наговорил, нет? Не хотелось бы портить впечатление у симпатичной наверняка женщины. Славка, как я выгляжу? — Турецкий одернул китель, поправил галстук, большого напольного зеркала не хватало, чтоб еще огляделся, и удивленно сказал Сергею: — А ты чего здесь стоишь? Бегом к водителю!.. — И они оба, довольные, захохотали.

Отчего понятые, люди, видимо, простые, для которых диалоги «прокуроров» были тайнами за семью печатями, даже вздрогнули от не совсем уместного, с их точки зрения, веселья...

Марина относилась к тем женщинам, которые выглядели точно так, как им желалось в данную минуту. Хочу быть отдаленным прототипом старухи Шапокляк и носить на голове «дулю» — буду, ничего не стоит. А захочу, так стану «жемчужной женщиной» — во всем ее блеске. Вот как теперь. Ко всему прочему, она была без шапки и даже без косынки, и ее «жемчужные» волосы спадали густой переливающейся гривой на широкий воротник полушубка. А узкие брючки, заправленные в высокие сапоги, делали ее фигуру стройной и пикантно привлекательной.

Выходя из джипа и принимая поданную ей Климовым руку, она заметила, как у него расширились удивленно глаза, и сказала с явной иронией:

— А что, сам не мог объяснить? Маленький?

— Начальству видней, — уклончиво и сухо ответил Климов. — Наверх, на четвертый этаж.

— Я знаю, — улыбка тронула ее губы, — я здесь бывала... А где нашли, если не секрет?

— Теперь уже нет... В подвале снимал кладовку. Тут, в доме, у многих, оказывается, есть. Я как раз и занимаюсь.

— Так, может, сразу туда? Зачем наверх? Познакомиться можно и позже.

— Ну... порядок все-таки... А потом, я хочу, чтоб эти двое злодеев-остряков увидели тебя и поняли, что им тут ничего не светит — ровным счетом.

— Ты так думаешь? — Она удивленно уставилась на него, даже остановилась. — А откуда у тебя такая уверенность?

— Так, значит, теперь и ты будешь мне нервы мотать? — сдерживаясь, но внутренне сердясь, спросил Сергей.

— Ах, так у вас тут целый спектакль разыгрывается? Молодцы. Человека только что зарыли, а вы веселитесь. Очень остроумно.

— Да никакого веселья нет, там криминалисты работают. Между прочим, есть поразительные находки. Но это уж пусть Саша тебе скажет. Или генерал. А что шутим? Ну нельзя же вечно хмуриться, так и свихнуться можно. Я вон с утра уже пылищи наглотался. А там, внизу, Витя Кузьмин, старший опер, с утра задыхается. Какое уж веселье?..

— Прости, я не хотела обидеть. Но у вас, чую, нечто похожее на розыгрыш назревает. Не ошиблась?

— А это будет целиком зависеть от тебя. Как себя сразу поставишь.

— Поставлю, не волнуйся...

То, что Марина произвела впечатление на генералов, было несомненно. Ох как загорелись глаза у этих «начальников»! Грязнов, например, немедленно непривычно для него резво вскочил со стула, предложив его даме. Турецкий расшаркался, а в довершение всего поднес ее ручку к губам и почтительно поцеловал кончики пальцев. А когда Марина распахнула воротник полушубка, у нее на шее блеснула нитка черного жемчуга, ну, не черного, конечно, цвета, а такого серебристо-лилового перламутра, который поразительно сочетался с цветом ее волос, — тут «народ» просто замер. Полный отпад!

Было такое ощущение, что они забыли, зачем пригласили главного редактора телеканала. Просто любоваться ею? Так это можно было сделать и в иной обстановке.

Заметив, что Сережа начинает «заводиться» от бесконечной любезности Турецкого с Грязновым, Марина взяла инициативу в свои руки:

— Я здесь не раз бывала вместе с коллегами. Спрашивайте, я к вашим услугам.

— С удовольствием, только давайте пройдем на кухню, чтоб не мешать людям работать. — Турецкий кивнул в сторону криминалиста, который в свою очередь обернулся к Марине, сощурился через очки и вежливо кивнул. — Понятые, останьтесь, я полагаю, мы вас задержим уже недолго. Извините, не каждый день такая история...

Те безнадежно развели руками, понимая свою роль.

Вышли на кухню и закрыли за собой дверь. Стали рассаживаться. Климов остался стоять, ему стула не хватило, а выходить не хотелось, и он присел на край стола.

— Основная работа, Марина Эдуардовна, внизу, в подвале... — начал Турецкий.

— Можете просто Мариной. У нас так принято издавна.

— Да, я знаю, одно время сам в газете работал, — сказал Турецкий, беря стул и присаживаясь напротив Марины. — Меня зовите Сашей, это — Вячеслав, Слава, ну а Сережу вы, как я понял, знаете... Мы вас здесь задерживать тоже не будем. Просто несколько вопросов по ходу дела. Штука, понимаете ли, в том, что в квартире обнаружены подслушивающие устройства.

Марина искренне удивилась. Турецкий внимательно проследил за ее реакцией, словно нечаянно скользнул взглядом по Сергею и удовлетворенно кивнул. А Сергей подумал, что очень правильно поступил, ничего не сказав Марине о «жучках». Маленькая проверка на вшивость? Так это называется?

— А теперь вопрос. Были ли, на ваш взгляд, Марина, люди, среди окружавших Морозова, которые имели бы основания прослушивать его телефонные переговоры и вообще разговоры в квартире? Прошу иметь в виду следующее: первое — среди его коллег и второе — среди тех, о ком он делал свои критические передачи?

— Среди тех, о ком он делал материалы, — не исключаю. И таких много. Сергей смотрел все основные передачи, прошедшие в эфир за последний год, и может дать себе отчет, какой там объем поиска. А в коллективе — вряд ли. Точнее, нет. Хотя зависть у нас, как и везде, как, возможно, и у вас — и в прокуратуре, и в милиции, — но до прослушивания пока дело не доходило. Я уточню. У нас на канале сложилось одно время твердое убеждение, что Леонид ходит по краю. Еще, мол, одна резкая реплика, и дни его сочтены. Не его лично, а судьбы передачи. Закроют и — без выходного пособия. А он не слушал советов и делал то, что ему казалось наиболее нужным и острым с точки зрения массового восприятия. И даже некоторыми своими наметками пробовал делиться. Со мной. Не знаю, с кем еще. Но вряд ли, могли и продать тему конкурентам.

— А чем поделился, если теперь не секрет? — спросил Турецкий, вынимая блокнот и ручку.

— А вы, вероятно, наткнетесь на некоторые его разработки в этом плане, если хорошо пошарите в архиве. Я, честно говоря, была уверена, что этот бардак, который устроили неизвестные в его квартире, дело рук как раз конкурентов. Но, может быть, вы считаете, что это не так? Видимо, вам и карты в руки.

— А тема-то, тема? — не выдержал Грязнов.

— Тема? — улыбнулась Марина. — Она может кому-то показаться слишком мелкой. Но только на первый взгляд. И лишь по той причине, что нас это не волнует. Я имею в виду основную массу населения России. Он хотел всерьез поговорить о том, что давно уже перестало быть проблемой во многих странах мира, а у нас находится в каком-то странном состоянии не то полузапрета, не то полуразрешения, — о гомосексуализме.

— Ага! — многозначительно заметил Грязнов. — Губа не дура... Как, Саня?

— Сереж, — Турецкий повернулся к стоявшему Климову, — чего ты торчишь, сядь, возьми стул Вы с Витькой там, внизу, ничего такого не обнаружили?

— Да мы только весь его огромный архив сумели переписать! И подошли к новым материалам. На закуску, так сказать. А сидеть не хочу, сейчас пойду, Витя там совсем, видать, замаялся, отпущу его подышать свежим воздухом.

— Ладно, сейчас пойдете, — заговорил Грязнов. — Сережа, обрати на эту тему особое внимание. Все, что обнаружите, немедленно ко мне, понял? Любой факт, любой намек! Саня, я сам займусь, я знаю...

— Ты думаешь? — прищурился Турецкий.

— А тут и думать нечего. Это тебе не кабаки на МКАДе, два «законника» — славянин с «апельсинщиком» — поссорились! Ну и что? Впервые разве? Тут я, Сереж, с муровцами полностью солидарен. Но раз вы с Саней решили дожать эту тему, я не возражаю, вы видите, хотя, по моему твердому убеждению, вытянете пустышку. И время потеряете. Но, с другой стороны, отрицательный результат — тоже результат. Тут вы с Саней спелись. А вот те, о ком я думаю, ребятки, дай Бог, чтоб я ошибся, но нельзя исключить, что мы имеем дело с «ремонтниками», вот! — Грязнов многозначительно поднял палец. — А до них хрен когда доберешься! Извини старика, Марина.

— Нет вопросов, — улыбнулась Марина, — у нас на студии и похлеще случается.

— А что они за звери такие? — удивился Климов.

— Хотите с этого места поподробнее? — усмехнулся Вячеслав. — Со всем нашим удовольствием. «Ремонтниками», ребятки, эта «голубая» публика называет палачей. Мужиков, убивающих геев, которых выбирают себе в жертвы на их тусовках... Марина, прямой вопрос. Впрочем, если неудобно или противно, можешь не отвечать. Какая у вашего Лени была ориентация?

— Действительно вопрос! — улыбнулась она. — Личного опыта не имею. Но знаю, что у него была невеста, в которую он был влюблен, а после жутко рассорился. Причины — банальные: провинциальное непонимание высокой миссии, возложенной на плечи выдающегося мужчины. Примерно в таком духе. Женщины у него были, правда, это ни о чем не говорит, поскольку есть и бисексуалы. Тут, господа, — с иронией хмыкнула она, — уже вам видней. Это ж вы отлавливаете всяких «пидарасов», прости господи, не к ночи будь помянут «наш дорогой Никита Сергеич»...

Это получилось у нее так смешно, что все дружно рассмеялись.

— Значит, исключить некоего интереса нельзя? — продолжил Грязнов.

— Я бы не стала, во всяком случае.

— Ваше мнение особенно ценно, спасибо.

— Чем же?

— Женским, точным глазом. Настоящую женщину не обманешь. Хотя иногда бывали случаи. Но это уже информация для застолья, а не для расследования. Саня, извини, продолжай.

— А что он вообще рассказывал вам о женщинах своих? Я прошу вас понять меня правильно, Марина. Иногда больше говорит даже и не смысл, а интонация сказанного, понимаете? Так вот, как он вам это подавал? Жаловался? Хвастался? Пытался вызвать ревность? Дразнил? Сопли распускал? От вас-то он чего хотел? Я снова прошу у вас прощения за свои не очень этичные, скажем так, вопросы, но это поможет понять человека в его специфическом окружении. Если таковое у него имелось.

— Я понимаю, не извиняйтесь. Мы сейчас, как актеры, обсуждаем характер героя. Не дразнил и не пытался вызвать ревность — это однозначно. Иногда ныл, это было. Напившись — и такое случалось, правда, нечасто, — сопли распускал. А вот хвастался ли? Возможно, но так, как это делают детишки, удачно стащившие из буфета конфетку, о чем они рассказывают таким же маленьким плутишкам. То есть несерьезно. «Ах, какая! Ах, что умеет! Ах, как она меня благодарила!..» Ну и в таком духе: обратите на меня внимание! Не по-мужски у него иногда это получалось. Оно даже и не противно, а... может, гнусновато? Наверное, поэтому на ваш вопрос об ориентации, Саша, я так и отреагировала. Хотя прямых поводов не было... А конкретно от меня он ничего не хотел, кроме товарищеского сочувствия. Ну так уж был устроен.

— Вот так? — удивился Турецкий. — Интересная характеристика... Большой ребенок?

— Я говорю про детское удивление. Оно ведь у некоторых особей мужского пола, избалованных вниманием, и не только женщин, но и родителей, и педагогов в школе, и коллег на службе, и телезрителей, в конце концов, — есть же рейтинги! — начинается как бы с игры, а заканчивается стойкой уверенностью в своем особом даре и сильно завышенными самооценками. А вот когда наши разговоры касались ненависти или некоторых моментов его общения с той же невестой Зоей, там сцены, которые он закатывал, — опять же, по его рассказам — бывали крайне неприятными. Некоторые мужики, между прочим, обожают все дерьмо, накопленное в собственной душе, время от времени изливать на более-менее близких людей, которые обладают лично для себя весьма скверным качеством — умеют слушать. И за это им главным образом и достается. Леонид был из таких... помесь мазохиста с садистом, что ли? По-моему, он получал удовольствие, рассказывая иногда, как его «кинули», какие сволочи его окружают, как ему гадко, как... ну и прочее, прочее. Это было нелегко слушать, но он за годы нашей совместной работы привык и считал не только возможным, но и должным время от времени исповедоваться мне. Нередко в нетрезвом виде. Но это у него, к счастью, быстро проходило, а вот его несомненный талант журналиста... он оставался с ним. И за это мы ему многое прощали.

— Зная, что большого злодейства он все-таки не совершит? — улыбнулся Турецкий, чтобы слегка смягчить тональность разговора.

— Конечно. Вечный конфликт: гений и злодейство. Но ни до того, ни до другого Леонид не дотягивал. И тем не менее это его, как видите, не спасло. Я думаю, конфликт возник не на почве его таланта. Это к вопросу о профессиональной зависти. А вот злодейство, между прочим, способно к мимикрии.

— Возьмет вдруг и представится маленькой шалостью, этакой детской шуткой, да?

— Что-нибудь в этом духе.

— Спасибо, Марина... Сережа, учись! Да, Слава? — Оба дружно закивали, выражая одобрение. — Тогда, Сережа, забирай главного редактора, но не забудь, пожалуйста, что она женщина, и женщина красивая, следовательно, не сильно там пылите. Или перенесите архив куда-нибудь, в конце концов. Изъятие обязательно оформите протоколом. Мариночка, вы черкните им там, ладно? Формальность, но необходимая. Мы, наверное, все эти материалы вам передадим потом? Как вы у себя на студии сами решите? Это ж была не его личная затея, а в конечном счете ваши задания, я правильно понимаю? — Он с легкой усмешкой уставился ей в глаза. — А полезная инициатива всегда поощряется руководством, не так ли?

Марина улыбнулась:

— В общем, так.

— Вот и отлично. Закончите — поднимайтесь. Или, если мы завершим раньше, спустимся к вам. Желаю удачи. Сережа, проводи, пожалуйста. — И когда Марина с Климовым вышли, крикнул им вдогонку: — Сергей, прости, на секундочку! Марина, он вас догонит! — И когда тот сунул голову в дверной проем, Турецкий показал ему кулак и тихо сказал: — Головой отвечаешь, понял? Во баба! — и потряс оттопыренным большим пальцем. — Беги и считай, что Бог тебя в темечко поцеловал... Да, Славка?

И генерал только развел руками от восхищения.

## 2

Находки сделала Марина.

Она, чихая и вытирая время от времени выступавшие на глазах слезы, помогала Сереже разбирать свежие, незапыленные стопки тетрадей, перелистывая каждую.

А Виктор все старательно записывал, и исписанных им страниц было много, больше двух десятков.

Собственно, чихали все, потому что в тесном помещении пыль так и висела в воздухе. И они выходили по очереди на улицу — отдышаться. А чтобы перенести все материалы с полок куда-то еще, об этом не шло и речи: они не хотели нарушать тот четкий и рациональный порядок расположения материалов, который установил для себя сам Леонид. Наверняка в этом был смысл, пока, правда, непонятный. Но ведь всегда легче разобраться, чем сломать, а потом думать, к чему бы это?.. Вот и Марина сказала, что готова потерпеть, лишь бы для пользы дела. И честно, и даже с удовольствием исполняла возложенную на нее миссию: определить, что здесь важно, а что — простые заметки для себя, без видимых перспектив.

Она и помогать им начала, чтоб ускорить процесс, но просматривала документы и записи не с начала полки, а с конца. То есть материалы, которые называл Сергей, тут же определяла по принадлежности, а сама в то же время просматривала другие. И ей первой повезло. Она раскрыла коричневый блок-бювар, полный разрозненных бумажек с телефонными номерами, именами, фамилиями, названиями типа «Дирижабль», «Юстин» и прочее.

— Ну-ка, ребятки, — сказала Марина, невольно переняв у Грязнова его обращение, — бросьте-ка все и посмотрите, что это? Уж не то ли, о чем говорил ваш Слава? «Дирижабль» — кто слышал такое название? Что это может быть?

— А тут и думать нечего, — немедленно отозвался Кузьмин. — Ночной клуб геев.

— Вон как? А тут, я смотрю, прямо целая картотека. Сереж, глянь ты. И вы, Витя. А еще дискет навалом! Ого! Крупная рыбка попалась! Надо Грязнову немедленно сообщить... Витя, вам необходимо проветриться, вы все время кашляете, забирайте-ка эту всю кипу и тащите наверх.

И когда Кузьмин, сложив все материалы, указанные Мариной, в пластиковый пакет, вышел, она тыльными сторонами пальцев осторожно поправила волосы и посмотрела на Климова:

— Ну как, мой дорогой? Я, кажется, пришлась ко двору?

— По-моему, даже слишком, — делая вид, что сердится, ответил он.

— Мой милый, я терпеть не могу ревности, заруби на носу. Лучше поцелуй, а то я долго быть с тобой рядом просто так не могу... — И после затяжного, как парашютный прыжок, поцелуя, от которого у нее закружилась голова — естественно, не от пыли же и духоты! — она, обеими руками обняв его за шею, спросила: — Докладывай быстро, зачем тебя твой Турецкий задержал? И почему ты вышел такой растерянный? Гадость про меня сказал?

— Да ты чего? Наоборот. Показал мне кулак и сказал, что убьет, если я тебя когда-нибудь обижу. И они решили со Славой, что Бог меня почему-то в темечко поцеловал. Это как понимать надо?

— А вот так и понимать, — она приникла лицом к его груди, — что повезло нам с тобой, и они это увидели... Да, Сереженька, теперь я могу сказать, что ты действительно попал в достойную компанию. Все свои подозрения снимаю. Но давай быстрей работать. Я тут с тобой ночевать не собираюсь...

— Я тоже, можешь быть уверена. И вообще, я думаю сейчас о том, как бы поскорее услышать пьянящий скрип твоей кровати.

— Ка-акой на-ахал! — Марина сделала огромные глаза. — Он еще и беллетрист! Лучше бы о своем деле думал, хулиган этакий!..

Климов радостно топорщил усы, он был очень доволен.

А через полчаса Мариной была сделана следующая находка.

В соседней, пухлой связке бумаг, перевязанных нейлоновой бечевкой, которую, естественно, развязала Марина, чтобы посмотреть, о чем идет речь, была собрана личная переписка Леонида с его, можно сказать, поклонниками и поклонницами, просто телезрителями. Чисто деловых писем тут, похоже, не было. Аккуратист Леня к каждому письму с конвертом прикреплял степлером листок с копией своего ответа. Марине стало интересно, что он отвечал. Она посмотрела один ответ, другой, третий... Они хоть и были короткими, но не формальными отписками. Леня, видимо, отвечал по существу. А некоторые письма, вероятно, касались каких-то сугубо личных вопросов, потому что Морозов просто благодарил своих корреспондентов. Вообще, интересно было бы теперь почитать эту переписку, наверняка в ней есть масса любопытного.

Марина вскользь пожалела, что ей, скорее всего, не придется этого делать — и не только из-за времени, а потому, что она все же испытывала какое-то неудобство перед Леней. Наверное, не самый лучший вариант после смерти человека копаться в его белье — чистом, грязном — это уже не играло ни малейшей, тем более решающей, роли. Подобное вмешательство само по себе некрасиво...

Размышляя так, Марина продолжала переворачивать письма с ответами, глядя уже чисто механически: «Благодарю Вас...», «Приму к сведению...», «Весьма признателен...», «Спасибо, уважаемая...», «К сожалению, дорогая...»...

«Что это за дорогая?» — словно пробудилась Марина. Пробежала глазами написанное круглым ученическим почерком письмо на листке из тетради в клеточку и засмеялась.

— Ты что? — обратил внимание Сергей.

— Школьница... в любви ему объясняется... Как мило, господи!..

— А он что? — не отрываясь от своей работы, спросил Сергей.

— А он уверяет, что, если бы был моложе, обязательно постарался бы составить ей счастье. Но он обременен семьей и детьми. И ломать им жизнь нехорошо, нечестно. Вот же врунишка!

— Святая ложь?

— Скорее, я думаю, еще одна форма кокетства... О! А это что? Смотри-ка, «Без ответа» и три восклицательных знака. И позапрошлый год обозначен. К чему бы?

Заинтересованный Климов подошел к Марине, но та не обратила на него внимания, потому что была углублена в чтение.

— Боже мой, что это?! — вдруг гневно воскликнула, сжимая письмо в руке и не отдавая его Сергею. — А тут продолжение? — Она взяла следующее письмо. Посмотрела дальше. — Какая мерзость!.. Господи, какой кошмар!..

— Дай мне взглянуть. — Климов требовательно протянул руку, и Марина неуверенно отдала ему оба письма.

Он хотел бегло пробежать глазами написанный ровными строчками, словно ученической либо женской рукой, текст, но мысли стали путаться оттого, что никак не мог вникнуть в смысл того, что читал. То есть слова были понятны, больше того, они стали бы еще понятнее, если бы Климов услышал их где-нибудь возле пивной, произнесенные ссорящимися пьяными мужиками. Но в письме — почти матерная речь? Да что там — почти!..

Сперва шло обращение, где самым мягким выражением было «сукин сын», затем дама информировала Леонида, что она, вопреки собственному желанию и настойчивым протестам родителей, сделала то, что он потребовал от нее в ультимативной форме. И что же? Все оказалось чистейшей ложью?! Подлым обманом?! Потому что никакой реакции с его стороны на ее телефонные звонки не последовало, как и элементарных, хотя бы вежливых, ответов на письма. И это убедило ее в том, что больше верить ни одному его слову нельзя. И, решив так, она нашла возможность установить за ним постоянное скрытое наблюдение.

А дальше пошли выводы, которые она сделала из результатов установленной за Морозовым скрытой слежки. Другими словами, получалось, что подслушивающие устройства были поставлены в квартире Морозова не менее двух лет назад. Ничего себе!

Самой отвратительной среди множества мерзких других его поступков была давняя сексуальная связь со старухой — подлой и отвратительной, проклятой уродиной, которая без всяких угрызений совести затащила в кровать своего молодого сотрудника. Можно было, не задумываясь, жестоко отомстить этой грязной проститутке, если бы не было известно, что Леонида, как извращенца, всегда тянуло к таким же грязным тварям, как и он сам. Было четко установлено, когда эта старая гадина, называвшая себя главным редактором телевизионного канала, а на самом деле использовавшая свое положение для утоления своего сексуального бешенства, неоднократно посещала Леонида. Известно, сколько времени проводила в его постели и когда возвращалась к себе домой, обласканная им, видевшим в развратной связи с ней возможность для собственного продвижения по службе.

Короче говоря, если бы у нее (имелся в виду автор письма) хотя бы на миг появилось желание предъявить счет обманувшему ее мерзавцу, он был бы велик. Но счет предъявлять никто не станет, все будет проделано иначе, и Морозов очень скоро пожалеет о своей подлости. Ну а эта старая б..., она тоже получит свое сполна, причем так, что ей хватит черных воспоминаний до последних мгновений ее мерзкого существования.

Письмо было без подписи. Подразумевалось, видимо, что Морозов должен был знать, о чем и о ком идет речь.

Второе письмо было совсем коротким, и под ним, в отличие от первого, стояла четкая дата: «17 ноября 2005 года». То есть это было совсем недавнее письмо, полтора месяца назад пришло.

В начале, вместо обращения, снова изощренное, грязное ругательство, которое вряд ли, как подумал Климов, могло бы принадлежать даже очень оскорбленной в своих чувствах женщине. Тут явно пахло провокацией. Морозова «доставали» достаточно примитивно и в то же время не без выдумки. Снова шли указания, правда без упоминания имен и фамилий, на очередные его связи. Одновременно сообщалось, что счет его «долгов» продолжает расти и скоро придется по нему платить. Но еще есть немного времени, чтобы одуматься, стать на колени и вымолить себе прощение. Кто знает, может быть, повезет. Но уверенности в этом нет. А вот старые и грязные б... — те пусть дрожат от страха, возмездие приближается семимильными шагами.

И снова без подписи. Почерк — тот же. Словарный запас ругательств хоть и ограниченный, но используется на всю катушку, не стесняясь повторов. То есть выдумки маловато.

Все это тоже отметил Климов, а потом взглянул на Марину. Лицо ее было неестественно серым, словно присыпанным пеплом. Какой ужас! Ну нельзя же так реагировать на подобную грязь!.. А как надо?.. Что смог сказать Сергей?

Да ничего. Он просто обнял Марину одной рукой и притянул к себе. Прижал к груди, поцеловал в висок и тихо сказал:

— Плюнь и разотри. И забудь. Ничего не было, и ты ничего не читала, ясно?

— То есть как?! — воскликнула она и резко отстранилась от него, глядя с возмущением, почти с ненавистью. Или так ему показалось. Но Климов вдруг почувствовал, что не владеет ситуацией. Более того, он даже способен потерять над собой контроль. И вот уже тогда они оба, так ни до чего и не договорившись, наделают непоправимых ошибок.

Сергей сделал вид, что еще раз пробежал письма глазами и задумался, как бы разыгрывая для себя различные варианты реагирования на эту мерзость.

Неожиданно явилась мысль: а зачем Морозов сохранил эти письма? Он что, поверил, что угроза могла осуществиться, и тогда эти «писюльки» стали бы у него фактами для обвинительного заключения? Значит, все-таки поверил? Или, хорошо зная автора «текста», просто плюнул на этот бред с высокого потолка и оставил в архиве, подчиняясь выработанной привычке? Кстати, в первом письме речь шла еще о каких-то письмах, надо будет внимательно все просмотреть...

— Ты думаешь, она могла осуществить свою угрозу? — спросил он. — Ты понимаешь, о ком я говорю?

— Прекрасно понимаю. Но я ни в чем не уверена. Оскорбленная женщина... Впрочем, тебе виднее, ты с ней разговаривал. А я только видела пару раз. Но на меня она не производила впечатления закоренелой злодейки...

— Послушай, Маришенька... — Климов оглянулся, Кузьмин все не возвращался, видно, Грязнов с Турецким задержали его с этими геями. — Во-первых, почему ты уверена, что это писала Зоя, а не кто-нибудь еще? А во-вторых, мы тут с тобой вдвоем. Я все понимаю, и твои чувства тем более. Надеюсь, и ты понимаешь, что я не верю ни одному слову?.. Но готов повторить: что случилось бы, если бы эти два письма пропали? Исчезли еще на почте? Не дошли по адресу? Ни-че-го! Их не было, можем же мы позволить себе так считать или нет? А доводить уголовное дело до логического завершения все равно ведь придется. Так я хотя бы буду теперь твердо знать, с кем имею дело! К тому же в гневе сказанные слова — не доказательства. Подумай...

— Он мне рассказывал о том, что поссорился со своей изрядно надоевшей ему «детской привязанностью». То есть с Зоей. Видимо, она рассчитывала на него, а он ее подставил, бросил. Отсюда и ярость. Только я-то при чем? А в общем, что я теряю, узнав о себе из частного письма этой оскорбленной мерзавки такое, что и в дурном сне не приснится? Собственную честь? Нет. Твое уважение и любовь? Надеюсь, тоже нет.

— Как тебе не стыдно!

— Будь реалистом. Может быть, уважение коллег, в случае если письмо будет предано следствием огласке? Вот тут, кстати, вполне возможно. Но полагаю, что вы все-таки — порядочные люди. Иначе разочарование было бы слишком тяжким для меня.

— О чем ты говоришь? Перестань немедленно!

— Сережа, тебе трудно понять, что может чувствовать женщина, когда ее так... когда ее ни за что ни про что прикладывают мордой об асфальт...

— Ни черта подобного! Если даже сто человек скажут мне, что я пьян, а я твердо знаю, что не пил, я эту сотню пошлю так далеко, что мало не покажется.

— Я согласна, но... Но ложь слишком прилипчива, как всякая подлость...

— Уважаемые, чего вы так кричите? — спросил вошедший Кузьмин. — На улице слышно. Сергей, тебя просит подойти Грязнов. По поводу родителей Морозова. Ты говорил, что знаешь, где их найти? А мы с вами, Марина, давайте заканчивать. Тут на полчаса работы, не больше, так что попробуем в темпе, а то слишком затянули. Наверху уже опечатывают квартиру.

— Мариша, я быстро — туда и обратно, — сказал Сергей, отдавая ей письма.

Марина резко отстранилась.

— Передай их Турецкому. Пусть читает. Без всяких моих комментариев.

— Ну смотри, — сердито выдохнул Климов и быстро вышел из подвала.

— Что у вас тут произошло? — спросил удивленный Кузьмин.

— Два чрезвычайно неприятных, оскорбительных для себя письма я обнаружила, — неохотно ответила Марина, складывая и связывая пачку с письмами. — Отмечайте, Витя: личная переписка в количестве... потом сами подсчитаете, а примерно сотни полторы-две экземпляров. Место на полке — девятое, вот пастой написано. Скрупулезный был товарищ... — недобро усмехнулась она. — Поехали дальше, а то действительно у меня бездарно пропадает целый рабочий день.

— Ну вы уж извините нас, Марина Эдуардовна, дело такое, без вас мы бы неделю возились...

— Добрый вы человек, Витя, спасибо, утешили. — Марина через силу улыбнулась и принялась снова за разборку.

— Вот и хорошо, это вам больше идет! — поощрительно подмигнул Марине Кузьмин.

— Что именно?

— Улыбаться...

## 3

Оперативная группа была уже во дворе. Эксперты-криминалисты, ехавшие на Петровку, 38, садились в свой микроавтобус. Грязнов разговаривал с майором милиции из Бабушкинского ОВД и довольно миловидной пожилой дамой — очередной представительницей ЖЭКа. Турецкий курил, сидя боком на пассажирском сиденье своего синего «Пежо».

Климов подошел, молча протянул ему два письма.

— Это что?

— Это вам надо обязательно прочитать.

— Ладно. — Турецкий выпустил струйку дыма изо рта и хотел сунуть письма в карман куртки, но Климов остановил его руку.

— Желательно сейчас, — мрачно сказал он.

— Хорошо. — Турецкий равнодушно пожал плечами. — У вас там еще долго?

— Думаю, за час с небольшим управимся.

— Витя сказал: максимум полчаса, а если постараться...

— Это ему кажется... Если второпях сделать, то потом вдвое больше времени придется потерять.

— Ну правильно, он же — опер. А ты чего хмуришься? Из-за этого, что ли? — Он тряхнул письмами.

— Прочитайте...

— Вот пристал! Ну хорошо, нет проблем.

— Как раз ничего хорошего, — пробурчал Климов, а Турецкий озадаченно посмотрел на него и обратился к письмам.

Александр Борисович профессионально пробежал глазами одно письмо, другое, еще раз вернулся к некоторым фразам. Спросил не глядя:

— Марина э-э... Эдуардовна видела?

— Она и потребовала, чтобы я их передал вам. Она их сама и обнаружила...

— Сережа, — помолчав, спросил Турецкий, — только честно, у тебя было желание ликвидировать их? — И вот тут уже Александр в упор уставился на Климова.

— Было. Хотел сжечь к чертовой матери.

— Предложил ей?

— Конечно.

— Молодец, парень. Значит, так... Иди туда, а Марину отпустите, пусть подойдет, и сами закругляйтесь на сегодня. Завтра доделаете что не успели. Вон из тебя уже колотушкой придется выбивать пыль. Женщину пожалели бы... Запирайте и возвращайтесь сюда. Витьке в МУР еще нужно, сейчас туда эксперты поедут, они и его захватят. Давай бегом. Ключи у себя оставьте, а я этой даме, — он указал взглядом на женщину, разговаривающую с Грязновым, — все объясню...

Климов вошел в кладовую:

— Братцы, последовала команда на сегодня заканчивать. А нам с тобой, Витя, завтра с утра — последний рывок. Вечерком созвонимся, скажешь, куда за тобой утром заехать, ладно? Возьми мою визиточку и черкни мне свои телефоны. Мариш, там тебя зачем-то Саша просит подойти. Они во дворе, у машин. И тебя, Витя, «газелька» может до МУРа подбросить, идите, я сам здесь все закрою...

Он нарочно не торопился. Вообще говоря, ему понравилась реакция Александра, потому и лукавить, изображая из себя упертого следака, не стал, а сказал правду. И теперь у них там, с Мариной, наверняка затеялся нужный разговор, а то она сильно расстроилась, нервничает, поэтому мешать им не стоило. Действительно, если тебя ни за что ни про что с дерьмом мешают, обвиняя бог весть в каких подлых делах, можно ведь и сорваться! И вынудить честного человека не дожидаться какого-то разбирательства, а попросту врезать оскорбительнице по морде и тем решить для себя вопрос с обвинениями. Вот же паскуда! А какой овечкой прикидывалась!.. Хотя нет, ненависть у нее так и сквозила, это заметил Климов, когда разговаривал с Зоей на кладбище. Стерва, иначе не скажешь!

Но почему Марина уверена, что написала эти письма именно Зоя, а не кто-нибудь другой? Или она поверила в то, что слежка за Морозовым действительно была установлена? И ее в самом деле видели, когда она приезжала к Леониду?.. Нет, тут какая-то ложь... Сергей не мог не верить Марине, что она и бывала-то всего пару раз, да и то в компании сослуживцев. А при чем здесь тогда многократные ночевки, поздние уходы? Кто врет?! Сергей поймал себя на том, что заговорил чуть ли не вслух. Вот уж чего не хватало! А еще подозревать Марину! И ведь он близок к этому... Нет, надо успокоиться, все обязательно прояснится, это Марина и сама теперь наверняка понимает...

Когда он вышел, во дворе стояли рядом уже только джип Грязнова, «Пежо» Турецкого и климовская «шестерка». Все трое сидели у Турецкого в машине — сам он за рулем, Марина рядом, на переднем сиденье, а Грязнов сзади — и разговаривали.

Климов подошел, остановился. Турецкий опустил стекло:

— Чего уставился, садись, — и кивнул назад. — У нас тут небольшое совещание. Итак, — начал он официальным тоном, когда Климов уселся рядом с Вячеславом, — ознакомившись с найденными письмами, которые ни уликами, ни вещдоками обозначить пока невозможно ввиду их крайней неубедительности и болезненной эмоциональности неизвестного нам автора текста, я, как руководитель следственно-оперативной бригады Генпрокуратуры и МВД Российской Федерации, посоветовавшись с членами бригады, генералом Грязновым и старшим следователем Московской городской прокуратуры Климовым — твоя точка зрения, Сергей, мне уже известна, — принимаю решение исключить эти материалы из следственного дела. Аргументирую. Ничего, кроме абсолютно ненужных дополнительных разбирательств, во время которых могут быть вылиты ведра грязи на ни в чем не повинного человека без всяких к тому доказательств и поводов, здесь быть не может. Более того, ненужные разбирательства по этим нелепым обвинениям только затянут время, что позволит возможным преступникам правильно сориентироваться и скрыть следы своего преступления. Короче говоря, как выражается наш дорогой генерал, кончаем, ребятки, заниматься всякой хреновиной. Я, будучи уже достаточно ориентирован в этом деле, завтра вместе с Галкой Романовой выезжаю в

Нижний. Вячеслав начинает раскручивать геев, ты, Сергей, ему помогаешь, но сперва заканчиваешь с архивом и связываешь Славу с родителями Морозова. Они сами договорятся о дальнейших действиях по наследству. Кроме того, надо будет провести такую акцию. Это дело несколько щепетильное, но придется убеждать людей. Короче, Сережа, надо постараться снять отпечатки пальцев у максимального количества знакомых Леонида Морозова, которые могли бывать в его доме. Понятно, что работа безумно хлопотная, но, может быть, вы, Марина, подскажете ему? Ведь наверняка кто-то из знакомых устраивал кавардак в этой квартире. И ясно, что искали какой-то компромат. Вопрос: какой? — Турецкий оглядел всех по очереди. — Когда мы себе ответим на него, сдвинемся с места. Сережа, ты этим и займись в первую очередь. Не забудь и про факты скрытого наблюдения и прослушивания. Ведь кто-то же ставил «жучков»? Кто? Телефонный мастер? Сантехник? Пожарный? Кто-то же заходил в квартиру? Появятся мысли — к Славе. Или мне звоните, мой секретный «мобильник» включен постоянно. Номер тоже у Славы. А вы, если какая затыка по ходу дела, немедленно выходите на Костю, со ссылкой на меня. Хотя я думаю, что буду легко достижим. Задействованных ребяток из МУРа пока не трогайте, пусть добивают свои версии, хотя у меня складывается твердое убеждение, Марина, что те ужасы, которые вы живописали по поводу разработки Морозовым «ресторанной» темы, не совсем соответствуют действительности. А вот с драчунами-шоуменами там, возможно, что-то и всплывет. Как у нас с этим вопросом, Сергей?

— В сентябре прошлого года Бабушкинской межрайонной прокуратурой возбуждено уголовное дело по части второй и третьей, пункты «а», статьи сто одиннадцатой...

— Это, Марина, — объяснил Турецкий, — умышленное причинение тяжкого вреда здоровью, совершенное организованной группой в отношении лица в связи с осуществлением им служебной деятельности. Результаты есть?

— Нет, похоже, глухой «висяк».

— Значит, держи под контролем, а Коле Герасимову я напомню. Да и Слава с него глаз не спустит. А ты, Сергей, если что, сам в драку лезть не смей, Слава поможет с оперативниками — это их прямое дело. К слову, не забудьте обеспечить охрану и Марине.

— Да что вы, в самом деле? — вспыхнула она. — Зачем?

— А затем, — Турецкий чуть улыбнулся и кинул беглый взгляд на Климова, — чтобы он работал с полной отдачей, а не беспокоился, не случилось ли, не дай бог, чего, пока он бегает? Впрочем, он вполне может и сам обеспечить эту охрану, если я что-нибудь понимаю в апельсинах, да, Славка?

— Само собой, — хмыкнул Грязнов.

— Дальше, — продолжил Александр, — когда потребуется санкция, ты, Сергей, знаешь, как это делается, а подпишет ее Костя Меркулов. Не жди ни секунды, иди прямо к нему! Секретаршу зовут Клавдией Сергеевной, если подаришь ей цветочек, просто так, без всякого повода, станешь любимцем на всю жизнь. Да, Вячеслав? — И они оба захохотали. — Костя будет полностью в курсе наших дел, это уж моя миссия. Простите, мне показалось, что у вас был вопрос, Марина? Или я перебил вашу мысль?

— Нет, Саша, я хотела, чтоб вы меня поняли. Когда я говорила о возможных преступниках из ресторанного бизнеса, то уже имела в виду сам факт убийства Леонида. Правда, Сережа ездил, беседовал с ними и особого криминала, как я вижу, тоже не нашел. То есть криминал, наверное, там есть, но к убийству, как я теперь понимаю, он отношение вряд ли имеет. Ну а педофилы? А губернские охотники? Разве все это выглядит так уж и безобидно, и неубедительно?

— А в эту угрозу вы не верите? — Турецкий тряхнул письмами. — Опять же, и обнаруженный на месте преступления женский след?

— Нет, не верю. Безумную, болезненную ярость — это вижу. И полагаю, что кто-то действительно вел наблюдение за Леонидом. И меня видел. Ну присочинил, естественно, чтобы придать вид правдоподобия. Я действительно бывала у Морозова, и не один раз, а несколько, но предпочитала приходить с коллегами. Но мне другое интересно: за что она его ненавидит и обвиняет? Что он заставил ее сделать? Может, аборт? Не приходила такая мысль вам в голову?

— Вот сейчас придет, — улыбнулся Турецкий. — Очень интересно, Марина. Но это уже мне самому придется отрабатывать. Там, на месте. А здесь наш генерал даст Сергею направляющие по основным версиям и тут же отправится на охоту, как мы договорились, да, Слав?

— С удовольствием! — Грязнов, кряхтя, потянулся. — Давно не держал в руках хорошего ружьишка... Ну все, Саня? Или еще руководящие указания последуют? Совести у тебя нет! Народ ведь не жрамши!

— Сейчас договоримся... Марина, и последнее — к вам. Прошу понять меня правильно. В связи с этими письмами у меня тоже, естественно, появились некоторые соображения по нашему делу. Я хочу их проверить. Не из-за них ли был совершен погром в квартире Морозова?

— Господи, неужели вы подумали?.. — Марина с испугом уставилась на него и сжала ладонями щеки.

— Вы что, с ума сошли? — жестко оборвал ее Турецкий. — При чем здесь вы? Как вам такое могло вообще в голову прийти? Марина, вы же умная женщина! Автор! Автор мне нужен! И для этого я, с вашего разрешения, и хочу оставить бумажки на некоторое время у себя. Это же, помимо всего прочего, образцы почерка! Но они нигде и никогда не будут фигурировать. И я сам их уничтожу, когда мы передадим дело в суд. Надеюсь, вы не будете возражать?

— А как бы я могла это сделать, по-вашему?

— Очень просто. Если вы скажете «нет», я их порву сейчас прямо на ваших глазах. Но мне бы очень не хотелось этого делать. Еще не вечер, понимаете? Не вечер!

— Саша, у меня нет возражений, хотя... вы должны и меня понять.

— Прекрасно понимаю, и именно поэтому позвольте мне высказать вам мою самую искреннюю благодарность за ваше решение. От всех нас. Далеко не каждая женщина поступила бы так же, смею вас уверить. И успокойтесь, пожалуйста. — Он обернулся к Сергею: — Понял, старик! Хотя и твоим решением я тоже доволен. Да, Славка?

— Молодец, нет слов. Да вы оба молодцы, ребятки, о чем мы говорим? Ну решай, Саня, время уходит!

— А что решать, если я уже в твоих глазах вижу готовое предложение?

— Ну так поделись хотя бы со мной моим предложением!

— Я так вижу, что ты просто сгораешь от желания пригласить нас всех в «Узбекистан», к Рустаму Алиевичу. Или я ошибаюсь?

— Нет, вы только посмотрите, какой прозорливый! Вы знаете, Марина, он и в университете, где мы с ним учились когда-то, ухитрялся угадывать номера экзаменационных билетов. Вероятно, оттого, что всегда здорово играл в карты, похуже, правда, меня, но... терпимо для профессионала.

— Ну врет!

— Не спорь со старшими. И как игрок он привык с «рубашками» дело иметь. Шулер, одним словом. Не садитесь с ним, начисто обыграет.

— Много слов, Вячеслав, — недовольно заметил Турецкий. — Хотя сказано отчасти и справедливо. А вы —

как, Марина? Сережа? Не возражаете? Генерал любит угощать. Тем более что я если уже не завтра, то послезавтра точно уеду. Все будет зависеть от готовности одного срочного материала генерального. Сдам — и сразу. Галку мне только обеспечь.

— Значит, так, Саня, что обещал, то обеспечу, но раз речь зашла об обеде, я категорически запрещаю, начиная с этой минуты, любые деловые разговоры. Чтобы не страдал аппетит.

— А вы сами-то удержитесь? — смеясь, спросила Марина. Ее лицо порозовело, стало нормальным. Похоже, она окончательно успокоилась.

— А мы штраф установим. Вякнул про службу — пей стакан коньяка, и без закуски. Посмотрим, как кто-то потом за руль сядет.

— Бедный Сережа! — печально сказала Марина. — Сидеть в хорошем ресторане и не выпить ни рюмочки? Ужас!

— Напротив, — возразил Грязнов, — может пить сколько хочет, но чтобы потом... да, Саня?

— А-а, ну конечно, пусть предварительно поклянется, что даму не потеряет.

— Нет, спасибо, я за рулем не пью, это вас, может, ГАИ знает, а я с ними дел не имею. Я — простой... — Сергей поднял обе руки.

— Не бойся, сам и не поведешь, найдем тебе водителя, который доставит вас в самом лучшем виде, — небрежно отмахнулся Грязнов. — Так, всем слушать мою команду: раз, два, три! Служба, гори! Синим огнем. Я еду впереди, вы — за мной. Не отставать. Покажу, где там можно парковаться...

Несмотря на изысканное приглашение Турецкого, Марина предпочла сесть в «шестерку» Климова, объяснив Саше:

— Извините, мне там привычнее. И не хотелось бы отказываться от своих новых привычек.

А уже в машине сказала Сергею:

— Я тебя очень прошу, поосторожнее со спиртным. Им проще, они — генералы. А я за тебя буду переживать.

— Не придется, дорогая.

И в самом деле не пришлось. Обед был замечательный. Выпили на всех одну бутылку прекрасного, старого еще армянского коньяка, причем большую часть бутылки «распробовала» Марина. Кухня была потрясающей. На десерт подали свежий арбуз. И вообще вся обстановка в отдельном кабинете, где они сидели, располагала к удивительному покою. Несколько раз вежливо заглядывал хозяин ресторана, Рустам Алиевич, интересовался, нравится ли, нет ли еще желаний? Улыбался Марине, а она, находясь в центре внимания, окруженная «генеральскими погонами» — даже Сережка казался ей тоже генералом, — плавала в океане всеобщего восхищения. Но что самое удивительное, во что бы ни за что она не поверила, было то, что за столом ни разу не прозвучало ни слова, связанного со служебными делами. Потрясающе! Телевизионщики уже после второй рюмки, забыв обо всем на свете и решительно на все наплевав, кроме себя любимых, углубились бы в собственные вечные проблемы. А тут — действительно отдых.

Исподволь Марина наблюдала за Сергеем, как он себя чувствовал среди этих «тяжеловесов». Оказалось, свободно вписался, тоже что-то рассказывал, над чем все смеялись, держал себя непринужденно, не скованно, и значит, решила про себя Марина, даже изумившись неожиданно пришедшей ей в голову мысли, быть и ему генералом. Никуда теперь от этого не денешься...

Разъезд был также в стиле прошедшего обеда. На улице постояли, покурили, все, кроме Сергея. Теперь уже на служебные разговоры «вето» было снято, и они в двух словах уточнили диспозиции завтрашнего дня.

Климов попросил Турецкого сразу, как он приедет в Нижний Новгород, изыскать возможность и прислать факсом фотографию Зои Воробьевой. Он напомнил, что консьержка говорила, будто предновогодним утром к Морозову приходила какая-то красивая женщина или девушка, которая умела «держать спинку». Вот бы и предъявить теперь ей это фото наряду с другими, вдруг опознает? Тогда лопнет версия Зои о том, что она была в Москве в последний раз аж за неделю до гибели Леонида.

Турецкий пообещал сделать.

Затем они расселись по машинам, помахали друг другу и разъехались — каждый в свою сторону. И все это получилось легко и непринужденно, ничуть не отразившись на прекрасном настроении.

— Кажется, у нас с тобой, дорогая, на сегодня больше нет проблем, кроме...

— Кроме чего? — лукаво уточнила Марина. — Кроме того, что придется выбивать палками нашу одежду?

— Это пустяки, вытряхнем... Я за тебя боялся. Что ты могла сорваться. Но, слава богу, обошлось. А ведь он меня спросил: что, мол, предлагаешь? Я и ответил: выкинуть к такой-то матери. А ты поступила абсолютно правильно, когда заставила меня отдать ему письма. Была уверена? Или нет?

— Понимаешь, Сережка, когда встречаешься с нормальными людьми — не скрытыми мерзавцами, не хитрыми «царедворцами», начинаешь и сама думать, как они. И я очень этому рада. И за тебя — тоже. Ты у меня умный и честный, вот это главное. А остальное, Сереженька мой, приложится. Ну как арбуз с грядки в Новый год... Ведь оказалось, что даже и такое возможно, правда?

— Ага... — Он задумчиво покивал и тихонько запел в игривом ключе:

А напелась, наплясалась —
На заре ложилась спать...
Да уж как же и металась!
Только-только не ломалась
Наша старая кровать!.. Наша ста-а-арая кровать...

— Ты чего это поешь? — удивилась Марина.

— Да так, вспомнилось... Из Беранже...

— О-бал-деть... — с расстановкой произнесла Марина. — Нет, я точно решила: ничего здесь уже не поделаешь, быть тебе генералом!

— Как скажешь, дорогая, — беспечно отозвался Сергей, даже не улыбнувшись. — Не помнишь, у нас дома наберется на пару маленьких рюмочек? Или по дороге забежать?

— У нас с тобой теперь все есть. Потому что я, кажется, начинаю тебя по-настоящему узнавать... И мне все больше нравится этот процесс.

## 4

С отъездом Турецкого и Романовой дел прибавилось основательно. Неприступной горой они, конечно, не выглядели, но что-то похожее на то ощущалось. Сергей мог теперь только забрасывать Марину по утрам в Останкино и мчался сам на Большую Дмитровку, где в кабинете Турецкого у них был штаб и куда свозились все вновь добытые материалы, а вечерами снова летел на студию, чтобы забрать Марину и отвезти домой.

Умница Марина сумела составить список людей, посещавших за последние полгода жилье Морозова. Но, сделав одно, ей пришлось окунуться и в дальнейшую помощь расследованию — как бы уже на общественных началах. То есть следовало тактично и настойчиво уговорить перечисленных лиц «откатать» специально прибывшему в Останкино криминалисту свои «пальчики» — без протестов, возмущений, публичных негодований, а главное, без лишнего трепа, присущего всей журналистской и телевизионной братии. Не хватало еще, чтобы по огромному комбинату пронеслись слухи, что у всех требуют снимать отпечатки пальцев! Скандала же не избежать. Однако Марина сумела провести эту операцию достаточно быстро и без шума, за что немедленно удостоилась личной благодарности Грязнова.

Она же помогла Сергею и Виктору Кузьмину завершить работу с архивом Морозова. Правда, других значительных находок уже не сделала. Писем, о которых сообщала Морозову неизвестная пока женщина, в которой все подозревали, естественно, Зою, тоже не нашли. В общем, Марине даже понравилось участвовать в расследовании, хотя все эти дела, которые ей доверяли, были рутинными и, по правде говоря, самыми ненавистными, с точки зрения профессиональных сыщиков. Но Марина этого еще не знала и помогала с удовольствием, сказавшись на работе приболевшей. Она действительно охрипла от пыли еще в первый раз, и Гена Сапов, не зная истинной причины, а предполагая обыкновенное ОРЗ, велел ей вызвать на дом врача и немного отлежаться. Экстраординарных дел пока не предвиделось. РТВ «приходило в себя» после невосполнимой потери. А свои предложения по заменам Марина уже передала в дирекцию.

Сергей дождался наконец прибывшей из Нижнего Новгорода фотографии Зои Сергеевны Воробьевой и, захватив с собой еще несколько женских фотографий, в том числе — уже для полной чистоты эксперимента — вытащенную им из Марининого домашнего письменного стола ее фотографию, отправился на улицу Чичерина.

Правда, прежде чем принять такое решение, в смысле отправиться уже на проведение опознания, он решил все-таки посоветоваться с Грязновым. Шаг-то, что ни говори, мог оказаться рискованным.

Вячеслав Иванович задумался. Потом спросил:

— Зачем тебе это? Есть сомнения?

— Нет, я ничуть не сомневаюсь. Более того, Марина бывала у Морозова, и не раз. А два, три или больше — это к делу не относится. Консьержка ее может узнать. Но в том, что Марина там не была перед Новым годом, я абсолютно уверен.

— А если у твоей консьержки, как это нередко случается у пожилых женщин, некоторое смещение в мозгах? И она все прошлое соотносит со вчерашним днем, что тогда? Опознает? Опознает. И что мы с тобой станем делать? Телеграфировать Сане, что преступница найдена? А Марину брать под арест и начинать допрашивать? Значит, ты ей совсем не веришь, если берешь фотографию с собой. Понимаешь, Сергей Никитович, — вдруг заговорил почти официальным тоном Грязнов, — запретить я тебе не имею права. Больше того, как следователь, ты прав, отрабатывать необходимо все версии. Но чисто по-человечески... ты меня извини. Раз есть у тебя сомнение, как же ты после этого собираешься с ней, прости за прямой вопрос, спать? Или, по-твоему, одно не имеет отношения к другому?

— Вы меня поставили в трудное положение, Вячеслав Иванович, — покраснев, тоже перешел на официальные «рельсы» Климов.

— Это чем же? — насмешливо спросил Грязнов. — Тем ли, что намекнул на твою беспринципность? Так ведь каждый сам принимает свое решение. А может, ты желаешь, чтоб я за тебя его принял? Ведь ты же за этим пришел? Тогда я тебе могу ответить по-простому: пошел ты к черту со своими вопросами. И если не веришь Марине, какого дьявола таскаешь ее за собой и открываешь ей все тайны нашего расследования? Это ведь провокацией называется. А также преступным нарушением тайны следствия — с одной стороны. Или полнейшим разгильдяйством — с другой. Выбирай, что тебе больше подходит. Но и в том, и в другом случае я тебе — не товарищ. Не нравится ответ — звони Сане, я уверен, получишь еще покрепче.

— Нет, но я думал...

— Ах он, оказывается, еще и думает! Нет, Климов, возможно, я ни черта уже не понимаю в людях, но ты недостоин этой женщины.

— Ну могли ж сразу сказать!

— А тебе, значит, только этого и не хватало? Повторяю, поступай как знаешь, но я бы на месте Марины послал тебя на все четыре стороны, а может, и еще подальше.

— Хорошо, я изымаю ее фотографию из числа опознаваемых.

— Ты ей об этом расскажи. Или боишься?

— Я не боюсь, я действительно совершил ошибку. — Климов нахмурился. — Я ведь подумал не о том, что консьержка может, как вы говорите, съехать с рельс. Наоборот, я решил, что если она среди незнакомых увидит две знакомые фотографии, тем крепче будет доказательство причастности к преступлению, когда рука ее покажет именно на Зоино фото. А про другой вариант как-то не подумал, виноват.

— Вот именно, что «как-то»! Эх ты... — Грязнов отмахнулся от него рукой, словно сказал: «Уйди с глаз!» — Сперва думать надо, а не бежать впереди паровоза. А если неймется, так можешь предложить своей консьержке другой набор — тех, кто бывал у Морозова дома вообще. Вот там Марина будет уместна. А нам все равно их «пальчики» придется идентифицировать. И чему вас учили?.. — Грязнов задумался и сказал сокрушенно, постучав себя согнутым пальцем по левой стороне груди: — Впрочем, этому на юрфаке не учат...

Смутное настроение было у Климова, когда он ехал на улицу Чичерина. В самом деле, хотел же как лучше, а вышло черт знает что. И ведь прав Грязнов, не дай бог, случайная осечка, и все — прахом. А о Марине тогда лучше и не думать...

Легостаева дежурила через день, сегодня у нее был как раз выходной. Но жила она в этом же доме, и найти ее труда не составило. Маргарита Николаевна долго не открывала дверь, очевидно разглядывая гостя через глазок. Наконец узнала и открыла дверь.

Все дальнейшее прошло как по маслу. Узнав, что при опознании должны присутствовать понятые, Маргарита Николаевна мигом пробежала по соседям и привела двоих своих знакомых. Климов, представившись им по всей форме, объяснил их роль, после чего выложил на стол перед Легостаевой десяток фотографий, среди которых была вырезанная из листа факса фотография Зои Воробьевой.

О том, как доставали эту фотографию, позже расскажет Турецкий, вернувшийся из командировки, и это была совсем не простая история.

— Вот, — объявил Климов, важно подкручивая кончики усов, — перед вами, гражданка Легостаева, находятся десять женских фотографий. Присмотритесь к ним и скажите, нет ли среди них фотографии той женщины, которая, по вашим словам, посещала квартиру Морозова в день его убийства, но в первой половине дня? А вас, граждане понятые, прошу смотреть и письменно зафиксировать в протоколе проведения опознания, какая из этих фотографий будет узнана Маргаритой Николаевной. Прошу.

И сел, чтобы записывать в протокол показания Легостаевой.

Консьержка долго и, казалось, безуспешно рассматривала каждую фотографию, вынимая ее из ряда других и откладывая вправо или налево от себя, разделяя их на две стопки. Потом взяла те, что слева, и снова разложила перед собой. Повторила операцию. Налево легли только две фотографии. И среди них — Зои Воробьевой.

Климов вдруг понял всю железную правоту Грязнова и почувствовал на собственной спине нехороший, липкий какой-то холодок. А если бы она отложила две, где одна была бы Зоина, а вторая — Маринина, тогда как реагировать? Возражать? Уверять, что она ошиблась? Но ведь таким действием можно только уверить консьержку в ее правоте — даже из чувства протеста, из упрямства бывшей театральной работницы, не запоминавшей, по ее же словам, лица, зато замечавшей, как женщина «держит спинку»!

Момент истины настал, когда Легостаева положила перед собой только две последние фотографии и убрала правую — неизвестной Климову женщины с красивым овалом лица. Осталась одна Зоя. Консьержка посидела, напряженно вглядываясь в фото, а потом вздохнула тяжко, будто принимала государственное, по меньшей мере, решение и произнесла устало:

— Вот эта дама была тем утром у Леонида Борисовича. Находилась недолго, может быть, не больше тридцати минут. И прошла мимо меня, почти пробежала, обратно в распахнутом черном пальто, в черном брючном костюме и с оранжевым длинным шарфом вокруг шеи. Я еще подумала, что это — очень безвкусно для предпраздничного дня. Но спинку она строго держала, да.

Климов все зафиксировал в протоколе, дал на подпись Легостаевой, затем понятым. Дело было сделано. Но что-то словно толкало под руку. И Сергей Никитович, конечно, понимал, что именно. Ему будто жгла грудь лежащая во внутреннем кармане фотография Марины. Это походило уже просто на какое-то наваждение. И он не выдержал. Достал фотографию и положил на стол перед Легостаевой, благо понятые уже, попрощавшись, ушли.

— А эту женщину вы здесь видели, Маргарита Николаевна?

— Ах, так это ж Марина! Конечно, знаю.

Вот она сказала, а у Климова прямо что-то оборвалось в груди.

— Откуда она вам известна?

— Так она ж приходила к Леониду Борисовичу. И всякий раз вежливая, сердечная такая — первой здоровалась, о самочувствии расспрашивала...

— И... часто она здесь бывала? — чувствуя, что летит в пропасть, спросил Климов.

— Нет, в прошлом году не часто. Раньше да. И с компаниями сослуживцев, и одна бывала. Любовь у них, я так думаю, была, да что-то, наверное, расстроилось. А так — милая женщина, ничего не скажу... Доброжелательная. А у вас-то откуда фото ее? Ой, уж не случилось ли и с ней чего? — забеспокоилась она вдруг, но тут же вспомнила, что не далее как позавчера видела ее здесь, в доме, живой и здоровой.

— С ней все в порядке, — ответил Климов, понимая, что делать ему здесь больше нечего, и чувствуя, как на него наваливается непонятная тоска.

«Ну да, ты хотел, и ты добился своего... — напряженно думал теперь он, одеваясь и прощаясь с консьержкой. — И что дальше? Будешь допытываться, почему она тебе не сказала сразу всей правды? А тебе она была сильно нужна, твоя правда?.. Вот и узнал... А ведь генерал был прав: вякнешь одно слово — а ты сделаешь это непременно, честнейший и самоувереннейший из следователей! — и вылетишь пробкой. А сделать вид, что ничего не знаешь, уже и сам, возможно, не захочешь... Да и вряд ли сможешь — не дипломат, нет...»

Уже сидя в машине, он никак не мог решить, что делать. Как будто от того, что узнал он теперь «страшную тайну» Марины, что-то в его собственной жизни с ней изменилось кардинальным образом! Да ни черта не изменилось!

«Ну любила, и что? Не могла разве? Не имела права? Красивый, молодой, талантливый!.. Ах, ну да, почему не созналась раньше? Да какое это вообще имеет значение? Может, эта история у нее в душе — кровавая рана! А я туда со своими копытами, тоже еще казак! Но тогда, значит, найденные ею письма анонимного автора частично оказались правдой? И это, вероятно, поняли Грязнов с Турецким, а я — нет? Господи, какой болван! Какой жуткий идиот... Взял и своими же руками все свое счастье, всю радость буквально швырнул коту под хвост...»

И Климов решил молчать, чего бы это ему ни стоило, молчать «как рыба об лед»!..

Грязнов, подозрительно поглядывая на следователя, прочитал акт опознания и распорядился немедленно передать его по факсу в Нижегородскую областную прокуратуру, для Турецкого, с пометкой «срочно». А для Климова, сидевшего напротив с сумрачным видом, выделил особое, «боевое» задание: ехать срочно к геям.

Дело в том, что оперативники Грязнова уже успели побывать в ночном клубе «Дирижабль», где обычно кучкуются столичные представители нетрадиционной ориентации. После короткой, но достаточно откровенной беседы их с владельцем этого клуба Валентином Иннокентьевичем Раструбовым оперативники выяснили, что Леонид Морозов неоднократно посещал этот клуб, а в последний раз здесь был за два дня до своей гибели. Там же оперативники изъяли записи видеокамер за последнюю неделю до Нового года, когда наплыв посетителей был особенно велик. При просмотре этих видеозаписей на одной из них обнаружили довольно четкое изображение выходящего из клуба вместе с каким-то парнем Леонида Морозова. Вот теперь следовало съездить в «Дирижабль» вместе с фотографиями, переснятыми с видеопленки, и узнать у самого владельца либо у кого-то из обслуживающего персонала, кто такой этот парень. Ну а затем, соответственно, отыскать и его. Может быть, он сумеет пролить свет на тайну гибели тележурналиста?

Оперативники же, выполнив свою часть работы, переключились теперь на такой же клуб «Юстин», что на северо-западе столицы, в районе Рублевского шоссе. Раструбов не отрицал возможности, что Морозов мог побывать и там. Единственное, что удалось им узнать от Валентина Иннокентьевича, — это то, что, по мнению Раструбова, Леонид Морозов вряд ли принадлежал к сообществу геев. Но это, понятное дело, разговор уже не на бегу, а должна быть обстоятельная беседа, закрепленная в протоколе с соблюдением всех юридических норм.

По долгу службы Климову приходилось не раз посещать всякого рода ночные заведения, но в столь специфическом он оказался впервые. Впрочем, здесь в нем говорил, скорее, определенный снобизм — не понимал он людей особой, что ли, ориентации, именно нетрадиционной, как ее называют культурные люди. Ну а «необразованный» народ, он отзывается гораздо проще и грубее, исходя прежде всего из способа любовных отношений этой категории людей. И точно такие же оценки и вертелись поначалу не столько на языке, сколько в голове Климова, весь взъерошенный казацкий вид которого говорил о его мужестве и явном превосходстве над слабым полом, к которому он заодно причислял и «голубых».

Но в клубе ему попадались на глаза обычные, то есть вполне нормальные, мужчины и, правда, не совсем обычные женщины — со слишком яркой и броской внешностью и обилием макияжа, с явными париками. Марине они определенно не понравились бы, подумал Климов, и душа у него заныла: опять вспомнилось собственное беспричинное упрямство....

— У вас, смотрю, и женщины бывают... — не спросил, а скорее констатировал он, пожимая руку Раструбову — невысокому, плотному мужчине с рыжим ежиком на голове и крупными веснушками на щеках, шее и сильных руках с завернутыми ослепительно белыми манжетами.

Тот снисходительно усмехнулся и ответил:

— Бывают... Есть многие, которые получают особый кайф, скажем так. Они появляются позже.

— Но я уже видел нескольких... в баре.

— А, ну да, конечно... Прошу присесть, слушаю вас. Я уже в курсе гибели господина Морозова. И то немногое, что знал о нем, высказал вашим коллегам. Есть дополнительные вопросы? Готов ответить и на них. Моя точка зрения по поводу ориентации покойного вам, вероятно, известна. Но полностью, со стопроцентной уверенностью, я утверждать ничего не берусь.

— Как по-вашему, Валентин Иннокентьевич, что он мог тут, у вас, делать? Искать кого-то? О чем-то расспрашивал? Вам не докладывали?

— Если бы я что-то знал, то уже рассказал бы. А чем у нас занимаются, не секрет. Посидите вечерок, посмотрите. Люди собираются, чтобы провести время в дружеской компании. Завязываются новые знакомства. У нас довольно обширная и разнообразная музыкальная программа, выступают многие широко известные артисты. Приглашаем интересных гостей, имеются иные развлечения спортивного характера — бильярд, прочее. Собственно, наш клуб — это комплекс услуг. А так как посещает нас, как правило, народ интеллигентный и, прямо скажу, не бедный, то, соответственно, и услуги предоставляются на высшем уровне. Кухня — превосходная, напитки — сами понимаете. Обслуживание, охрана, концертная программа, ну и все остальное. На обеспечение безопасности мы обращаем особое внимание, вам, вероятно, понятно почему.

— Посторонняя публика? Откровенные недоброжелатели? «Неуловимые мстители» из числа «бритоголовых»?

— Да. И не только. А в общем, вы правильно понимаете... Вы наверняка знаете, что к гражданам нетрадиционной ориентации во всем цивилизованном мире отношение абсолютно нормальное. И только у нас в стране это в буквальном смысле проблема. Причем чем дальше, тем проблема становится острее и напряженнее. Впрочем, зачем я вам рассказываю, вы, вероятно, и сами прекрасно осведомлены — по своим каналам.

Теперь позволил себе снисходительно усмехнуться и утвердительно кивнуть Климов, демонстрируя свою «осведомленность». Хотя ни о каких проблемах он не слышал и даже не интересовался ими... А оперировал фактами исключительно со слов оперативников Грязнова. Нет, он, конечно, слышал — или читал, видел в телевизионных передачах, — что с геями нередко сводят какие-то свои счеты «бритоголовые». Но насколько остра эта тема, Климова никогда не интересовало, если подобный факт не становился предметом уголовного расследования. А прецедентов в его работе еще не было. Но советом Раструбова он решил все-таки воспользоваться. На тот случай, если вдруг окажется, что у Морозова были какие-то свои отношения с геями и это стало поводом для «разборки». Уходил же он с каким-то парнем!.. А кто это был, ни Раструбов, ни несколько опрошенных им собственных служащих сказать не могли. Предложили немного подождать, когда подойдут некоторые постоянные посетители, и у них можно будет поинтересоваться.

Климов поблагодарил за помощь и изъявил желание «потолкаться» в клубе, посмотреть на различные развлечения, поглядеть публику, чтобы составить личное впечатление, поскольку прежде опыта общения с геями у него не было, не доводилось встречаться в специфической, клубной обстановке, в то время как сам он ничего противоестественного в данном вопросе не видит.

Успокоив, таким образом, Раструбова, Сергей Никитович прошел в зал, а Валентин Иннокентьевич, в свою очередь, пообещал тут же поставить следователя в известность, едва что-нибудь любопытное по его части обнаружится. Ну не сегодня, так завтра, например...

Такая постановка вопроса не устраивала Климова в принципе. И он решил провести здесь собственное расследование. Уж как получится.

Он устроился за стойкой притемненного бара, заказал себе легкий коктейль — на выбор самого бармена, молодого и смазливого парня, а потом положил на стойку перед собой увеличенную фотографию того молодого человека, с которым уходил отсюда Морозов, и стал ее внимательно, даже с более пристальным, чем следовало бы «по жизни», интересом рассматривать.

Бармен, продвигаясь вдоль стойки, несколько раз бросал внимательные и заинтересованные взгляды на фотографию, которую держал перед собой этот мужественный, черноусый мужчина, предпочитавший легкие напитки. Один из грязновских оперов подсказал Климову примерную манеру поведения в этом злачном месте. Спокойствие, подчеркнутое равнодушие, предельная вежливость с обслугой и обязательная доброжелательная улыбка по любому поводу, даже не имеющему к тебе отношения. И никаких ищущих взоров, никакого видимого нетерпения, абсолютная уверенность, что твое от тебя никуда не денется. И вот уже первый интерес бармена показал, что на тебя, возможно, кто-то уже клюнул.

Не прошло и пяти минут, как рядом с ним на высокий стульчик ловко вскарабкалась дама не первой молодости с закрытой грудью и открытой до самого возможного спиной, в отливающем бронзовым отблеском парике и длинными «музыкальными» пальцами, украшенными крупными перстнями. Взгляд выпуклых серых глаз был нагловатым, а тонкие, накрашенные лиловой помадой губы большого рта растянуты в искусственной улыбке приязни.

— А вы здесь впервые, — ломким контральто возгласила дама, покачивая длинной и худой ногой в крупной туфле на высоком каблуке. Затем она, нагнувшись к стойке, посмотрела на бокал Климова на просвет: — «Кампари Оранж»? Наши вкусы сходятся. — И, наконец, протянула руку, затянутую в мелкосетчатую, длинную, до локтя, перчатку и сказала игриво: — Эвелина. А с кем имею честь?

— Сергей, — в тон ей ответил Климов и слегка пожал протянутые к нему пальчики. Скажи ему сейчас кто-нибудь, что перед ним не дама, а мужчина, причем уже в возрасте, он бы не поверил. — Вас угостить?

— Я бы не возражала, — кокетливо улыбнулась Эвелина. — А кого это вы, Сережа, так пристально разглядываете?

— Да вот обещали познакомить. — Климов небрежно подвинул фото к даме и подал знак бармену: сделать то же самое — для дамы..

Та посмотрела и тут же сморщилась в гримасе:

— Фи! С Жаном? Вот уж кого бы не советовала... Нет, это, простите, Сережа, плохой вкус. Впрочем... — Эвелина принялась размешивать трубочкой поданный ей коктейль.

— Почему вы назвали его Жаном? — «удивился» Климов. — Мне назвали другое имя. Может быть, вы имеете в виду другого человека?

— Если у вас фотография Крамского, то он — Жан. А если это просто похожий человек... то, возможно... не спорю.

— Мне назвали его Джоном, — нашелся Климов, — но, вероятно, правы вы, а не я, я вполне мог не расслышать по телефону. Извините, я должен вас на минутку оставить. К Валентину загляну, я обещал...

— Это кто? — задала естественный вопрос Эвелина.

— Раструбов, — как само собою разумеющееся, сказал Климов, забирая фотографию, и дама значительностью мимики оценила знакомство Сергея.

Но, проходя мимо бармена, Климов с болью сердечной — а что оставалось делать? — выложил две сотенные и сказал, что сейчас вернется, но... на всякий случай.

Раструбов принял его незамедлительно.

— Нашли?

— Одна дама средних лет по имени Эвелина опознала в нем некоего Жана Крамского. Вам этот человек известен?

Засмеявшийся Валентин Иннокентьевич объяснил свою реакцию, несколько смутив следователя:

— Разумеется, дама. Ее зовут Игорем. Этот бездельник уже здесь? И он назвал именно Крамского? А ну-ка дайте-ка еще разок взглянуть... А что? Похож... Ну конечно, съемка-то следящей камерой производилась ночью.... Когда, известно, все кошки серы... Ну что ж, подсказать, где найти Жана, я вам, кажется, смогу. Но единственная просьба, если можно?

— Любая, — с готовностью отозвался Климов.

— Если коснется речь... Вы понимаете? Я к этому делу отношения не имею. Это могли разузнать и ваши агенты, ведь правда?

— Конечно!

— Тогда записывайте адрес и телефон...

Раструбов открыл ящик стола и стал копаться в каких-то бумагах, в поисках той, которая была ему нужна.

## 5

Информация от всех задействованных в расследовании сыщиков и оперативников в конечном счете стекалась к Грязнову. И, как отметил генерал на очередном утреннем совещании, выслушав предварительные сообщения своих подчиненных, а также Климова о проведенных ими следственных мероприятиях, полученная информация его не радовала. То есть, повторяясь, Вячеслав Иванович констатировал, что отрицательная информация тоже все-таки приносит пользу, помогая отбросить в сторону ненужные версии.

Таким образом пришлось окончательно отказаться от версии о возможной расправе с Морозовым представителей ресторанного бизнеса. «Как ни горько и ни обидно это делать», — пошутил Грязнов, подводя итоги произведенного в этом направлении расследования. Да, конечно, бизнес этот насквозь пронизан и пропитан криминалом. И то, что донесли ему его оперативники, поднявшие свою агентуру, но не ставшие рассекречивать ее, имело прямое отношение к организации почти уже легальной проституции, к теневой торговле иномарками и ворованными машинами, к сокрытию реальных доходов и уходу от налогов, а если хорошенько пошарить, то и на торговлю наркотиками можно выйти. Но — увы! — все это не касалось расследуемого конкретного уголовного дела. А наработанные попутно данные будут, заявил Грязнов, переданы в соответствующие подразделения правоохранительных органов — пусть теперь те занимаются своими непосредственными делами. Таким образом, с ресторанами вопрос закрыли.

По «сексуальному рабству» дело оказалось, с одной стороны, проще, а с другой — сложнее. Оказалось, что по следам телевизионного выступления в межрайонной прокуратуре Восточного административного округа, который главным образом и проходил в «Честном репортаже», было возбуждено уголовное дело, и для прямых фигурантов этого дела уже были избраны соответствующие меры пресечения. Так что вряд ли с их стороны могла последовать месть журналисту. Всякий смысл ее терялся. Подозреваемым лицам, наоборот, следовало бы всячески «отмазываться» от своего участия в преступном бизнесе. И не мстить журналисту, а доказывать свою невиновность, требуя опровержения, — вот чего им надо было бы добиваться. Смерть же Морозова, если бы вдруг обнаружились даже и не прямые, а косвенные доказательства связи этих лиц с преступлением, сильно усугубила бы их и без того скверное положение. Агентура же донесла оперативникам, что в среде указанных лиц царит уныние, а не жажда отмщения. Так что и эта версия отпадала.

Что же касалось геев, и — конкретно — Жана Крамского, с которым тем же вечером удалось встретиться Климову, то и здесь ничего нового не обнаружилось. Правда, пришлось побегать.

Этот «неуловимый» Жан все время перемещался по различным увеселительным заведениям, словно в одном интимном с точки зрения нетрадиционного секса месте у него торчал раскаленный гвоздь. Его обнаружили Петухов с Гуляевым, знакомые уже отчасти с этой публикой и с местами их тусовок по опыту собственной работы. Он находился не в ночных гей-клубах, которые им удалось быстро обзвонить, а в Доме литераторов на Поварской.

Ну, во-первых, оказался он, естественно, не Жан, а Иван Евгеньевич, а во-вторых, как очень скоро выяснил Климов, теперь, уже после смерти Морозова, этому однофамильцу замечательного русского художника-передвижника было нечего скрывать от следствия. И он охотно дал «интервью».

Да, он был давним уже платным агентом у Лени и не стеснялся этого. Он и сам считал себя избранным в человеческой среде, массе, благодаря своей горячей и подлинной страсти к однополой любви. К сожалению, Леня не разделял его взглядов. Правда, Морозов относился к геям с некоторым пиететом, никогда не позволял себе шуточек, острот или оскорблений и иных некрасивых поступков, присущих серой массе обывателей, но он, Жан, ничего не мог бы поведать о связях самого Лени. Может быть, он был «бисексуалом»? Во всяком случае, нельзя исключить... А вот деньги он платил очень хорошие. За что? А фактически за каждого гея, когда Жан называл Морозову не только фамилию и занимаемую этим человеком должность, но и давал подробную характеристику. Леня, судя по всему, собирал досье на высокопоставленных господ нетрадиционной ориентации среди российской элиты, высшего и среднего звена государственных служащих. Возможно, у него были для этого веские причины. Но об этом не знал никто, кроме Морозова и Крамского. Если только Леня сам нечаянно не проболтался. Ну тогда могли возникнуть и санкции... Хотя вряд ли, не те люди. Не те взаимоотношения.

Может, и не те, но и отбрасывать версию тоже пока не стоило. С этим согласились все. И Грязнов предложил Климову еще поработать с Крамским, в крайнем случае даже и прижать его, чтобы посмотреть, не могла ли оказаться среди перечисленных им «персон» такая личность, которой публичная огласка могла бы сильно навредить? Всяко ведь бывает...

Кроме геев, на Сергее Никитовиче висел еще и дом на улице Чичерина с его «прослушками». Климов снова и снова наведывался туда и стал для консьержки Легостаевой кем-то вроде жильца охраняемого ею подъезда. На нем ведь висело еще и расследование факта установки в квартире Морозова подслушивающих устройств. И тут выяснилась интересная деталь. Оказалось, что все заявки на ремонт отопления, сантехники, телефона, электрического освещения и прочих бытовых услуг здесь, в кооперативном доме, были как бы централизованы. То есть каждый жилец отдавал заявку на ту или иную услугу консьержке, а уже та передавала их в ДЭЗ или ЖЭК, непонятно, как эта контора теперь называется — в каждом районе по-своему. Где, собственно, заявки жильцов и хранились. Такой в правлении кооператива удобный установили с самого начала порядок и придерживались его постоянно. Другими словами, можно было пойти и посмотреть, какие услуги и кем конкретно оказывались жильцам за истекший срок. Неплохой опыт, решил Климов и отправился к уже известной ему Элеоноре Израилевне Масловской, бухгалтеру кооператива «Стрела».

Просиявшая при его появлении пышная дама вникла в суть вопроса, залезла в шкаф со всевозможными папками, конторскими книгами и немедленно извлекла на свет пухлую папку.

— Вот! — торжественно заявила она. — Это только за последние месяцы прошлого года! Теперь вы понимаете объем наших забот?! Пожалуйста, вы можете присесть вон на то свободное место и смотреть. А я вам подскажу с удовольствием, если потребуется моя помощь.

Это было произнесено пышной дамой со сверкающими от неутоленной страсти черными очами с такой жаркой готовностью немедленно оказать ему самую неотложную помощь, что Климов решил вести себя в дальнейшем с максимальной осторожностью. Неужто на женщин так безумно действуют его пышные усы?!

Однако объем был действительно велик — и это ведь по всему дому! А ему нужно было только по одной квартире... Ах как пригодились бы для этого кропотливого и внимательного труда заботливые пальчики Марины! Но, увы...

Климов совершил-таки свою роковую ошибку.

Тем же вечером, после неприятного разговора с Грязновым, Сергей, просто томимый неприятным предчувствием оттого, что Марина может теперь уже нечаянно узнать о факте предъявления им во время опознания ее фотографии и истолковать его по-своему, то есть неверно, долго мучился, пока она сама не спросила его, в чем дело. И он, словно в омут кинулся, рассказал ей все, ничего не утаивая. Она слушала и молчала. Тогда он начал объяснять, почему так поступил. Все объяснял лишь одним желанием — провести опознание максимально «чисто», избегая любых случайностей. Говорить-то говорил, а слышал только презрительную насмешку в голосе Вячеслава Ивановича. И с отчаянием понимал, что натворил ужасное.

Когда он закончил свои нескладные, сбивчивые оправдания, не получившиеся из-за молчаливой, тяжелой реакции Марины, она поднялась из-за стола — они сидели на кухне у нее, — открыла дверь в коридор и голосом, начисто лишенным каких бы то ни было интонаций, произнесла:

— Убирайся отсюда, — и добавила сдержанно и негромко: — Пошел вон.

И сама ушла в комнату, откуда через мгновение донеслись ее сдавленные, похожие на стоны рыдания.

Климов даже и попытки не сделал открыть дверь в комнату. Чувствуя себя совершеннейшим болваном, а то и еще похуже — подлецом, унизившим любящую его женщину, он молча стоял в прихожей, держа в одной руке куртку с шапкой, а в другой свой портфель. И ждал. Неизвестно чего.

Наконец она вышла — бледная, холодная, — подошла к выходной двери, распахнула ее и отступила на шаг в сторону. И он, не говоря ни слова, опустив голову, шагнул за порог, волоча по полу свою куртку. Дверь за ним тут же громко захлопнулась...

И вот уже прошло несколько дней, а у Климова все валилось из рук — можно сказать, в прямом смысле. И какие еще списки! Какие, к черту, заявки!!

Но дело требовало, и пришлось заниматься. Злость на самого себя неожиданно обернулась удачей. Оказалось, что за последние полгода — все данные фиксировались в заявках — от Морозова не поступило ни одной жалобы или требования к правлению. Следовательно, к нему не приходили и мастера для какого-либо ремонта. Теперь оставалось проверить сей факт уже у Легостаевой и ее напарницы. Может быть, Морозов кого-то вызывал в частном порядке? Такое ведь тоже бывает. Вон того же Сашку, который за бутылку тебе любую работу произведет, либо его соседа, вскрывшего тогда дверь. Но для этого всех их надо опросить... А что поделаешь?.. И отправился.

Никто не приходил к Морозову. Нет, его собственные знакомые — те бывали, нет слов, но ремонтировать что-то? Такого никто не мог припомнить.

Но тут напарница Легостаевой, Клавдия Ивановна с девятого этажа, припомнила, что еще накануне Октябрьских праздников — она свято чтила то, что ей дала советская власть, и кляла нынешнюю, ограбившую ее в девяносто восьмом, — приходил телевизионный мастер. Мол, кто-то из жильцов жаловался, что у него телевизор ничего не показывает, и собирался проверить общую антенну. Он и ключ брал от чердака, чтобы выбраться на крышу. А не зафиксирован по той причине, что неизвестно, кто вызывал. Как бы общая жалоба поступила, и не в ЖЭК, а в телевизионную мастерскую. Короче, документ, который имелся при нем, Клавдию Ивановну удовлетворил, и она отдала мастеру ключ, который он спустя полчаса ей и вернул. Вот и все.

Вспомнить, что за мастерская обслужила жильцов, консьержка, естественно, не смогла. Наверное, одна из ближайших в районе. Климов обошел все, без исключения, районные мастерские и нигде никаких следов заказа не обнаружил. Частная инициатива? Нет, вряд ли. Скорее всего, тот самый антеннщик и «заглянул» в гости к Морозову. Под таких «гостей», как правило, и маскируются всякого рода специалисты по «темным» делам.

Климов попытался выяснить, как выглядел внешне тот мастер, но ничего, кроме того, что он был молод и симпатичен, а еще — в хорошей дубленке, надетой поверх форменного синего комбинезона, узнать не удалось. Даже цвета волос — шапку так и не снял, хотя с женщиной разговаривал. Серьезный аргумент! Здесь, в подъезде, оказывается, еще сохранялись какие-то остатки старого этикета, давно пришедшего в негодность по новым временам...

И вот, докладывая Грязнову о проделанной работе по всем направлениям, Климов уже и сам видел, как разваливаются вроде бы еще недавно такие крепкие и надежные версии. Правда, оставалась еще одна — охотники из Оренбурга и Воронежа, но то была епархия самого Вячеслава Ивановича, и он намеревался отправиться по первому адресу уже на следующее утро. Так что они как бы подводили итоги за те несколько дней, пока Турецкий со своей помощницей находились в Нижнем Новгороде.

Грязнов внимательно выслушивал всех — и своих оперативников, и муровцев, подсказывал какие-то ходы, объединяя усилия сыщиков двух ведомств — главка и министерства. Ведь имеются же среди них вечные, можно сказать, разногласия, ни для кого не секрет.

Отдельно Вячеслав Иванович обратил внимание Николая Герасимова, работавшего по шоу-бизнесу, чтобы тот не торопился с выводами, а пахал основательно. Там же такие тигры, что ненароком зевнешь, а они тебе тут же голову и откусят. Но уже из наработанного Герасимову, по его словам, было примерно ясно, что к убийству журналиста те вряд ли имеют прямое отношение. Ну касательно того, чтобы припугнуть, морду набить, череп проломить — но не до смерти, — это они могут, а на откровенную «мокруху», причем с вызовом, от имени каких-то обиженных «шоуменов», они не пойдут. В телевизионном репортаже Морозова назывались конкретные имена, конкретные ситуации, вплоть до конкретных сумм, — и это все проверяемо. То есть, если у кого-то появилось желание подставить соперника в этом виде бизнеса, лучше способа не придумать. Но это все лежит на поверхности, а значит, не соответствует истине. Тут надо правде в глаза смотреть.

Завершили и с этой темой. Грязнов уже собирался отпустить сотрудников оперативно-следственной группы, озадачив каждого в связи со своим отъездом, когда из приемной Меркулова принесли распечатанный конверт с прикрепленным к нему письмом и пометкой Константина Дмитриевича: «Срочно! Поставить в известность Турецкого!», а ниже — «Грязнову — переговорить!».

— Ну вот, — тяжко вздохнул Вячеслав Иванович, — на охоту ехать — собак кормить... Только этого нам еще и не хватало!

Он прочитал письмо, изобразил удивленную мину на лице, передал письмо Климову и сказал:

— Прочитайте вслух, здесь немного, а я схожу к Косте.

Климов, оглядев присутствующих, стал читать:

— «Господа прокуроры, вас всех наверняка интересует вопрос о смерти известного московского телевизионного журналиста Леонида Борисовича Морозова. Это не вопрос, это — утверждение. В его доме производятся обыски. На студии РТВ снимают отпечатки пальцев у сотрудников, будто это они могли убить своего коллегу. Позвольте вам заметить, господа прокуроры, что все это — чистая нелепость и самообман. Некоторые сотрудники РТВ, может быть, и виноваты, но только перед живым журналистом, а не перед покойным. И не в материалах его блистательных репортажей вам надо искать истину, а в самых корнях его биографии. А чтобы вам помочь в ваших безуспешных поисках, есть такая подсказка, но она может оказаться полезной только в том случае, если вы ее правильно поймете: это подлое убийство готовилось долго, и действительно в Москве, а сама идея его родилась у Леонида на родине. Там и ищите, господа. Сказано ведь: «Ищите и обрящете»! И убивал его не один нанятый киллер, а несколько человек, у которых он давно, в силу своего гордого и независимого характера, был поперек горла! Всего сказанного вам вполне достаточно, чтобы отыскать подлых убийц и сурово наказать их».

Климов дочитал странное письмо, написанное на вырванном из детского, вероятно рисовального, альбома листе плотной бумаги карандашными буквами, напоминавшими детскую руку. Передал остальным, чтобы посмотрели. Сам оглядел конверт, на котором не было написано ничего.

— Ну что прикажете думать? — спросил он.

— Обыкновенная анонимка, каких сотни и тысячи. И место ей — в мусорной корзине, — безапелляционно заметил Виктор Кузьмин.

— Не надо торопиться, — возразил Герасимов, оглядывая бумагу с обеих сторон. — В доме, где писалось это письмо, есть ребенок.

— Ну и что? — вмешался Игорь Петухов. — Так мы, Николай Григорьевич, ради какой-то писульки должны будем еще и семьи сотен людей, может и непричастных к делу, прошерстить — в поисках альбома для рисования, из которого вырвали лист! Это ж — каторга! Галеры! Нам такое надо?

— А между прочим, на родине Морозова, куда нас недвусмысленно отсылают, уже работает Сан Борисыч с помощницей. Почему бы нам ни подождать результатов? — добавил Гуляев.

— Кстати, Женя, — обратился к нему Герасимов, — Сан Борисыч в Нижнем уже несколько дней, а автор этого письма до сих пор про это не знает, так? И конверт пришел не по почте — два! Значит, автор проживает в Москве — три! Но знает, что корни — в Нижнем? А почему? А потому, что и сам оттуда и прекрасно знаком был с Морозовым и его окружением — это уже сколько?

— Четыре, — вмешался Климов. — А ведь автор каким-то образом связан с РТВ. Иначе откуда бы он узнал о том, что мы собирали там отпечатки пальцев? Не из тех ли он, кто там и работает? Во всяком случае, одна правда тут уже есть: убивали-то Морозова, по нашим прикидкам, как минимум двое! О чем это говорит? Автор если и не прямой свидетель, то наверняка что-то слышал.

— Нет, выбрасывать нельзя, — поддержал Герасимов. — И работать с этой анонимкой нам все равно придется. А как — решим, первый раз, что ли?

Высказались и сотрудники Грязнова из МВД, работавшие вместе с Николаем Герасимовым по шоу-бизнесу. И общее мнение было такое: надо попробовать. Правда, сам начинать никто не хотел, и получалось так, что взгляды большинства обращались на Климова, хотя старшим по званию здесь сейчас был Герасимов — полковник милиции. Ему вроде бы предоставлялось и последнее, решающее слово.

— Я думаю, — хмуро высказался Сергей Никитович, которому эта новая «находка» была хуже горькой редьки — к его-то настроению, если уж быть до конца справедливым, — что в данный момент этот вопрос уже решается на уровне заместителя генерального прокурора и Вячеслава Ивановича. Давайте не будем торопиться, а подождем, что скажет начальство. Выполнять-то все равно придется... А вот то, что надо передать эти сведения Турецкому, по-моему, это — бесспорно...

Грязнов задержался у Меркулова недолго. Вернувшись в кабинет Турецкого, он оглядел всех и спросил:

— Ваш вывод? — обращаясь ко всем сразу.

— Надо работать, — мрачно кинул Климов.

Остальные завздыхали и закивали, а что оставалось говорить?

— Ну и правильно, — «успокоил» их Грязнов. — Тогда не теряем времени, занимаемся — каждый по своей программе. Климов и Герасимов ориентируют остальных. На время моего отсутствия за старшего — Сергей Никитович. Такое решение только что принял Константин Дмитриевич. Ему и заниматься письмом. С вашей помощью. Все свободны. Климов, останься.

— Давай, Штирлиц, — улыбнулся Коля Герасимов, шутливо похлопав Сергея по плечу.

— Ну ты понял? — непонятно о чем спросил Грязнов, когда они остались одни.

— Если об анонимке — да, а если об авторе, то нет, — хмуро ответил Климов.

— Слушай, ты чего? Кило лимонов натощак сожрал, что ли? — возмутился Вячеслав Иванович. — Или?.. Погоди, погоди! — вдруг насторожился он. — Я, кажется, понял... Марина, как я и предсказывал, на хрен тебя послала, да?

— Если б на хрен... — еще больше помрачнел Климов.

— Значит, не удержался... — констатировал Грязнов. — Знаешь, ты кто? А! — Он отмахнулся рукой. — И молодец! И правильно сделала! Умница! Только так идиотов и нужно учить! Ай, молодца-а!.. — словно даже обрадовался он. — Ах, какая женщина! Чудо! Только таким му... чудакам, как ты, не дано природой это понять. Так тебе и надо!.. Все, сняли вопрос и больше к нему не возвращаемся. Твое настроение — это исключительно твоя личная забота, Сергей. И если отразится на работе... Если дело, которое ты должен сделать в течение суток, ты из-за своего, понимаешь ли, настроения растянешь на неделю, я тебя выгоню. Со всеми вытекающими, понял? — уже сурово закончил Грязнов.

— Не отразится, — твердо ответил Климов.

— Отлично. Я сейчас убываю. Связь с Саней — на тебе. Сегодня же постарайся у него выяснить, кто из близких Морозова может в настоящее время проживать в Москве? Дальше дело техники, под твою ответственность. А узнать ты можешь это, обратившись к Малининой, хоть, возможно, тебе это и неприятно. Ничего, перетерпишь. Ну, собственно, и все. Иди покури в коридоре, мне надо тут пару звонков организовать. Я позову, когда освобожусь, и дам последние указания.

И когда Климов вышел, плотно притворив за собой дверь, Вячеслав Иванович вытащил записную книжку, полистал, нашел и набрал номер городского телефона.

— Малинина слушает, — услышал он ровный и спокойный голос.

— Здравствуйте, Марина, это Грязнов. Извините, если я оторвал вас от срочных дел, у вас найдется для меня три минутки?

— Здравствуйте... Вячеслав Иванович, я вас слушаю, можете не торопиться, у меня небольшой перерыв.

Короткая пауза между «здравствуйте» и его именем, понял Грязнов, понадобилась Марине для того, чтобы решить для себя, как его называть — по имени, как в ресторане, или полностью, с претензией на официальность? Крепко, значит, обидел этот дурак хорошую женщину...

— Спасибо, Мариночка, — вернулся к недавнему «прошлому» Грязнов. — Я, собственно, хотел сказать вам несколько слов, нет, не в утешение, уж вас-то утешать не надо, вы — сильная и вообще прекрасная женщина, только дураки этого не знают. Я нынче уезжаю, а вернусь не раньше чем через неделю. И потому мной движет в первую очередь, уж простите старика, конечно, эгоистическая мысль. Тут появилось кое-что новенькое, анонимка пришла. И я подумал, что, возможно, вы могли бы оказать нам еще раз со своей стороны небольшую, но очень важную помощь. Однако в этой ситуации, которая... Ну, короче говоря...

— Вячеслав Иванович, не стесняйтесь. Я вас глубоко уважаю, и на любую помощь с моей стороны вы, как и Александр Борисович, можете полностью рассчитывать. Вы это хотели услышать?

— И это тоже, Мариночка! — словно обрадовался выходу из тупика Грязнов. — Но не только.

— А что еще?

— Марина, — как бы решился Грязнов, — можно я не буду темнить, а назову вещи своими именами?

— Разумеется.

Ему показалось, что она улыбнулась.

— Тогда я рискну и скажу вам всю правду, ладно? — И продолжил, не дожидаясь ответа: — Девочка вы моя милая! Я, по правде говоря, полностью в курсе всех последних событий. Больше того, этот дурак явился ко мне за советом, как ему быть, проводя опознание? Я, как мог, объяснил ему, к чему эта его дурь может привести, он выслушал, согласился и, разумеется, поступил по-своему...

— Вячеслав Иванович... — сделала она попытку прервать его.

— Мариночка, лапушка, уж простите старику многословие, дослушайте, а там делайте выводы, я же вас ни к чему не принуждаю, дорогая моя! Ну, короче, провел он свое опознание, обнаружил-таки ту дамочку, Зою Воробьеву, что была у Морозова утром, накануне Нового года, и эта улика дала Сане прекрасные возможности развернуть уже свой поиск в Нижнем Новгороде. Теперь то, что касается вашей фотографии. Я осудил, причем довольно резко, его желание представить на опознание и ваше фото. Но он был по-своему логичен и, кстати, почему-то уверен в той консьержке. Верил, что она не страдает аберрацией памяти. И тем не менее частично мое предсказание сбылось, потому что только идиот мог не предвидеть последствий. Причем, прошу заметить, уже предупрежденный мной идиот. Знаете, что я ему сказал? Я сказал, что он может поступать как хочет, и, если бы дело касалось не конкретно вас, а кого-то постороннего, я бы не возражал и только приветствовал. Но уж если ты решился, тогда засунь свой честный язык в собственную, извините, задницу! В противном случае вы его немедленно выгоните к чертовой матери. Или дадите по роже, что тоже будет с вашей стороны вполне справедливо и им заслужено. Точнее, не «или», а «и». Вот так я ему и сказал. Финал мне стал известен только сегодня, час с небольшим назад.

— Вячеслав Иванович...

— Да что ж вы так официально? Разве мы поссорились с вами?

— Ну хорошо, Слава... Я хочу, чтобы вы поняли истинную причину такой моей реакции... Я думала, что со смертью... с его смертью, умерло и прошлое, но оказалось, что оно ядовито напомнило о себе. И это безумно больно...

— Если вы были наблюдательны, Марина, а я уверен, что уж в чем, в чем, а в этом вам никак не откажешь, то вы наверняка заметили, что мы с Саней именно так и поняли, когда вы потребовали, чтобы Сергей передал нам эти чертовы письма. Ну и когда вы к нам подошли потом, на улице уже, возле машины, помните? Лично мне, скажу вам откровенно, как раз очень понравилось именно то, что вы отнеслись к письмам трезво и спокойно, умница, так и надо!

— Спасибо. Приятное утешение... А может, я и сама запуталась...

— Вот и давайте попробуем немного распутать, а дальше, как говорится, само покатится, — обрадовался Грязнов. — Мариночка, я сегодня уезжаю, а он остается руководителем нашей бригады. Но за последние три дня он умудрился сделать лишь то, на что еще неделю назад у него уходило максимум полчаса, понимаете? И мне на этого дурака, честно говоря, противно смотреть — какая-то сопля ходячая.

— Но я...

— Марина, еще буквально два слова, хотя я понимаю, что вам это, возможно, неинтересно слушать. Но уж потерпите, мы ж если и увидимся, то теперь нескоро, а может, и вообще никогда, кто знает. Я повторяю, он поступил, как полнейший идиот, не просчитав последствий, в смысле вашей абсолютно справедливой и логичной реакции. Но это был, хоть мне и неприятно именно вам так говорить, абсолютно честный шаг с его стороны, если отбросить ненужные эмоции. И то, что сделал, и то, что сам же вам и рассказал. Понимаете, есть среди казаков, я их многих знаю, вот такие честнейшие до идиотизма экземпляры. Ну до того честные, что аж противно! И Сережка — из этих, редких уже на земле, индивидуумов. Сам будет мучиться и других мучить, но чтоб все у него всегда было по-честному. Я не буду давать вам советов, но сам бы на вашем месте просто дал бы ему по морде — смачно, со всего маху, чтоб у него в ушах неделю, а то и всю оставшуюся жизнь перезвон стоял! Ну и...

— Что «и»?

— А то вы не знаете? Эх, девочка, с нашим братом иначе нельзя, поверьте мне... И последнее... Если бы я уже не влюбился в вас, я никогда не дал бы вам такого совета, можете мне верить. Впрочем, Саня наверняка разделил бы мою точку зрения, если был бы сейчас рядом... Марин, а может, вам все же стоит еще разок рискнуть? Предварительно сделав то, что я предложил? В плане... хм, его физиономии? И я бы спокоен был, и у вас бы настроение поднялось, а мы бы потом, когда-нибудь, собрались да и посмеялись вволю, а?

— А почему бы вам... Слава, не воспользоваться удобным случаем и самому не сделать мне предложение, от которого я бы не смогла отказаться?

— Ах, душа моя... — вздохнул Грязнов. — Десяток годков назад даже и не задумался бы. А теперь я воспринимаю ваш вопрос как добрую, дружескую шутку и благодарю за то, что вы слишком высокого обо мне мнения.

— Ну хорошо, Слава, будем считать, что вы меня уговорили. Наверняка он где-то там, у вас, болтается?

— А я его в коридор выгнал, чтоб не мешал, даю честное слово, что он ничего не знает о моем звонке к вам.

— Вам я верю, — просто ответила Марина. — Тогда скажите ему, что он может мне позвонить. Ну а уж вашим-то предложением я воспользуюсь с наслаждением!

— Ах, молодчина! Ах, умница! Нет, таких женщин уже и не осталось... А новых не делают. Целую ваши ручки, дорогая, и...

— И до встречи, Слава.

Грязнов положил запотевшую трубку на место, укоризненно покачал головой, вздохнул безнадежно и вышел в коридор. В конце его, упершись лбом в оконное стекло, сутулился Климов. Вячеслав Иванович позвал его и, когда они вернулись в кабинет, сказал, кивнув на телефонный аппарат:

— Ты это... позвони сейчас Марине Эдуардовне... насчет родственников посмотрите там, я разговаривал, она обещала помочь.

— Прямо сейчас? — В голосе Сергея прозвучала надежда.

— Ну а когда же еще? — уже раздраженно ответил Вячеслав Иванович. — А теперь я пойду покурю, черт возьми...

Когда он возвратился в кабинет, Климов, глупо улыбаясь, сидел с телефонной трубкой в руке, и из нее доносились громкие короткие гудки — похоже, уже давно.

— Ты чего сияешь, как тульский самовар? — ухмыльнулся Вячеслав Иванович.

— Понимаете, Вячеслав Иванович, — изумленно и растерянно ответил Сергей, — мне сейчас пообещали всерьез начистить рыло, и мне это чрезвычайно понравилось... Вы разрешите отбыть раньше времени на... э-э.. экзекуцию?

— Только совершеннейший идиот может спрашивать разрешения по такому исключительно замечательному, как выражается Санина дочка, поводу! Лети, конечно... Эх ты, сокол ясный...

Последнее было уже сказано вслед захлопнувшейся двери.

## Глава пятая

## ВОЛЖСКИЕ СТРАДАНИЯ

### 1

В тот вечер, когда Турецкий с Романовой уезжали из Москвы в Нижний Новгород, а Грязнов традиционно провожал Саню, у того со Славой на перроне состоялся такой разговор. Даже и не очень серьезный, скорее шутливый, как приятельская подначка.

Галка Романова наблюдала из окна коридора, как мужчины, облаченные, естественно, в форменные утепленные куртки с генеральскими погонами, курили у вагона и, поглядывая искоса на нее, о чем-то явно сплетничали и при этом хитро улыбались. Определенно говорили про нее, думала Галя и с душевным томлением чувствовала, как горячая краска заливает ее лицо. Но спасительный полумрак вагона оберегал от насмешек этих злодеев — уж она-то знала, какими противно язвительными бывают эти дружки-приятели в некоторых ситуациях. Им только попадись на язычок!

Вспомнила, как сегодня, да вот же всего каких-то полчаса назад, в вагоне метро, когда ехала на вокзал, она машинально заглянула через плечо белобрысой, «сопливой» соседки в растрепанную книжку, которую та с упоением «поглощала глазами», не обращая внимания на толчки соседей и рывки вагона. Одной только случайно вырванной из текста фразы — «бедное девичье сердечко затрепыхалось пойманной птичкой в грубых лапах ненавистного насильника» — хватило на то, чтобы Галя с неожиданным для себя восторгом и невероятным трудом удержалась, чтобы прямо тут же не разрыдаться от хохота. Пришлось даже протолкаться к выходу, а потом пропустить два поезда, чтобы успокоиться.

Но сейчас, наблюдая за мужчинами, одного из которых она искренне обожала, даже больше родного отца, а о втором боялась и мечтать в своих тревожных ночных полусонных видениях, Галя вдруг сообразила, что та глупейшая строчка из наверняка пошлого «дамского» романа вполне могла обрести жизненную силу. Нет, не в смысле «лап насильника», тем более «ненавистного»! Сашенька — так она тайно позволяла себе самой называть любимого наставника, с которым удавалось работать вместе далеко не так часто, как хотелось бы, бывал и жестким, и упрямым, и добрым, и даже нежным, но всегда держал себя в руках и не позволял ничего лишнего. А так хотелось, так мечталось иной раз, чтоб он хоть немножечко расслабился и позволил себе...

Ну конечно, они о ней говорят! Ишь какие физиономии хитрющие! Дядя Слава — тоже, разумеется, по-домашнему — изображает строгого инспектора нравов и дает наставления своему дружку, как следует вести себя в вагоне наедине с молодой и красивой девушкой. А Санечка выглядит этаким... гоголем, который только и ждет, чтобы запереться с Галкой в купе, и тогда он покажет, на что способен! Вот уж когда действительно «затрепыхается бедное девичье сердечко»... «Ой же ж шо буде, шо буде!..» — едва не запричитала она, невольно копируя свою знаменитую, но уже покойную тетку, Александру Ивановну Романову, бывшую начальницу МУРа.

«Стоп! Хватит дурью мучиться!» — приказала себе Галя. Достаточно опытная в оперативной работе и совершенная бестолочь, как она себя определяла, в житейских отношениях, не говоря уже о любовных, она в нормальных рабочих ситуациях чувствовала себя как рыба в воде. Но сейчас составлялся, прямо сказать, необычный, даже чрезвычайный вариант. Вдвоем с тайно любимым мужчиной — всю ночь вдвоем! И чтоб — ни-ни? Господи, да какое ж сердце такое выдержит?! Это ж каким ледяным камнем надо быть?! А ведь о похождениях и «подвигах» Сашки некоторые оперы, знавшие его в молодые годы, как, впрочем, и дядю Славу тоже, чуть ли не легенды рассказывают, да еще с перчиком! А в общем-то Сашенька и сейчас совсем не старик, полсотни еще не разменял — значит, в самом соку... Ну а дядя Слава — постарше, это и видно по тому, как погрузнел, полысел, но... тоже про перчик не забывает! Ох, взрослые шалуны...

То ли они все необходимое уже сказали друг другу, то ли замерзли, но, несмотря на то что до отхода поезда осталось около семи минут, оба ввалились в купе, и Грязнов достал из кармана большую фляжку коньяка. Отвинтил крышку и подал Турецкому:

— Начинай, а то завезете меня на край света.

— Сам давай!

— Не, Саня, как говорится, за сказанное!

— Ну как скажешь. — Турецкий поднес горлышко ко рту, остро и жарко как-то взглянул на Галку, которая почувствовала, что сейчас просто сомлеет, и отхлебнул. — Фу, хорошо, значит, поехали. На!

Грязнов сделал то же самое, потом завинтил крышку и поставил фляжку поближе к окну, чтоб не упала со стола при толчке вагона. А Галке строго погрозил пальцем:

— Следи за ним, не давай ему распускаться и вообще соответствуй, ясно? На тебя вся надежда. И еще это... — Грязнов помахал перед ее носом растопыренными пальцами. — Чтоб без фигли-мигли, понятно? Прилично себя ведите. А то знаю, я — долой, поезд поехал — и сразу ля-ля, тополя! Галя, — он постучал пальцем по столу, — с тебя особый спрос. Это только кажется, что он почти вдвое старше, имей это в виду. Все, ребятки, я пошел. Пока.

Грязнов взял Галю за зарумянившиеся по неизвестной причине круглые щечки, подтянул ее голову к себе и поцеловал. Турецкому просто пожал руку, поднялся и ушел. Александр вышел его проводить.

Поехали.

Турецкий не торопился возвращаться в купе. И пока его не было, Галя скинула сапоги, распустила тяжелый узел пышных черных волос, разбросала их по плечам и, посмотрев на себя в зеркало, сделала неожиданный вывод о том, что дядя Слава, наверное, не зря кидал тут недвусмысленные намеки. И про возраст, и про особую ответственность... «Ой, да неужели так заметно, что я по уши втюрилась?! Стыдно-то как, господи!.. И дядя Слава это увидел и потому пальцем грозил?.. Ну ничего, разберемся, — успокоила она себя и устроилась полулежа на постели, сунув под локоть подушку, как какая-нибудь восточная одалиска. — Вот сейчас придет, пусть поглядит...»

В купе шумно вошел Саша, скинул куртку, повесил ее на крючок, сел напротив и, опешив, открыл рот. Но глаза его сверкнули, как у голодного кота при виде сосиски:

— Ты чего это расселась, как невеста в ожидании женишка? — словно бы через силу ухмыльнулся он. — Рано еще, рано... Знаешь, что Ирка сказала, когда узнала, что мы с тобой вдвоем едем в командировку? Хочешь, скажу?.. Я Славке сейчас рассказал, он чуть не свалился с перрона!

Галя почувствовала, будто у нее что-то резко сжалось под сердцем. Но Саша ничего не замечал.

— Она говорит: наконец-то я могу быть совершенно за тебя спокойна! Галя — умная и рассудительная женщина. Она за тобой проследит, чтобы ты там не сорвался, как обычно. И сама никогда не попадется на твои жалкие уловки! Единственная из всех твоих знакомых женщин, кому я полностью доверяю, говорит, — это ваша Галочка Романова! Точная копия замечательной тети Шуры! Вот! Неплохо, да?

У Гали все замерло внутри окончательно. Даже голова пошла кругом. И Турецкий только теперь соизволил заметить, что с ней что-то не в порядке.

— Эй, мать, ты чего? Плохо, что ль? Ну-ка быстренько отхлебни глоточек! Этого нам с тобой еще не хватало!

Вмиг он пересел к ней, отвинтил пробку у фляжки и поднес горлышко к Галиным губам. Осторожно, чуть запрокинув ей голову, он влил в рот, ну, может, не больше столовой ложки коньяку. Но Галя все равно закашлялась. А он, пошарив в карманах, достал шоколадную конфетку, развернул ее и сунул девушке в рот. Потом легонько дунул на нее, щелкнул по кончику носа и заговорил, держа ее голову у себя на сгибе локтя и ласково поглаживая ее по щекам и густым волосам:

— Очнись, спящая красавица!.. Прынц уже на подходе!.. Нет, ну ни фига себе, Галка, ты чего удумала?! Не пугай меня, пожалуйста! Если от каждого комплимента в обморок падать, так надо работу бросать... А потом, я тебе по совести скажу, — продолжал он балагурить, — если серьезно, то Ирка права только в первой части своей характеристики. Это где про ум, рассудительность. Тут я с ней полностью солидарен. Но там, где она утверждает, будто ты никогда не поддашься на всякие мои уловки? Нет, здесь Ирка, по-моему, неправа. Ну сама скажи, разве ты устоишь, если я вот прямо сейчас рухну перед тобой на колени, страстно обхвачу твои замечательные ножки, от которых у меня уже столько лет голова кружится, расцелую их, а потом преданно загляну в вишневые твои очи и, прежде чем утонуть в них, успею прошептать: «Милая, хорошая, красивая, ну помоги, спаси мою душу, давай дернем по рюмашке, а? И потом хоть трава не расти!»... Как? Еще не проняло?

Галю заколотило в нервном смехе, что Турецкий немедленно и охотно прокомментировал:

— Я ж говорил, что пациентка скорее жива, чем наоборот. А ты знаешь, Галка, я заметил, что для профессионального врача вообще не существует людей, он видит одни диагнозы. А я, может, потому, что не врач, и людей вижу, и в некоторых диагнозах тоже разбираюсь. Вот, например, ты... Нет, тут Славка уже первым сказал свое слово. Она, говорит, к тебе, разумеется, неравнодушна. Это про тебя и про меня. Мягко, я считаю, сказано, но правильно. Потому что я — большой начальник, который, уже по определению, просто обязан купаться в обожании своих сотрудниц. А знаешь, что он мне еще на перроне выговаривал? Он мне кулаком грозил, если я с тобой чего-нибудь такое. А знаешь, какой у него кулак?

Понимаешь теперь, как мне страшно? А так хотелось... этого «чего-нибудь»...

Саша уложил ее голову на подушку, пересел на свою постель, задумчиво подпер кулаком подбородок и не мигая уставился на нее страдальческим взглядом.

— Вы все ненормальные, — почти плачущим голосом воскликнула Галя. — Ну как вы можете? Как у вас совести хватает обсуждать то, в чем вы совершенно не разбираетесь?! Прям кобели какие-то!

— Успокойся, — тихо сказал Саша, — ни Славка, ни я не желали тебя обидеть, солнышко ты наше. Я ж развеселить тебя хотел, ну, может, не совсем удачно получилось, извини. Хочешь, поцелую?

— Хочу! — упрямо воскликнула она.

И они стали целоваться — с упоением, вкусно, взасос, причем Галка обхватила его шею обеими руками и с такой силой притиснула к себе, что Саша едва не задохнулся, и только чисто мужское мужество и значительные предыдущие тренировки помогли ему выдержать это сладкое испытание.

Оторвавшись, он мешком отвалился на свою постель и с совершенно осоловевшим выражением на лице произнес сакраментальную фразу, которую потом ему придется повторять неоднократно, но от этого она не истреплется и не станет банальной:

— А Ирка-то, оказывается, была неправа...

Позже пришла проводница, странно внимательным взглядом посмотрела на двоих пассажиров спального купе, явно неженатых, но более чем просто знакомых, забрала билеты, деньги за постели, которые, махнув Гале рукой, оплатил Турецкий, после чего попросил принести крепкого чаю, мотивируя тем, что все остальное у них уже есть. И когда она вышла, закрыв за собой дверь, добавил как бы безотносительно к чему-либо:

— Даже сладкие поцелуи вместо казенного сахара.

Вот только теперь Галочка поняла, что обожает именно эту босяцкую, хулиганскую манеру поведения Сашки, его пусть неглубокие, несерьезные, но в то же время абсолютно искренние чувства к ней, его какую-то генетическую, что ли, словно подкожную нежность к женщине вообще и безумно притягательный взгляд, который может буквально все перевернуть в той, которая, на свою беду, — или на радость? — полюбит его...

И она сказала себе: «Ну и пусть, все равно, хоть час, а мой... Наверное, приятно представляться в чьих-то глазах умной, хорошей и кругом положительной, но гораздо лучше ощущать себя утонувшей в объятиях милого...» А кроме того, эта фраза о неправоте Ирины Генриховны (Галя даже в бреду не решилась бы назвать ее Иркой, вот «Сашка» могла бы произнести и вслух, но только наедине, а про его жену — никогда) очень согрела ее сугубо женское самолюбие. Вот ведь одна фраза, а сердце действительно «затрепыхалось»...

Когда они покончили с легким ужином, составленным из вкусных припасов обеих сумок — его и ее, под коньячок и чудесное полусладкое вино, припасенное, оказывается, Сашей специально для нее, она попросила его хотя бы в общих словах ввести ее в курс расследуемого дела. О нем она толком и не слышала, поскольку Вячеслав Иванович сказал ей: «Успеешь ознакомиться...» На это Турецкий отдернул занавеску на окне с ее стороны и сказал:

— Тест на находчивость. Что ты там видишь?

Галя всмотрелась в темноту, которую пересекали редкие огни, подумала, наморщив упрямый свой и девственно чистый лобик, обрамленный пышной гривой освобожденных волос, и ответила:

— Вижу ночь.

— Логично. Молодец! — обрадовался Саша. — И какие из этого проистекают выводы?

Она уже поняла его логику, ведь не один десяток дел расследовала под его рукой, в недавние еще времена нередко влипая по неопытности и азарту в такие ситуации, из которых ее не без труда вытаскивали все те же верные друзья-приятели. Потому и соображать научилась, и слышать не только то, что говорилось вслух, но что чаще всего стояло за сказанными словами.

— Я бы ответила, да ты покраснеешь, — сказала с улыбкой и стала ожидать его реакцию.

Не-ет, поняла чуть запоздало, чтоб Турецкий покраснел, это ж надо случиться поистине невероятному.

— Ну раз так, я поднимаю брошенную мне перчатку. И вот мои условия: бой до последнего... вздоха. Никакой халтуры и подмены подлинных чувств суррогатами. Грязнов сегодня не раз перевернется... в этом самом, но, видит Бог, я не виноват, мне брошен вызов. Ты-то сама соображаешь, чем рискуешь?

— Только честью! — с вызовом и еле сдерживаясь от смеха, произнесла Галка и демонстративно закинула ногу на ногу, уведя в нужном ей направлении пристальный взгляд Александра.

Он загляделся на открывшийся перед ним «натюрморт», задумался и, смешно шмыгая носом, изрек:

— Вот видишь, ты абсолютно логична и в мыслях, и... в позах. Так на кой же хрен тебе, извини, Галчонок, когда за окном темно, а все возможные чувства, соответственно, обострены и это... воспалены, — короче, зачем тебе на ночь глядя и ввиду приятных перспектив еще и какое-то уголовное дело, когда для этого есть целое завтра? Я не понимаю женской логики. А ты... понимаешь?

— Не-а, — созналась она и снова, уже с откровенным вызовом, перекинула ноги, словно предоставляя ему возможность обнимать их, целовать и... чего он там нес дальше?

И случилось то самое — невероятное: Турецкий вдруг смутился, причем стыдливо, как юная девица. Пряча взгляд и отворачиваясь к окну, он скороговоркой пробормотал:

— Галка, не хулигань, по попке нашлепаю...

—Ах так? — заявила она. — Значит, ты считаешь, что мы выпили по рюмочке-другой и занялись пошлым вагонным флиртом?!

— А чем же еще? — Он попытался, глядя в окно, еще сохранить серьезную мину, что у него не получилось, и лицо расплылось-таки в улыбке.

— Поздно, Саша, — с наигранным злорадством ухмыльнулась Галя, — прозевал ты свою точку возврата, когда еще мог дать задний ход или хотя бы попробовать как-то оказать сопротивление. А теперь вызов брошен, и перчатка поднята. — Она протянула к нему обе руки и закончила: — Иди ко мне, дуэлянт! И чтоб ты утром не мучился душой, запомни, Санечка: они все абсолютно неправы, это я тебя люблю, хочу, а значит, и сама отвечаю за себя...

## 2

Поезд прибывал рано, было еще темно. Но когда Турецкий открыл глаза, с удивлением увидел сидящую напротив Галю, одетую, причесанную, красивую и с чашкой горячего чая в руке.

— Есть еще сорок минут, — сказала она. — Я выйду, одевайся.

— Зачем? Просто отвернись...

— Все, Александр Борисович, — улыбнулась она, — мой праздник кончился.

Она поставила чашку и вышла из купе. А он полежал еще минуту, соображая, и стал быстро одеваться. «Сытыми» своими мыслями пришел к выводу, что, возможно, Галка права, во всяком случае, она сама взяла на себя инициативу, и теперь он должен быть ей за это только благодарен. Нет, ну а почему все хорошее должно так быстро кончаться? Словно ничего и не было... Ах, ну да, работа же! Любимые галеры, будь они трижды прокляты!

Он сходил умыться, а когда вернулся, увидел на столе чашку горячего чая и бутерброд с ветчиной. Галя с улыбкой смотрела на него.

— Ты чего смеешься? Я что-то не то делаю? Неприлично себя веду?

— Нет, просто жду ваших указаний, шеф. Я могу вас так в дальнейшем называть?

— Шеф тебе — Славка, а я... А кто я тебе, действительно?

— Не морочь себе голову. Хватит того, что у одной девушки уже голова поехала. Не было ничего... — Она будто нарочно повторила его собственные мысли, так подленько иной раз облегчающие душу. — Мне еще на тебя не хватает свои заботы вешать... И вообще, мы — на «вы». Я жду инструкций.

— Будут вам, — он язвительно подчеркнул, — инструкции, Галина Михайловна. Но сначала расскажу об общей ситуации. Это ничего, что я буду говорить и чай пить?

— Я для этого и приготовила вам, шеф. Ведь в гостинице придется это делать уже самому, так что пользуйтесь в последний раз.

— Ну, знаешь! Я сам свинтус порядочный, но и ты та еще язва!.. Итак, слушай...

На перроне у вагона их встретил милицейский майор — высокий и стройный молодой еще человек, в камуфляжной утепленной куртке и шапке с поднятыми ушами, но в форменных брюках и обычных ботинках. Вероятно, поэтому он и приплясывал от холода, а руками в перчатках растирал оттопыренные красные уши.

Майор представился, поздоровались. Оказывается, Вячеслав вчера же позвонил сюда и предложил руководству местного ГУВД встретить москвичей. Вот майор и прибыл с машиной, но поезд почему-то опоздал на двадцать минут, а сегодня морозно и сильный ветер из Заволжья, и он успел порядком замерзнуть. И чтобы дальше не коченеть, он решил не затягивать знакомства и попытался поднять сумку Турецкого, стоящую возле его ног, — как же, начальство! Но Александр Борисович ее не отдал, а глазами показал на Галину сумку:

— Женщине лучше помогите...

А сам подумал: «Учить их надо элементарной вежливости, этих молодых...»

Два одноместных номера для них приготовили в новой гостинице, естественно названной «Волгой», на одном этаже, напротив друг друга. Это было удобно. Турецкий посмотрел на Галку, та чему-то улыбалась.

— Что-то не так? — спросил он, хмурясь.

— Наоборот, все отлично. Мы сразу в управление?

— Если ты... э-э... вы не хотите принять душ и позавтракать?

— С вами — без вопросов, — хитро прищурилась она. — Наверное, форму для первого раза надо надеть, да?

— Думаю, не помешает. Владислав Иванович, — обратился он к майору, — где у вас тут можно перекусить? А вы с нами кофейку, что ли, выпейте, согрейтесь.

— Буфет имеется хороший. Вам как, основательно или?..

— Скорее «или», — подсказала Галя, взяла сумку и отправилась в свой номер.

Через двадцать минут они встретились в буфете, расположенном на их же этаже. Майор Копытин уже сделал заказ, и, как только они сели за стол, подошла официантка с подносом. Омлет, поджаренная ветчина, салатики из свежих овощей — то, что надо. Ну и неплохой кофе-экспрессо. За завтраком разговорились.

Этот майор оказался заместителем начальника Управления уголовного розыска, как раз тот, кто и нужен был Гале. С ним ей и предстояло работать. И контакт между ними, что с долей ревности тут же отметил Турецкий, начал как-то слишком уж быстро устанавливаться. Ну а если всерьез, то майор просто глаз не сводил с Галиного лица, с ее изящной головки, отягощенной крупным узлом волос цвета воронова крыла, как говорят в народе. «Какие же они шелковые и потрясающе душистые были сегодня ночью!..» — мелькнуло у Турецкого, и он даже глаза прикрыл, чтобы не выдать своих саднящих душу чувств. А отлично пошитая форма с капитанскими погонами, плотно, почти в обтяжку, сидящая на ее тугой, тренированной, спортивной фигуре, — видел Александр Борисович — могла свести с ума и не столь молодого человека. «Галка в своем репертуаре, — тщетно пытаясь избавиться от уколов ревности, продолжал размышлять Турецкий. — И как же это она ухитряется так лихо влюблять в себя мужиков? Ничего ж не говорит, а как улыбнется загадочно, так те становятся послушными телятами, готовыми выполнить любую ее просьбу, любое поручение... Тоже метод...» Тем более что и помощники ей обязательно понадобятся. Себя самого он теперь как-то слегка отодвинул в сторону. Они еще в вагоне договорились, что Галя возьмет целиком на себя всех знакомых двух семей — Морозовых и Воробьевых. И для этого ей придется поднять с помощью сотрудников Управлений уголовного розыска и экономической безопасности максимум материалов на широкий круг неизвестных еще следствию лиц, которые могли либо участвовать в подготовке и совершении уголовного преступления, либо оказаться его, пусть даже случайными, свидетелями. И все это «перелопатить», начиная чуть ли не со школьных времен фигурантов и по настоящее время. Огромный объем. Себе же он оставил две перессорившихся, как предполагалось, семьи и... Зою, которая являлась, по признанию Климова, «крепким орешком».

Владик, как без всякого намека на панибратство с ходу стала называть майора Копытина Галя, а тот прямо-таки светился от удовольствия, сообщил, что начальник ГУВД, генерал-лейтенант Лопатин, уже прикрепил его к команде Турецкого в качестве помощника по оперативной работе.

— Это ничего, что капитан будет командовать майором, как вы считаете, Владислав Иванович? — шутливо спросил Турецкий и, прежде чем тот успел ответить, по одному его облегченному вздоху понял, что о лучшем начальнике для себя Копытин не мог и мечтать.

— Ведь не звание определяет... необходимость проведения тех или иных действий... со стороны оперативника, да? — попытался по-своему сформулировать ответ майор.

Но тут Галя поощрительно улыбнулась Владику, и майор окончательно растаял. А Турецкий едва не уронил на свои генеральские брюки чашку с горячим кофе. Лукавый взгляд Галки, мельком брошенный ему, отчасти успокоил. Но лишь отчасти. «Черт знает что творится! — почти уже рассердился он. — Нет, пора кончать... То есть начинать, естественно!.. Дело, дело прежде всего!..»

— Ну тогда мы так и поступим, — серьезным тоном заговорил Турецкий. — Я попрошу вас забросить меня сейчас в областную прокуратуру. Я переговорю с Бубновым. Вы не в курсе, Петр Петрович на месте?

— Так точно. Генерал Лопатин вчера при мне с ним разговаривал.

— Отлично, я договорюсь о предоставлении нам помещения и транспорта, соответственно, а вы с Галиной Михайловной приступайте с Богом. Если еще кто-то понадобится, не стесняйтесь обращаться, мы быстро решим этот вопрос. То же самое касается и необходимых документов для проведения следственных мероприятий, вы понимаете? Постановлений там, прочего...

— Так точно.

— Галина Михайловна, а вы потом объясните майору, что в неофициальной обстановке мы называем друг друга запросто и на «ты», хорошо?

— Будет сделано, Александр Борисович, — пряча улыбку, ответила она. — Сколько я должна за прекрасный завтрак?

— Иди одевайся, да потеплее, пижонить сейчас нет никакой нужды, ты ж захватила комбинезон? А в юбчонке своей ты просто закоченеешь. Вон посмотри на Владислава — парень только-только отогрелся. А здесь я сам разберусь. — И Турецкий, увидев официантку, поднял руку. Та кивнула.

Областной прокурор Петр Петрович Бубнов отнесся к приезду Турецкого совершенно спокойно, хотя обычно в подобных ситуациях приезд представителя Генпрокуратуры такого ранга невольно вызывал у местных правоохранителей понятные опасения. Даже с определенной теплотой отнесся, как к доброму коллеге. Во-первых, потому что этот приезд ничем лично ему грозить не мог. Дело об убийстве Морозова, давно уже покинувшего Нижний Новгород, но по-прежнему бросавшего некий отсвет своей яркой популярности на местную общественную жизнь, расследовала Москва. А Нижний в этом расследовании — словно сбоку припека, не больше. А вовторых, Бубнов был лично знаком с Александром Борисовичем, и просто поговорить, вызнать последние новости из жизни хитрых коридоров верхних этажей известного здания на Большой Дмитровке с первым помощником генерального прокурора — ну когда еще такая возможность представится?

Он и вышел навстречу Турецкому, словно к дорогому гостю. Сказал улыбающейся, моложавой еще секретарше, чтобы та принесла в кабинет... — «Чаю? Кофе?..» — и никого не пускала к нему, ни с кем не соединяла в течение ближайшего получаса.

Александр Борисович понял, к чему такая таинственность. Слухи, слухи! Ну конечно, опять ведь заговорили, что в верхнем эшелоне появились новые идеи по поводу главы главного прокурорского ведомства, и в общественное сознание вновь стали вбрасывать фамилии известных питерских законодателей, якобы планируя перестановки, сильно напоминающие бдения известных «пикейных жилетов». Они постоянно появлялись, эти новые слухи, иногда повторяясь, чаще сходя на нет, будто где-то в глубинах кремлевских кабинетов кто-то постоянно прикидывал свои собственные возможности, кидая пробные шары.

Турецкий как это понимал, так и привык относиться — без всякого интереса. Но если народу любопытно — а Бубнов и не скрывал этого, — отчего ж не поделиться? Тем более что обсуждения и прикидки подобного рода решительно ни к чему тебя потом не обязывают, но старые контакты помогают восстановить во всей их необходимой полноте...

Результатом дружеского трепа было то, что Петр Петрович, едва только зашла речь о необходимом помещении для Турецкого и его команды, немедленно распорядился выделить «старшему помощнику генерального прокурора» кабинет своего заместителя Ершова, который в настоящее время находился в очередном законном отпуске — купался в теплых морях, омывающих легендарный остров Кипр. Живут же люди!

Кабинет был просторный и светлый. Бубнов приказал принести туда со склада еще один сейф — специально для Турецкого. А своей секретарше Екатерине Георгиевне дал указание, чтобы в кабинете Турецкого постоянно находилась в рабочем состоянии кофеварка с соответствующим антуражем. Он знал, что Александр Борисович страстный кофеман, и решил сделать ему приятное. Затем он «прикрепил» к Турецкому на все время командировки служебный автомобиль Ершова — «Волгу», правда, пока без шофера, чему Турецкий даже обрадовался — лишний человек в салоне совсем ни к чему. Словом, обласканный со всех сторон, имея в виду Петра Петровича и его старающуюся выглядеть максимально эффектно для своего возраста секретаршу, Турецкий устроился возле телефона, налил себе чашку свежезаваренного кофе и приготовился набрать номер квартиры Морозовых.

Этот номер передал ему Слава Грязнов, который встречался с родителями Леонида в Москве и имел с ними продолжительную, но абсолютно безрезультатную беседу.

Тайно от них беседа была Грязновым записана на магнитофон, и он передал кассету Александру, чтобы тот прослушал запись на досуге, проанализировал и нашел какие-нибудь собственные ходы, способные разрушить поистине крепостное — от слова «крепость» — молчание Морозовых по поводу тех моментов, которые как раз и могли приоткрыть для следствия завесу над тайной убийства Леонида.

Турецкий прослушал запись еще в Москве, а теперь, собираясь договориться о времени вызова семьи Морозовых в прокуратуру, хотел послушать и поразмышлять над первой беседой еще раз. Впрочем, по правде говоря, грязновская беседа тоже была не первой, до него с ними беседовал, но так же безуспешно, Сергей Климов. И решительно ничего не вынес. Только искреннее, или кажущееся искренним, удивление, растерянность и никакой конкретики по поводу причин убийства. Такое ощущение, что родители понятия не имели, чем занимается их единственный сын и кому пришла в голову сумасшедшая, бредовая идея лишить его жизни. А ведь если судить по их несколько замедленной реакции в ответах на задаваемые им вопросы, которая вполне могла бы сойти и за естественную реакцию на ужасную весть, то создавалось впечатление, что они все-таки что-то знают, но тщательно скрывают от любопытных следователей.

Такая позиция была уже известна Турецкому. Иной раз близкие люди покойного, за которым, по их разумению, могли бы числиться определенные грехи, теперь, когда «вопрос» с «грешником» трагическим образом «закрылся», считают, что ворошить прошлое незачем. Если и был покойный в чем-то виноват, то он уже понес наказание, так зачем же теперь возвращаться туда, где ничего, кроме новых неприятностей, ожидать не может? И молчат, будто набрав в рот воды.

Так что же сделать, чтобы они либо проглотили эту воду, либо выплюнули ее?..

Может быть, появилась у Турецкого мысль, они «играли в молчанку» по той причине, что разговоры с ними до сих пор велись сдержанные, продиктованные чувством понимания их горя, в мягком, щадящем их нервы ключе? А надо было поставить вопрос ребром. Ну, к примеру, заявить: раз вы не собираетесь сотрудничать со следствием, помогать раскрытию преступления и наказания виновных, хотя это исключительно в ваших интересах, мы вынуждены обратиться к широкому кругу возможных свидетелей, но тогда уж не сетуйте и не обессудьте, если всплывет на поверхность то, что не принесет вам ни успокоения, ни уважения родных и знакомых. Ведь определенно есть причина, по которой они что-то тщательно скрывают. Но почему?

Или то, о чем они рассказывали, не перебивая друг друга, в замедленном ключе, — это действительно единственное и выстраданное их мнение? Так чего тебе еще надо, следователь? Но в любом случае при очередном допросе можно будет испробовать оба варианта подхода — и мягкий, и жесткий. А если ни тот ни другой не дадут результата, значит, говорить им действительно нечего и не стоит зря себе голову ломать. И пойти другим путем: допросить семью Воробьевых. Вот именно, сперва родителей, а следом — сразу — Зою. Но так, чтобы они не пересеклись в стенах прокуратуры. Правда, это уже дело техники. Сделать, например, так, чтобы с Зоей начала беседу милая и тактичная Галочка, которая очень хорошо умеет располагать к себе запирающихся в своих показаниях свидетелей. И чтоб она только задавала мягкие и неопасные вопросы, совершенно не касаясь некоторых уже известных следствию фактов. В частности, утреннего пребывания Зои в квартире Леонида в день его гибели. Не надо трогать эту тему, она найдет себе нужное место, но позже. А потом, без перерыва, продолжить уже достаточно жесткий допрос самому Александру. Резкая перемена настроения может сбить свидетельницу с ее, не исключено, заранее отработанной позиции. Наверняка, чтобы скрыть свою ненависть к бывшему жениху, Зоя прикинется несчастной овечкой, которую обманул любимый. Кто — козел? баран? Странные ассоциации лезут в голову, подумал Турецкий. Вот и пусть Зоя их развеет... А для этого ей придется популярно объяснить «тупому следователю», зачем она примчалась на кладбище, но к гробу даже и близко не подошла? Что за цель у нее была?

Или, как слышал однажды Александр Борисович, когда ему рассказали о похоронах одного известного общественного деятеля, на которые явилось бессчетное количество народу. Кто-то из посторонних спросил: неужели его — в смысле покойного — любило и уважало столько народу? И получил ответ: нет, все они его терпеть не могли, а явились сюда, чтобы окончательно убедиться, что он уже никогда не вылезет из-под могильного камня. И так ведь бывает...

Однако предположениями, не подкрепленными фактами, сыт не будешь. И Александр Борисович набрал на сотовом телефоне номер Гали Романовой. Она откликнулась быстро:

— Слушаю, Александр Борисович.

— Галчонок, у нас уже есть собственная служебная жилплощадь. Можешь вызывать своих свидетелей в прокуратуру, в кабинет Ершова, это зам Бубнова. Есть сейф и все остальное. Теперь просьба к тебе. Я сегодня буду работать с Морозовыми, а завтра хочу вызвать Воробьевых. Ну о том, как проведем допросы, мы еще вечерком договоримся. Но в этой связи к тебе у меня просьба. Если я не сильно ломаю твои собственные планы, постарайся собрать информацию в первую очередь именно на Воробьевых. Кроме того, срочно нужна приемлемая фотография Зои. Ну а потом уже будешь работать с остальными. Не возражаешь?

— Я постараюсь, Александр Борисович.

Галя ответила так, что Турецкий понял: там она не одна. Есть еще кто-то, перед кем она не хочет демонстрировать своих товарищеских отношений с шефом. Ну и пусть, молодец. А вот теперь можно позвонить и Морозовым.

— Вы тоже хотите допросить нас с женой? — сухо спросил Борис Петрович.

— С вами до сих пор просто беседовали. Ну, там, записывал следователь на магнитофон, вы знаете. А теперь я вынужден допросить вас. И готов немедленно выслать вам с курьером повестку явиться в прокуратуру. Либо вы с супругой приезжайте сюда сами. Это недалеко, я знаю. Как руководитель следственно-оперативной группы, расследующей уголовное преступление, я обязан это сделать даже по чисто формальным причинам. Как у вас со временем?

— Может быть, вы к нам подъедете, раз уже знаете адрес?

— Вы с супругой себя плохо чувствуете? Вам нужен врач?

— Нет, не до такой степени, — словно чего-то испугался Морозов. — Но я не уверен, что вы услышите что-то новое...

— Позвольте мне решать этот вопрос. Итак? Может быть, за вами прислать машину?

— Это был бы лучший вариант, — сразу согласился Морозов.

— Хорошо, я сейчас решу этот вопрос.

Турецкий перезвонил снова Романовой:

— Галка, извини еще раз. А где этот твой влюбленный майор? Далеко?

Возникла пауза, видно, Галя приходила в себя от такой наглости любимого шефа.

— Он рядом, — ответила она ровным голосом. — Нужен?

— Да. Понимаешь, какое дело? Машина у нас с тобой уже есть, но без шофера. А государственный советник юстиции не может позволить себе в качестве водителя заехать к Морозовым, чтобы привезти их на допрос в прокуратуру. И отвезти потом домой. Вот какая неловкая ситуация. Может, у Владика кто-то есть? Или он сам сделает одолжение? Ты не спросишь? Это тебе удобно?

— А я сейчас передам ему трубку, вы сами и попросите, Александр Борисович. Вряд ли вам откажут.

— Я слушаю, Александр Борисович, — услышал он тут же.

Турецкий, мысленно отчитывая обнаглевшую Романову, объяснил ситуацию Владиславу Ивановичу, и тот, записав адрес, заявил, что выполнит указание с удовольствием, благо они с Галиной Михайловной находятся фактически рядом с прокуратурой.

— Благодарю вас, Владислав Иванович, а теперь, будьте любезны, передайте еще разок трубку Романовой.

— Я слушаю? — «пропела» Галя.

Выдержав паузу, Турецкий спросил:

— Он уже уехал?

— Кто? А, да.

— Ну, Галка! Я тебе этого не прощу!

— Честное слово? — почти шепотом, но с откровенной иронией спросила она.

— Можешь быть уверена!

— Привыкайте, Александр Борисович, — так же тихо ответила Галя. — Как у нас простой народ говорит? Не все коту масленица, слыхали?

— Я тебе обещал, и, кажется, совсем недавно, по попке нашлепать! Этого, надеюсь, не забыла?

— Увы, опоздали, с тех пор я уже выросла. Пожалуйста, дорогой шеф, не мешайте работать, а то вы у меня шиш получите вместо информации...

## 3

Вечером, ужиная вместе с Галей и Владиславом в ресторане гостиницы, Александр Борисович стал делиться своими впечатлениями от довольно долгого но, как оказалось, не совсем бессмысленного допроса Морозовых.

Поначалу они почти дословно повторили все то же самое, что уже рассказывали Климову и Грязнову. Ну с небольшими отступлениями и объяснениями тех или иных причин, из-за которых напрочь разрушилась некогда крепкая дружба двух близких семей.

Основной причиной разрыва, даже теперь, после трагической гибели сына, Морозовы считали черную зависть некогда ближайших своих друзей. И тут роль рассказчицы взяла на себя Наталья Ильинична Морозова. Если вспомнить, то в прежних допросах ведущим был Борис Петрович, а его супруга больше отмалчивалась. Правда, до тех пор, пока у Климова не возник интерес к ее конкретной литературной работе. Это естественно и понятно. А теперь Наталья Ильинична, как показалось Турецкому (впрочем, аудиозапись тем не менее сделана и подтвердит столь неожиданный поворот мыслей Морозовых), с неожиданной горечью поведала, что прямыми виновниками гибели своего сына они оба считают семью Воробьевых. У них нет прямых доказательств, но родительские чувства ведь не обманешь!

Турецкий спросил: на чем основана их такая твердая уверенность, ведь не может же подозрение в убийстве — это же не обман, не кража и даже не предательство! — возникнуть на пустом месте? Значит, должны просматриваться и какие-то мотивы преступления, пусть тщательно замаскированные, незаметные внешне, но воспринимаемые обостренной интуицией пострадавших, — не так ли? Согласились, но объяснить свое выражение: «Мы просто сердцем чувствуем» — не смогли либо не захотели. Странно, скрывать-то им вроде нечего теперь. Все, включая смерть сына, уже в прошлом.

Это было бы понятно, если бы Морозовы втайне готовили какой-то акт мести. Но, судя по их душевному состоянию, они уже думали не о возможной мести, а о том, как дожить самим оставшиеся годы. Оба супруга, хотя и приобрели определенную известность в соответствующих кругах, а их выходящие в свет труды еще пользуются спросом, на самом деле приблизились к тому порогу, за которым родители вообще должны уже больше полагаться на заботу детей, нежели на собственные силы. А их сил, подорванных трагедией с сыном, похоже, уже не хватало, чтобы продолжать вести достаточно суровую, в общем, борьбу за существование в привычном уже для них статусе, да и просто за выживание — жизнь-то известно какая нынче...

И вот тут, продолжал свой рассказ Турецкий, возникло то, из-за чего, собственно, и мог разгореться первоначальный межсемейный конфликт, приведший к такому финалу. Что здесь было первично, Александр Борисович еще не разобрался, но надеялся узнать это из того розыска, которым и занималась Галя. А суть вот в чем.

На определенном этапе Морозовы обогнали Воробьевых — это очевидно. Профессорские должности у одного и другой, в литературе и в электротехнике. Кроме того, печатные труды, постоянные публикации, уважение коллег и прочее. Воробьевы вроде бы отстали на том, среднем, этапе, однако быстро наверстали упущенное время, но уже, как говорится, за счет административного ресурса. Елена Воробьева стала заведующей кафедрой и со временем как бы «тормознула» «любимую подругу Наташу». Аккуратно, элегантно, улыбаясь при этом и рассыпаясь в комплиментах по поводу новых публикаций. А по мелочам — гадила. Но особенно конфликт стал заметен, когда между их детьми — Леонидом и Зоей — вдруг образовался разрыв. Примерно то же положение сложилось и на кафедре электротехники в Политехническом университете. Там власть взял в свои руки Сергей Воробьев. И Борис это вскоре почувствовал, что называется, на «своей шкуре». Например: «Вам не кажется, Борис Петрович, что от вашего усиленного внимания к собственным публикациям несколько страдает качество лекций для студентов? Не кажется, нет?» И все — в издевательском тоне, в присутствии тех же студентов...

Формально они продолжали здороваться, что называется «раскланиваться», но уже не дружили, как прежде, и длилась такая неопределенная ситуация до начала осени прошлого года, когда разрыв отношений между их взрослыми уже детьми стал конкретным и необратимым фактом.

Ну бывает, что детско-юношеская влюбленность, прерванная расстоянием, дает трещину. Глупо надеяться, что можно что-то склеить, уповая лишь на то, что ребятишки были такими милыми в детстве и родители их, особенно мамаши, не чаяли баюкать по очереди общего внука или внучку. И что на что повлияло больше, оставалось пока только догадываться — ссора родителей на разрыв между Леонидом и Зоей или, наоборот, их разрыв отношений — на возникшую пропасть между Воробьевыми и Морозовыми. Последние в этом отношении темнили. Интересно, что теперь скажут Воробьевы? Ведь если судить по ответам Зои, зафиксированным Климовым на магнитофон сразу после похорон, то ничего, кроме глубокой неприязни, если не сказать хуже, Воробьевы не могли испытывать ни к «изменщику», ни к своим бывшим зазнавшимся друзьям, по словам Зои превратившимся в «жлобов». Правда, именно жлобства, как такового, если понимать этот термин из воровской «фени» буквально, как завистливую, сволочную жадность, Турецкий у Морозовых не заметил. Но может быть, надо для этого знать людей дольше и глубже? Что ж, пусть тогда господа Воробьевы и объяснят подробно и убедительно, какая кошка пробежала между бывшими друзьями.

— Вам не кажется, Александр Борисович, что они могут отказаться отвечать на ваши вопросы? — спросила Галя. — Не впрямую: мол, не желаем, и точка, а разведут тягомотину, где ни факта, ни зацепки. У нас ведь им предъявить пока нечего.

— А я сейчас и не стану с ними встречаться. Я заставлю их поволноваться. Знаешь как? — И увидев заинтересованные глаза Гали и Владислава, продолжил: — Я сделаю так, чтоб они знали, что я уже кружу вокруг них. Пока ты станешь заниматься молодежной компанией... Да, кстати, Морозовы продиктовали мне шесть фамилий — это те самые неразлучные друзья, которыми в свое время гордилась их школа, а уж тем более родители. Вот они. — Турецкий достал листок с фамилиями и прочитал: — Ну, само собой, Леня Морозов и Зоя Воробьева. Затем Олег Вольнов и Вадим Рутыч, а также Лиля Бондаревская и Аня Воронцова. Неразлучная шестерка. Вольнов якобы был и остается влюбленным в Аню Воронцову, а Рутыч, соответственно, гуляет с Бондаревской. И все дети, включая уже известных нам, — из очень хороших, интеллигентных семей. Владислав, вам эти фамилии не приходилось слышать?

— Надо будет посмотреть, Александр Борисович. Сделаю.

— Прекрасно. Вы посмотрите, отыщите к ним концы, а Галя найдет способ познакомиться и поговорить с ними. Все это, повторяю, предварительная работа... Так, на чем я остановился?

— Вы сказали, Александр Борисович, — усмехнулась Галя, — что до поры до времени станете кружиться над стаей Воробьевых, подобно черному ворону, предвестнику несчастья!

Копытин рассмеялся, глядя на Романову влюбленными глазами. Черт возьми, что делается?! И этот пропал... Нет, Галку нельзя спускать с поводка, решил Турецкий, но улыбку сдержал с трудом.

— Правильно. Итак, я поеду в Политехнический, переговорю с ректором, потом с некоторыми студентами, потом зайду к Сергею — как его там? — Ивановичу Воробьеву на кафедру и стану расспрашивать его долго и нудно о Борисе Петровиче Морозове. А после проделаю ту же операцию в Педагогическом, где кафедрой русского языка заведует Елена Воробьева. И тоже — по единой схеме. Обо всем, что касается Натальи Ильиничны Морозовой. Шумок и там, и там разойдется быстро. Воробьевы, которых я не стану расспрашивать о них самих и их личных отношениях с бывшими друзьями, забеспокоятся — они же умные люди и должны понимать, что первый помощник генерального прокурора России не станет приезжать к ним в город, чтобы расспросить, о чем думают родители погибшего журналиста, верно? Ведь ему же проще отправиться к самим родителям. Но он почему-то этого не сделал. А почему? Вот и пусть поволнуются, пока мы с тобой, ну и с помощью Владислава, не допросим друзей нашей несостоявшейся парочки. И только тогда я вызову к себе Зою, которая, на мой взгляд, знает больше, чем кто-либо другой, об этой семейной трагедии Морозовых. И на все про все у нас, ребятки, имеется не больше трех, максимум четырех дней. Вот таков план наших следственных мероприятий. Это ничего, что я их вам за столом в ресторане изложил? А не в официальной обстановке?

— План вполне, — высказалась Галя.

А Владислав только пожал плечами:

— Сочту за честь поучаствовать в расследовании, Александр Борисович, под вашим руководством, можете полностью на меня рассчитывать.

— Ну и отлично. А вообще, я вам скажу, друзья мои, нет ничего неприятнее и бесперспективнее при расследовании уголовных преступлений, чем разборка семейных отношений. Это какой-то сумасшедший лабиринт, где выясняется в конце концов, что правы решительно все. Как и виноваты.

— Лабиринт, говорите? — усмехнулась Галя. — Но тогда уж не семейный, а скорее смертельный?

— Так считаешь? — Турецкий испытующе посмотрел на Галю. — Значит, ты предполагаешь, что надо ожидать следующих подобных акций?

— Нет, я не это имела в виду, хотя ожидать от озлобленных людей можно всего, чего угодно, не мне вам напоминать.

— Может быть, ты и права... Вернемся еще к данному вопросу. Да, еще раз напоминаю о фотографии Зои. Не исключаю, что есть у кого-то из ее подруг. Или в школе, где обожают сохранять фотографии своих лучших учеников. В паспортном столе милиции... Короче, думайте. Завтра, кровь из носу, мы должны отправить ее факсом в Москву, там из-за этого опознание задерживается.

— Александр Борисович, а случайно в семейном архиве Морозовых Зоиной фотографии оказаться не может? Наверняка ведь любимые дети фотографировались.

— Умница! — почти выдохнул Турецкий. — Как же я сам-то не допер, господи? Завтра же позвоню им!.. Ага, понял: я же видел перед собой врагов Воробьевых! И в этом была моя ошибка. Итак, друзья мои, начинаем действовать строго по нашему плану прямо с утра. А теперь вы свободны, оставьте меня, старика, одного, я еще посижу, покумекаю, что к чему, и пойду спать. Устал что-то, — бросил он, не глядя на Галю, полагая, что та сама должна понять.

Еще бы не устать, если он перебрался на свою койку в вагоне только в шестом часу утра, чтобы тут же обрушиться в сон... «А как же она? — пришла запоздалая мысль. — И выглядит, словно свежий персик! Вот что такое молодость...»

— Спасибо за ужин, — улыбнулась Галя, вставая и с нарочитым вниманием, даже участливо, глядя Турецкому в глаза. — Если вам сегодня что-то понадобится — лекарство, скажем, от головной боли или снотворное, — я у себя, стучите, не стесняясь. Я из Москвы на всякий случай захватила. Вячеслав Иванович посоветовал, зная вашу утомляемость в последнее время. Пошли, Владик...

«Вот же язва! Ишь ты, как она! И этот — Владик он уже у нас!..» — Турецкий набычился и, подозвав официанта, попросил принести ему еще рюмку коньяку и двойной кофе, а также счет за ужин. В лекарствах, разумеется, не было никакой нужды, но вот позвонить Грязнову следовало, интересно же, что у них в Москве делается? Обнаружили еще что-нибудь?..

Разговор со Славой не занял и получаса. В основном он касался версий, разрабатываемых оперативниками, и в них серьезных подвижек не было.

Славка, в свою очередь, интересовался, естественно, как развиваются события в Нижнем. Но интересовали его, вероятно, не сами события, а то, что сопутствовало им. Недаром же он, словно невзначай, несколько раз повторил вроде бы и несущественный вопрос: «Ну а как вы?» — чем даже немного разозлил друга Саню. Но Турецкий своего раздражения демонстрировать не стал, а, напротив, повторял, что все хорошо, что доехали отлично, встретили прилично, поселили знатно, словом, кругом приятно. Славка засмеялся, что это Саня стихами заговорил? Не к добру. Рассказывают, что еще великий вождь и учитель говорил, что от хорошей жизни стихи не сочиняют...

Вот так пошутили и расстались — до завтра. Но только Александр Борисович положил трубку, как раздался звонок уже к нему. Звонила Галя, поинтересовалась, действительно ли он себя нехорошо чувствует? «Совесть проснулась-таки...» — подумал Турецкий и спросил, в свою очередь, как себя чувствует она и ушел ли уже Владик? Это имя он произнес с таким неподражаемым сарказмом, что и дурак бы понял. А Галя, он же сам недавно утверждал, была умницей.

— Ну, Александр Борисович, — жалобным голосом заговорила Галя, — ну зачем вы его так? Отличный парень. У него, кстати, замечательная семья — красивая жена и маленькая дочка. А он просто счастлив, что ему довелось работать с самим Турецким, вы понимаете, о чем я говорю? Когда еще такая честь выпадет? Вот он и светится. Ему помочь надо, а не иронизировать.

— По-моему, он считает за честь работать не со мной, а с тобой, — возразил уязвленный Турецкий.

— Нет, у вас определенно что-то не в порядке с головой. Сейчас я занесу-таки вам таблетки, и если вы уже улеглись и закрылись, то откройте на минутку дверь.

А он еще и не думал ложиться, какая удача!

Галя вошла, она была в длинном халате, перетянутом по талии тугим пояском. Волосы распущены по плечам. А дальше произошло как-то все само собой, словно спонтанно, независимо от них обоих. Ключ, вероятно, сам повернулся в двери, Галя тихо ойкнула от неожиданности, откинув назад голову, потому что вмиг попала в жесткое кольцо рук Александра, а ее губы оказались полностью в его губах. А потом она почувствовала, как взмывает в воздух и летит, летит, плавно опускаясь на что-то мягкое, вздрагивая и вскрикивая от его стремительных поцелуев, обжигающих ее груди, плечи, шею... И — пронзающая все ее напряженное, сильное тело жаркая судорога...

Позже она словно очнулась, выкарабкалась сознанием из той эйфории, в которую ее опрокинул Саша, и подумала, что такое сумасшествие их обоих до добра не доведет, и надо что-то придумывать, возводить какие-то искусственные препоны. Но для проявления любой самостоятельности следовало, по крайней мере, сперва хотя бы выбраться из его объятий, что оказалось делом не простым.

— Ну отпусти, милый... И вообще сдерживай себя немного, не растрачивайся так... бесстрашно...

— А ты-то сама можешь?

— Я — другое дело... Я тебя люблю. И мне этого вполне достаточно. У меня ни перед кем нет обязательств.

— Ишь ты какие мы трезвые — умные! А что мне делать, если я тебя начинаю уже зверски ревновать ко всякому столбу?

— Просто перестать, — улыбнулась она. — Поверить в то, что я действительно люблю тебя, и принимать это как данность... Ну ладно, милый, отпусти меня. И ты здорово устал, и я, сознаюсь тебе, весь день думала только об одном: как добраться до подушки. Ты же знаешь, архивные дела — не по мне, хотя надо, ничего не поделаешь. А ты выпей таблеточку снотворного, я тебя разбужу, не проспишь завтрака...

— Галчонок, я все понимаю, но что мне делать?

— Вот таблетка, вот вода. — Она поставила на тумбочку стакан и положила бумажку с таблеткой. — Выпей и спи. И не думай обо мне плохо.

— Ты с ума сошла! — Он даже привскочил.

— Мы оба сошли, — улыбнулась она, перетягивая свой халат поясом. — Пора возвращаться в суетную жизнь, дорогой. Закрой потом дверь...

По поводу фотографии Зои Воробьевой Галя оказалась права. Когда утром, уже явившись в свой кабинет в прокуратуре, Турецкий, еще не отпуская Галю и явившегося спозаранку Копытина, позвонил Морозовым и спросил по поводу возможных фотографий, Наталья Ильинична, подумав немного, ответила:

— В принципе, я полагаю, с этим вопросом особых трудностей не будет. Если желаете, приезжайте сами, я дам вам наши семейные альбомы, где они запечатлены во всех возрастах... — Морозова всхлипнула. И тут же поправилась: — Не обращайте внимания, это естественно... — Есть... конечно, есть... Рука не поворачивается...

Турецкий понял, на что не поворачивается ее рука. И спросил в свою очередь:

— А если подъедет моя сотрудница, вы не будете возражать? Она очень милая и сердечная женщина, прекрасно понимает ваше горе и не станет раздражать ненужными вопросами.

— Ради бога, конечно... Да, я уж, если вы позволите, тогда передам с вами мою новую книгу о Серебряном веке для вашего коллеги, его зовут?.. — Морозова говорила достаточно громко либо слышимость в телефонном аппарате была хорошая, но и Галя, и Копытин фактически слышали каждое слово.

— Сергей Никитович Климов, вероятно? — подсказал Турецкий.

— Да-да, именно он... я обещала.

— Я в курсе, Наталья Ильинична. Он был в восторге от краткого разговора с вами. Разумеется, передам ему с удовольствием.

— Да-да, это так странно — видеть в наше время, по сути, милиционера, увлекающегося антропософией Штейнера, я ушам своим не поверила. Значит, тяга к настоящей культуре еще в нашем обществе осталась, не правда ли?..

Мадам села на своего конька. Турецкий, чуть отстранив трубку от уха, посмотрел на Галю, улыбнулся ей:

— Я полностью разделяю ваше мнение. Хотя образованный офицер милиции сегодня далеко не редкость. Я уж не говорю о прокуратуре...

Галя фыркнула в кулачок. Закончив разговор, Турецкий подмигнул ей и посоветовал:

— Только, ради бога, не вступай с этой теткой в философские дискуссии. Особенно если она коснется творчества Андрея Белого.

— А кто это? — серьезно спросила Галя. — Что-то слышала, но не помню. А ты слышал, Владик? — Она обернулась к Копытину.

Тот отрицательно и чуточку виновато покачал головой.

— Так, ребятки, с вами все ясно, — теперь засмеялся Турецкий. — Короче, не вступай! Делай серьезное лицо, чтоб на нем отражалась суровая законность и... прочая необходимость.

— А чего вы усложняете, Александр Борисович? Разве просто по-женски ей нельзя посочувствовать? Мое прямое дело, между прочим, не книжки писать, а бандитов и убийц ловить. Пусть-ка сама попробует! Культуры им в массах не хватает... Действительно жлобы, — проворчала она.

— Снобы, Галочка, — поправил Турецкий, — это не то же самое. В общем, выбери два-три фото, желательно, как ты понимаешь, последнего времени. С возвратом, естественно. И — по подругам! Владислав, вся надежда только на вашу поддержку.

И он перехватил брошенный Галей благодарный взгляд.

## 4

— Другого такого подонка, такого отъявленного мерзавца, — прямо и без каких-либо угрызений совести заявила Елена Федоровна Воробьева Турецкому, — белый свет не видывал!

— Это вы, надо понимать, о Леониде Морозове? — Турецкий изобразил удивление.

— А о ком же еще?! — возмутилась Воробьева.

— Но я, если изволите помнить, спросил вас совершенно о другом. Я хотел узнать ваше мнение о Наталье Ильиничне, вашей любимой подруге на протяжении долгих лет. А о сыне ее у нас с вами пока разговора не было.

— Слушайте, не морочьте мне голову! — голосом суровой и ненавидимой учениками классной наставницы возгласила она. — Кому нужны наши отношения с этой великосветской стервой?

— О каком свете вы говорите? — Теперь уже Турецкий изобразил искреннее изумление.

— Слушайте, вас Москва сюда прислала уголовным делом заниматься или всякие сплетни собирать? Плевать мне на них, так же как и им наплевать на нас. Ну как же, они же господа! Белая кость, голубая кровь! Они труды издают! Они высокими материями интересуются! А наше свинячье дело — учить сопляков писать без орфографических ошибок, не сморкаться в занавески и вообще правильно вилку в руке держать!

И вот тут Александр Борисович наконец заметил за громкой, даже грубой бравадой мелькнувший в глазах этой солидной, неприступной дамы огонек страха. Даже и не огонек, а словно отблеск чего-то. И подумал, что в семейном соперничестве далеко не все так просто, как представлялось. Поссорились дети — ну и что? Оказывается, как во всяком лабиринте, здесь имеются и свои ложные ходы, приманки, запутывающие того, кто решился бы разобраться в хитросплетениях этого древнейшего из сооружений.

— Вам не кажется, что вы делаете попытку примитивизировать ваши отношения с семьей Морозовых, вместо того чтобы помочь мне разобраться в тех причинах, которые привели к трагическому событию?

— А в чем вы это видите? — быстро спросила Воробьева.

— Сперва я хочу выяснить, что произошло между вами — многолетними друзьями не разлей вода. А уже потом выяснить причину ссоры ваших детей. И не повлияло ли первое на второе. Реальный вариант, как вам представляется?

— То есть вы хотите сказать, что это мы, родители, виноваты в том, что наши дети оказались врагами? Послушайте, разве это не чушь?

— Ничуть. Примеров — тысячи. Даже близких, вероятно, вам, из области художественной литературы — как со знаком плюс, так и с минусом. Надеюсь, Шекспира цитировать не будем?

— Не стоит, — понизила она тон.

— Прекрасно, уже в одном мы пришли к согласию. А как они, Морозовы, относились к возможному браку вашей дочери и их сына?

— Отвратительно!.. Нет, пока они оставались нормальными людьми, у нас конфликтов не было. Но потом!.. Ну как же, они ведь у нас в городе такие-разэтакие! Сын — звезда телевидения! А тут какая-то девчонка — провинциалка, санитарка! Ха! Неравный брак! Мезальянс — ах! ах!.. Какая, к черту, старая дружба?! Какие родственники?! Вон — из сердца! Вон — из дома! А то, что живой человек, молодая, нежная девушка, может свое здоровье загубить, — это никого не волнует! Кому они нужны — эти селяне?!

— Ваш монолог впечатляет, — спокойно отреагировал Турецкий, — но насколько он справедлив? И не напрасно ли вы занимаетесь перед незнакомым, в сущности, человеком таким самоуничижением?

— Если вас не устраивает, то зачем вы пришли? Не нравится мой тон, поговорите с Сережей... С Сергеем Ивановичем. Он спокойней, чем я, отнесся к этой грязной истории. А девочку мою я вам трогать не разрешу! С ней уже беседовал следователь в Москве, достаточно. Еще есть вопросы? А то у меня через полчаса лекция, я должна успокоиться и подготовиться.

— Благодарю вас, — сказал Турецкий, выключая стоявший на столе между ними диктофон. — Я воспользуюсь вашим советом... А кстати, — снова незаметно включая свою технику, спросил Александр, — вы не напомните, когда ваша дочь в последний раз ездила в Москву? На сами похороны, я правильно понял ее ответ нашему следователю? Ну то есть фактически в день похорон, да?

В глазах Воробьевой снова — мог бы поклясться Турецкий — что-то сверкнуло.

— По-моему, да. Зоя была не в себе. Можете и сами понять. Что бы там у них в последнее время ни произошло, а ведь дружили, без малого, всю жизнь... Бедная девочка... — Она достала аккуратно сложенный носовой платочек и, не разворачивая его, промокнула глаза.

— А до того, то есть до похорон, она не ездила к нему? Может, договориться хотела? Что-то выяснить для себя окончательно, нет?

— Вы знаете, Москва близко, ночь езды, а у Зои в клинике постоянные дежурства, когда она не ночует дома, так что узнать... нет, я не в силах уже контролировать ее. Спросите сами. Вряд ли ездила. Скорее всего, нет. А зачем? Что еще после их последнего ужасного разговора оставалось бы неясным?

— Вот вы все время упоминаете какой-то «ужасный» разговор, но сути его не раскрываете. Так, может, пора? Может быть, в нем именно и кроются причины убийства?

— Вы с ума сошли?! — ужаснулась Воробьева, причем совершенно искренне. — Вы подозреваете Зою?! Это же бред! Он заявил, что не просто не любит свою нареченную, а ненавидит ее! Господи, за что?! За какие вины несчастного ребенка?!

— Ну успокойтесь, Зоя уже далеко не ребенок. А потом, я не могу подозревать человека, не имея реальных доказательств его вины. Но вы себя поставили в неловкое, мягко говоря, положение. Теперь я просто обязан допросить вашу дочь. Хотя вы просили этого не делать, пожалеть Зою. Вот к чему приводит ненужное умолчание. Я оставлю вам повестку, а Зоя Сергеевна, когда придет домой, пусть немедленно свяжется со мной, и мы назначим удобное для нас время. А теперь, если вам нечего больше сказать по существу заданных мною вопросов, я готов освободить вас от своего присутствия. Разрешите воспользоваться вашим телефоном. Я хочу позвонить вашему мужу, чтобы немедленно отправиться к нему для уточнения ряда вопросов.

Воробьева была явно растеряна, но старалась не подавать вида, что волнуется. А Турецкий со знанием дела изображал из себя тупого и упертого чиновника, правда, высокого ранга. Что не меняло дела. Однако он зафиксировал в памяти, что во время их не такой уж и короткой беседы несколько раз звонил телефон, но Елена Федоровна, поднимая трубку, слушала что-то, коротко отвечала: «Извините, я занята, позже» — и опускала трубку на аппарат. И всякий раз после этих манипуляций становилась как бы все задумчивей и с некоторой опаской поглядывала на явно нежелательного гостя. Вероятно, речь шла о нем, понял Александр Борисович.

Сергей Иванович, в противоположность супруге, был тих и скорбен. Так вот как он выглядел, гроза кафедры, да и всего факультета, несгибаемый и резкий профессор Воробьев! А все остальное в его поведении — это мимикрия, вынужденная быть пущенной в ход, вероятно, после звонка супруги. Наверняка же позвонила, чтобы предупредить, что конкретно интересует московского следователя. Ну и, наверное, соответствующую характеристику этому «дубарю» из Генеральной прокуратуры выдала. Значит, сейчас профессор будет сдерживать подступающие к горлу рыдания...

Он отвечал медленно, словно исполненный горя, с трудом подбирал нужные слова. Это касательно вопросов о дочери. Но когда Турецкий переключил его на отношения с Морозовыми, тут горю уже не нашлось места. В голосе наконец-то загремело ожидаемое негодование. Это они во всем виноваты!

Короче говоря, суть разногласий — по Воробьеву — заключалась в том, что Морозовы настраивали своего сынка против Зоеньки — несчастной, страдающей девочки. И вот наконец Александр Борисович услышал, почему Зоя несчастна. И это действительно оказалось серьезным фактом. Она была беременна от Леонида. И долго таила прекрасную новость, рассчитывая, что он поймет ее и наконец будущий ребенок соединит их сердца. Но... увы, она глубоко и трагически ошиблась. Узнав о беременности, молодой Морозов пришел в негодование и потребовал, чтобы она немедленно сделала аборт, потому что только тогда у них могут восстановиться какие-то отношения. Он не собирался связывать себе руки и ноги этим хомутом — ребенком. Зоя плакала, но он настаивал. И она решилась... Из-за любви к нему. И что же? После того как, бледная и несчастная, она явилась в Москву, Леонид, этот сукин сын, просто выставил ее из своей квартиры, сказав, что у него теперь другая жизнь и, соответственно, другая любовь! Зоя безумно страдала, пытаясь узнать, кто ее соперница, но неожиданно для себя обнаружила, что «любовь» вообще для него понятие, лишенное смысла, потому что этот разнузданный кобель каждый день приводил к себе новых и новых женщин! Зоя вернулась домой совершенно убитая таким предательством и хотела вскрыть себе вены, но они с женой сумели вовремя остановить ее руку. Можно ли после этого уважать такого человека? Вопрос сколь риторический, столь же и требующий однозначного ответа. Так о чем говорить?

Этот факт несколько, мягко говоря, менял дело. Турецкого интересовало, где именно Зоя делала аборт и мог ли кто-нибудь из врачей подтвердить этот факт? Воробьев был лаконичен:

— Вопрос к Зое, если она захочет с вами разговаривать.

— Захочет, — ответил убежденно Турецкий.

— Да? — позволил себе усомниться профессор, чем свел к нулю свое тщательно обыгрываемое горе. И вдруг, видимо, понял, что невольно прокололся. Нахмурился, стал растирать пальцами виски. Качал головой, словно в глубочайшем раздумье, и наконец подвел итог:

— Возможно... Наверняка вы правы... Как это ни отвратительно, но правосудие требует правды, верно?.. Что поделаешь, даже если она и очень неприятная... болезненная... А кому хочется выставлять на всеобщее обозрение свое белье? Увы... Надеюсь, я ответил на все ваши вопросы?

— Почти. Если у меня появятся новые, я их вам непременно задам, Сергей Иванович... Значит, горшок об горшок? Я — о Морозовых.

— К великому моему сожалению. Я не терплю предателей. Ненавижу взрослых, обижающих детей. Категорически не терплю заносчивых «везунчиков», которые ухитряются совершать собственные «открытия» за чужой счет. Масса должна работать, горбатиться, а он станет изрекать истины! Между прочим, говорят, великая Римская империя погибла именно по этой причине. Наглые философы, носители «свободного и тонкого ума», забыли, кто они и откуда. Рабы и варвары им напомнили. Раз и навсегда.

И последняя эскапада прозвучала у него как твердое убеждение.

Это могло быть простым совпадением, но во время и этого разговора Воробьеву несколько раз тоже звонили, и он отделывался, как и его супруга у себя в кабинете, в пединституте, короткими «занят», «извините», «позже» и при этом поглядывал на Турецкого. Интересно, кто ж его все-таки «пасет»? А может, дочка? Которой не терпится узнать результаты бесед родителей со следователем? Впрочем, нетерпение понятно. А вот насчет аборта придется потрудиться Галочке — предмет весьма щепетильный, и уж никак не Турецкому с его грубыми ногами врываться в такую тонкую материю...

## 5

Во второй половине дня фотография Зои Воробьевой, выкадрированная из группового снимка, на котором оказалась запечатленной вся веселая компания счастливых друзей, перешагнувших четвертьвековой рубеж своей жизни, была передана по факсу в Москву.

Была скопирована и вся фотография, и сделаны отдельные портреты каждого участника этой фотосъемки. Вопрос с Морозовым был уже предельно ясен, с Воробьевой — пока примерно, а с четырьмя остальными требовалось разбираться. Из них в Нижнем Новгороде находилась Аня Воронцова, которая работала в той же клинике, что и Зоя.

Подружки закончили вместе медицинский институт, а после, вероятно не без помощи родителей, их пригласил к себе в Кардиологическую клинику академик Лев Бергер. То есть Аня была под рукой. Вот с ней проще всего было и выяснить все, что касалось аборта Зои.

А из ребят в Нижнем остался один Олег Вольнов, который, закончив Инженерно-физический институт, работал теперь в местном, «закрытом» НИИ, занятом разработкой новейших видов военных технологий. Военно-промышленный комплекс в Нижнем Новгороде всегда был на высоте.

Что касается Лилии Бондаревской, то она, как удалось выяснить Гале, закончила Институт иностранных языков в Москве и работала теперь в группе переводчиц МИДа. А последний из «шестерки», Вадим Рутыч, отучившийся на юрфаке Нижегородского университета, устроился на работу в юридический отдел московского коммерческого банка «Мостемп». Это были последние сведения о нем, причем позапрошлогодней давности. Точнее не могли сказать ни в школе, где он учился и где за судьбами лучших своих учеников следила их старая классная руководительница, давно вышедшая на пенсию, ни в университете.

Родителей Вадима уже не было на свете. Собственно, и переезд его в Москву был частично вызван этой потерей. Отец, крупный юрист местного значения, по стопам которого и пошел сын, умер от рака несколько лет назад, а мать — так уж случается в семьях, где люди любят друг друга, — не сумела пережить постигшего ее горя. Через год последовала за мужем. Вот тогда Вадим и перебрался в Москву, где, по слухам, уж для толкового юриста всегда найдется «хлебное» место, а Вадим считался на факультете очень способным человеком. Словом, двух последних друзей следовало искать в Москве.

Вечером, когда сводили в общую картину добытые сведения, Турецкий рассказал своим младшим коллегам о собственных мыслях по поводу назойливых телефонных звонков к его собеседникам. И не в меру решительный Владислав предложил немедленно установить в квартире Воробьевых подслушивающее устройство, мотивируя это действие крайней следственной необходимостью.

Галя поморщилась — это ей показалось слишком. А вот Александр Борисович задумался и вложил все свои сомнения в одну фразу:

— А почему бы и нет?

Галя фыркнула.

— Галочка, зря трясешь головой, — погрозил ей указательным пальцем Турецкий. — Он верно мыслит.

Копытин просиял.

— Более того, именно Владиславу мы и поручим этот нелегкий акт. Надо ведь будет незаметно проникнуть в помещение, установить «прослушку», более того, организовать дежурство. Ну а насчет разрешения, это уж я сам позабочусь. Прямо завтра же, как только все Воробьевы уйдут на работу, Влад, надо это дело организовать. Сумеешь, чтоб и комар носа не подточил?

— Александр Борисович! — Майор показал, что для него нет невозможного, когда этого требует дело.

А Галя сморщила носик:

— Как это гадко, фи!

Турецкий видел, что на нее сильно подействовало известие о вынужденном аборте Зои, и Галя, вероятно, как всякая нормальная женщина, уже готова была простить Воробьевой ее любые грехи, а покойного предать полнейшему остракизму. Но вся беда в том, что на слово этим людям нельзя было верить, требовалась тщательная проверка. Хотя... нечего скрывать, Александр Борисович и сам с трудом пытался сохранить объективный взгляд на события. Но любой бунт требовалось давить в зародыше.

— Будешь возражать, — обратился Турецкий к «главному аргументу», — самой поручу этим заниматься, чистюля, понимаешь ли... Не вноси свои личные эмоции в это... в расследование уголовного преступления!

— Да уж, — пробурчала Галя в сторону, — наградил Бог начальничком...

Но Александр Борисович на этот раз «не расслышал» сказанного. И подмигнул Владиславу, а тот смутился.

Огорченная Сашиным непониманием самых элементарных человеческих истин, Галя тем не менее четко выполняла свою программу. В течение дня встретилась с Аней Воронцовой и Олегом Вольновым. И почти уже твердое ее, чисто женское, убеждение в том, что если и был наказан Морозов за свой подлый эгоизм, то, в общем, отчасти справедливо (именно отчасти, поскольку убийство, по каким бы причинам оно ни произошло, все равно уголовно наказуемое преступление), получило дополнительную поддержку. И к этому ее подвел не формальный допрос, выглядевший, скорее, дружеской беседой с Анной, которая по складу характера была торопыгой, и все у нее где-то горело. Убедил ее, вовсе и не стараясь этого делать, а, напротив, как бы выискивая аргументы в пользу Леонида, его близкий товарищ и муж Ани — Олег Александрович Вольнов.

То, что Олег и Аня любят друг друга, Галя поняла после первых же слов обоих, но то, что они недавно стали мужем и женой, хотя и носят свои собственные фамилии, оказалось для нее неожиданностью. Олег, отвечая на вопросы Гали, часто и к слову, и без острой необходимости упоминал о своей Ане с неизменным уважением: какая она талантливая, какая энергичная, обязательная и так далее, что обычно почему-то не говорят о любимых женщинах. И точно такое же отношение проглядывалось, точнее, прослушивалось в высказываниях самой Ани: Олежка у нее — невероятно умный, а уж о его работоспособности легенды ходят! Надежда всего института! Человек с блестящим будущим! Ну и все прочее, в таком же духе. Нет, не оперируют нынче такими понятиями в семейных отношениях — и все тут! Это ж как надо любить и уважать друг друга! И если такие же отношения были у всех шестерых друзей, то о какой ненависти вообще может идти речь? Абсурд! Зоя для них была вне любых подозрений, святая душа. Леня — тот просто гигант, ну плохо, конечно, что он так некрасиво поступил с Зоей, но если подумать... всегда найдутся оправдания, всего ж никто о человеке не знает. Вадька? Это — голова! Без всякого сомнения! Лиля? Международное чудо! Мудрая красавица — что еще надо?

Они были людьми чистыми, незамутненными — эти молодожены. И считали таковыми же своих друзей, хотя троих из них давно не видели, но продолжали любить прежней восторженной, юношеской любовью.

Главное же, что вынесла Галя из допросов этих свидетелей, — это твердое убеждение в том, что к гибели Леньки — так они все еще называли старого друга по школьной привычке — ни Зоя, ни ее родители просто физически не могут быть причастны. Не говоря уже об исповедуемых ими моральных принципах. В силу особых качеств их характеров. Да, взрывные, да, разумеется, гордые и не терпящие снисхождения со стороны кого бы то ни было, легко уязвимые — по той же причине, но всегда предельно честные и искренние с близкими им людьми.

«С близкими!» — подчеркнула Галя. А с остальными? С «не близкими» как?

Последовали категорические однозначные ответы: «Справедливые!» Хотя допросы проводились с каждым в отдельности и в разное время. Не говоря о том, что еще и в разных местах. Сговорились они, что ли, заранее? Или «обменялись», пока Галя добиралась от Центра кардиологии до НИИ, расположенного аж в Сормовском районе, у черта на куличках? А может, это и есть единство душ? Единство взглядов и мнений? Бывают же и такие семьи, про которые недаром говорят, что муж и жена — одна сатана, но только со знаком плюс?.. В любом случае оспаривать их мнение Галя вовсе не собиралась. В ее задачу входил лишь тщательный сбор информации, которую затем можно было бы применить в деле. Да и конкретный свой интерес она тоже старалась не выдавать прямыми вопросами, ходила как бы вокруг да около, чтоб не проглядывало ничего определенного. И вопросы ставила простенько: а как, по вашему мнению, эти?.. А как те?.. А что вы думаете по этому поводу? А по тому?.. И все фиксировала в протоколы, хотя понимала, что от своих показаний ни один, ни другая никогда не откажутся — это не стиль их жизни. У них Бог — правда. Можно позавидовать.

Кстати, работая вместе с Зоей, Аня точно знала, когда подруга уезжала в Москву, и назвала, не задумываясь, несколько дат, которые записала Галя, чтобы позже проверить в отделе кадров. Все эти даты за прошедший год, кроме последней — почти сразу после смерти Лени, в день его похорон, — относились еще к весне и лету, когда Зоя довольно часто ездила в Москву. Как теперь выяснилось, для того, чтобы определить свои отношения с потенциальным супругом. В декабре у нее уже никаких поездок не было. Болела по нескольку дней кряду — это было, но она представляла бюллетень от участкового врача. Болезнь была связана с ее частыми простудами, горло слабенькое, и курить надо бросать. А потом был же еще тот проклятый аборт, который, как Зоя сама призналась Ане, поломал ей жизнь окончательно.

Олег, в свою очередь, практически полностью подтвердил показания жены и, как близкий друг семьи Воробьевых, у которых вместе с женой часто бывал в гостях, показал, что последние полгода «старики» — так он называл Зоиных родителей — никуда из города не выезжали. О Москве вообще не шло речи, разве что при случайных упоминаниях имени Морозова-младшего. Но только ничего хорошего и доброго «старики» о нем не говорили, легко было понять, что он сильно обидел их, разорвав самым грубым образом отношения с их дочерью. И Зоя этот факт тоже горько переживала, пытаясь по-своему вернуть Ленину любовь. Особенно в тот период, когда ее беременность стала очевидной.

Невольно у Гали возникло сомнение. Если отношения между молодыми были до того скверными, что дело дошло в результате до взаимной ненависти, тогда каким образом девушка умудрилась забеременеть от своего суженого? Где и когда это могло произойти? Не обман ли все?

И Аня, и Олег, отвечая на ее вопрос, ссылались прежде всего на утверждение самой Зои. Мол, был момент еще ранней весной прошлого года, когда она оказалась в Москве, в отпуске, и, по ее словам, пережила там самые счастливые свои дни. Но отпуск кончился, она вернулась в Нижний Новгород, в клинику, потому что со своим будущим они с Леней той весной так ничего толком и не решили. Слишком много счастья, не до того им обоим было. А потом, у Лени имелись какие-то планы относительно Зои, которые он не раскрывал. Но в начале лета Зоя уже твердо знала, что беременна. Аня с Олегом советовали ей немедленно позвонить Леониду и рассказать, но Зоя почему-то оттягивала разговор, оправдываясь, что Морозов снова в длительной командировке — где-то за рубежом, в одной из «горячих точек». Впрочем, потом узнали, что он был не за рубежом, а в Чечне, но дела это не меняло. А когда он вернулся, Зоя решила сказать ему правду, обрадовать, и отправилась в Москву. Вернулась совершенно зареванная. Тогда и узнали о ее тяжком с ним разговоре, о его требовании, чтобы она сделала аборт. Все, буквально все, и близкие, и знакомые, отговаривали ее, но Зоя уперлась. Характер-то тот еще! И в результате чего добилась? Окончательного, причем в высшей степени оскорбительного для себя разрыва отношений!

Ведь когда она, уже выполнив его требование и сделав аборт, помчалась в Москву, чтобы сообщить, что его условие выполнено, произошло самое страшное для Зои. Леонид, по ее словам, равнодушно объяснил ей, что на его пути встретилась другая женщина, именно та, о которой он мечтал всю жизнь, и теперь он не мыслит своего дальнейшего существования без нее. Стало ясно, что все его «непременные условия» являлись на самом деле лишь мерзким способом оттянуть мнимое примирение.

А с другой стороны, говорил тот же Олег с сомнением: черт его знает, как судить человека со слов разъяренной отказом женщины? Ленька ж находился совсем на другом уровне жизни, и, чтоб понять его, надо самому хлебнуть новых его забот. Нельзя рубить с кондачка. А Зоя именно так и поступила, чем, не исключено, и усугубила свое шаткое положение приятной любовницы, но не больше. Может, Леньке кошечка ласковая и тихая была нужна, а не атаман в юбке? А Зоя все еще судила о нем детскими категориями... Да и права ли она сама, согласившись на аборт? Отчаяние ведь не советчик... И вполне могло статься, что именно в этом вопросе зря не проявила Зоя своего иной раз излишне жесткого характера.

Просматривалась тут некая правота, отметила для себя Галя. Но речь-то шла не о бытовой ссоре, а об убийстве, в котором можно было теперь подозревать кого угодно — уж слишком уязвимым оказывался Леонид Морозов и в личной жизни, и в своих служебных проблемах.

Когда же разговор наконец плавно перетек с Леонида на его родителей, оба свидетеля заявили, что если следствие, а в данном случае Галю, интересует их отношение к той семье, то тут столь же однозначный ответ, как это было в случае с Воробьевыми, не получится. Родители у Лени — люди ученые, серьезные исследователи, — каждый в своей области знания, к чему они с детства приучали и сына. Они всегда привечали и его друзей, особенно «великолепную шестерку». И, следовало им отдать должное, они делали это всегда искренно. Впрочем, может, так друзьям казалось по молодости, когда ты уверен, что все окружающие тебя любят и восторгаются твоими способностями. Но на самом деле, как видится теперь, с годами, люди они были замкнутые в собственном мире и чужих в него пускали неохотно. И уж, вероятно, тем более — в свою семью. Не исключено, что и по этой причине тоже мог возникнуть конфликт между Зоей и Леней. Поначалу, пока рождалась и крепла у них детская дружба, возражений не было, напротив: дружите, но желательно у нас на глазах. И даже когда свершилось то, что и должно было свершиться между любящими друг друга молодыми людьми — их дружеская привязанность переросла в почти открытую любовную связь, — и это также ни для кого из родителей в обеих семьях не стало чем-то из ряда вон выходящим.

Рассказывая с достаточной откровенностью и с легкой грустинкой зависти об интимной стороне жизни своих друзей, Аня — было видно — говорила правду. С таким выражением лица и с такой интонацией не врут, в этом была убеждена Галя.

Но, вероятно, момент истины в семье Морозовых наступил, когда речь зашла о карьере любимого и единственного сына. И в этом все дело...

С одной стороны — известный на всю державу телевизионный журналист, звезда российского телевидения! Гордость родного города! С другой — обычная, ну пусть старательная, но до мозга костей провинциальная врач-кардиолог с копеечной зарплатой и таким же копеечным общественным положением. Нет, продолжай Зоя учиться дальше, заканчивай она аспирантуру, получай кандидатские, докторские степени и прочее, еще что-то, возможно, и сладилось бы, а так?.. Мезальянс, по их убеждению, получался. И это им не годилось. Не подходило...

Этот термин здесь, в их окружении, похоже, бытовал. Кажется, и в отповедях мадам Воробьевой уже звучало это уничижительное, чрезвычайно, надо понимать, обидное для нее слово.

Олег высказался примерно в духе своей жены, лишний раз подчеркнув родство душ, правда, сделал это более сдержанно и не так категорично. Могло быть, но вряд ли. Морозовы — умные люди, а умным дешевая подлость не к лицу.

Интересные сведения получила Галя и о двоих других оказавшихся в Москве друзьях — Вадике Рутыче и Лиле Бондаревской. Эти двое, по утверждению и Ани, и Олега, были влюблены друг в друга тоже давно, и очень странно, что они до сих пор не соединились в браке.

То есть все были уверены, что эти двое только и ждут момента, когда станут на ноги. Но семейная трагедия у Вадима несколько отсрочила заключение их любовного союза. Сперва уехала в Москву Лиля и, по слухам окончив Институт иностранных языков, начала делать успешную карьеру. А затем и Вадик, оставшийся в одиночестве, — друзья не в счет! — ринулся покорять Москву и, само собой, неожиданно оказавшееся строптивым сердце своей любимой. Но слухи об их счастье как-то сюда не доходили, может, трудности бытового порядка мешали, а может... Кто их знает, ребята стали в последние годы скрытными, почти не приезжают в Нижний, а когда бывает Лиля, то ничего от нее толком не добьешься. Оно и понятно, с дипломатической службой работает, там не поболтаешь, это уже привычкой, говорила она сама, становится... А про Вадика она слышала, что тот ушел из банка и устроился в какое-то «хитрое» детективное агентство. Или охранную контору. Сама толком не знала. И это лишний раз подчеркивало, что у них отношения разладились, хотя напрямую Лиля об этом не сказала. Не призналась.

У Гали не было причины не доверять своим собеседникам. Аня, например, сама и сразу прониклась к ней доверием, это было видно. И вообще она выглядела человеком открытым, откровенным и предельно, до щепетильности, честным. А потом, наверняка глаза ее выдали бы ложь. Олег, в свою очередь, как-то глуповато, немного по-юношески, краснел, отвечая на вопросы. Вполне возможно, что ему еще не приходилось разговаривать с такими красивыми и мягко проникающими в мужскую душу следователями, и он, с ходу и полностью покоренный чарами гостьи, постоянно отводил смущенный взгляд в сторону, будто боялся поднять на нее глаза. Но говорил убежденно и тоже искренно.

А их, собственно, и подозревать-то в каком-то сговоре было бы для Гали затруднительно. Если бы они успели созвониться и определить для себя круг вопросов следователя (существенная разница между оперативным уполномоченным и следователем по особо опасным преступлениям для них, как с самого начала выяснила Галя, была неведома), они бы обязательно на чем-то прокололись. Но вранья не было, а присутствовала личная точка зрения, которую они оба твердо разделяли.

Ну что ж, позиция этих друзей, более, как показалось, объективная, нежели у супругов Воробьевых, была понятна. На этом Галя могла бы и точку поставить.

Но был еще один момент, на который Романова, как ни старалась, ответа все-таки не получила. Помнится, Александр Борисович, знакомя ее с протоколами допросов Морозовых, заметил, что у Натальи Ильиничны оставался помимо всяких других горестей еще и один недоуменный вопрос: почему друзья Лени так непонятно холодно и безразлично отреагировали на известие о его смерти? Ну Воробьевых понять еще можно, хоть это с их стороны очень нехорошо, некрасиво, однако ладно, можно оставить вопрос без ответа. А остальные? Все те, кто приходили в их дом и знали, что им всегда рады? Они-то что же? Неужели Леня им всем так стал противен из-за его конфликта с Зоей? Да и конфликт ли? Ну разлюбили, ну что же делать?

Вопрос, как говорится, конечно, интересный. Но ни Аня, ни Олег — каждый сам по себе на него толком не ответил. Почему? Скверно получилось, говорил Олег, надо было хотя бы позвонить им. Но, видно, Зоина боль перевесила все приличия.

У Ани была иная точка зрения: пусть сперва они сами извинятся перед Зоей за те оскорбления, которые нанес ей их сынок, оказавшийся гадом ползучим. Вот тебе, Галя, и весь сказ. А про остальных друзей сама же Зоя говорила подруге, что в Москве виделась только с одним Вадимом. Тот узнал о смерти друга из телевизионного сообщения. Приходил положить цветы на могилу. И Зоя его поняла, он же был не в курсе их с Леонидом разрыва. Объяснила в двух словах. Постояли, помолчали и разошлись. Она не знала, подходил он потом к Морозовым и был ли на поминках. Так и уехала, заметив, что Вадим тоже был какой-то хмурый, словно издерганный, но, вероятно, по своим собственным причинам. Возможно, у них с Лилькой тоже как произошел конфликт, так больше и не наладилось. Кстати, о Лильке она вообще ничего в тот приезд в Москву не слышала, а домашний телефон ее не отвечал. И Вадим ничего о ней не говорил. Короче, похоже было на то, что старые друзья разъехались и... разбежались навсегда. А теперь уже начались и невосполнимые потери...

Вот, собственно, и все...

Галя размышляла, что будет дальше. Допрос Зои захотел взять на себя Александр Борисович, ну и флаг ему в руки. Владик Копытин устанавливал, наверное, прослушивающую аппаратуру в доме Воробьевых и организовывал дежурство. На улице бесилась январская пурга, сбивая с ног и не давая дышать. А Галя именно сегодня, вопреки приказу Турецкого, захотела выглядеть перед своими собеседниками не строгой цербершей из «ментовки», облаченной в серый, полувоенный комбинезон, а обаятельной и милой молодой женщиной, считающей, что любовь — превыше всего. И потому оделась не как оперативник на задании, а как располагающая к себе женщина. Наверное, и поэтому тоже так откровенно смущался бедненький Олег, и так доверительна была Аня. Нет, мужику, даже такому сообразительному, как Саша, думала Галя, не понять женской логики. Хотя она могла бы и промолчать, и не обижать его сегодня саркастически своим «начальничком».

Самым умным, решила она, было бы с его стороны, если бы он поручил ей прямо сейчас, немедленно, с грузом тех знаний, которые уже улеглись в ее голове, с ходу начать беседу — не допрос, нет! — именно доверительную беседу с Зоей. Но, вероятно, должен мир перевернуться, чтобы Александр Борисович отказался от собственных планов... А может, он и прав?..

И словно кто-то там, высоко наверху, услышал ее мысли. Из кармана шубки донеслась привычная мелодия из сериала «Секс в большом городе».

— Ты где? — без предисловий спросил Турецкий.

— Еду из Сормова. В автобусе, с вашего разрешения, господин госсоветник. Замерзла, как последняя собачка.

— А ты что, легко оделась?! — «загремел» Александр Борисович. — Я тебя отстраняю от дела! Если ты простудишься, я что, должен ухаживать за тобой или работать?! Безобразие! Только хотел поручить тебе... а ты!.. Марш домой одеваться!

— Не шуми, — спокойно сказала Галя, хотя внутри у нее все клокотало от злости, — ты все же мне не начальник. И как одеваться — это мое дело оперативника, а не твое. Не лезь туда, где ни черта не смыслишь... Извини. Так что ты хотел поручить? Только быстро.

Турецкий пыхтел в трубку. Ну конечно, поняла Галя и улыбнулась, Сашка уже сожалел о своей слабости. Черта лысого он позволил бы ей разговаривать с собой в таком тоне, если бы... Ах, как хорошо, что это наконец случилось!.. Галя даже зажмурилась от тайного наслаждения. И пыхтение в трубке прекратилось.

— Ты слушаешь? — сердито, но уже гораздо мягче сказал Турецкий. — Галочка, ради бога, только не заболей... Я хотел попросить тебя снова вернуться в кардиологию и обязательно сегодня же встретиться с Зоей. Как сама сочтешь нужным — под протокол дополнительного допроса свидетеля, с применением звукозаписи, мне сейчас неважно. Мне нужно, чтобы она наврала тебе побольше и поразвесистее. А завтра я вызову ее в прокуратуру и уже прижму всерьез. Есть повод. Пришло сообщение, что она была в квартире Морозова утром, в день его смерти. Ее опознала свидетельница. Но ты, разумеется, ничего этого не знаешь. И темы не трогай, но имей в виду. Пусть перечислит, сколько раз за последний год и когда конкретно была в Москве. Вы — женщины, у вас могут наметиться свои нити контактов.

— Господи! Кому свечку поставить, что ты наконец это понял?!

— Не хулигань! И сиди там, пока я за тобой не пришлю машину, ясно? Ни шагу! Это уже не просьба, а приказ, понимай как хочешь. Иначе отправлю немедленно в Москву.

— Слушаюсь, мой генерал! — засмеялась Галя, и ее звонкий короткий смешок отозвался в душе Турецкого небесным колокольчиком.

## Глава шестая

## ПОДВИЖКИ

### 1

Прежде чем встретиться с Зоей Воробьевой, Александр Борисович внимательнейшим образом прослушал обе звукозаписи допросов Климова и вчерашнего — Романовой. Слушал, отмечая в блокноте места некоторых нестыковок в ее ответах. Их было немного, но они все-таки имелись. Особенно там, где речь заходила о наездах в Москву в течение ноября — декабря прошлого года. Разговоры по поводу всех остальных ее посещений были для Турецкого словесной ширмой, чтобы Зоя не зациклилась на чем-то конкретно.

Александр Борисович был, естественно, в курсе того, что в самом конце вчерашней «беседы» с применением звукозаписи — примерно такой же, как в Москве беседовал в своей машине с Воробьевой следователь Климов, — с Зоей случилась неожиданная истерика. К чести Гали, она не растерялась и сумела по-своему, что называется по-бабьи, быстро успокоить и утешить свидетельницу. Допрос у них шел во временно свободном кабинете старшей медсестры, и там стоял на подоконнике графин с водой. В общем, Зоя успокоилась. А такой нервный ее срыв легко объяснялся всеми теми событиями, которые обрушились на голову бедной девушки за последнее время. Когда-то ж постоянное накопление негатива должно было получить свой выход! Галя это просто и доходчиво объяснила всхлипывающей Зое, и та пыталась ей благодарно улыбнуться сквозь слезы.

Романовой эта вспышка показалась вполне естественной и даже в чем-то закономерной, однако Турецкий тем не менее позволил себе усомниться.

Но если все было неискренним, то тогда чем же? Артистизмом в высочайшем его проявлении? А способна ли на это Зоя? Гале казалось, нет. Турецкий неопределенно пожимал плечами. И повестку Воробьевой, которая сегодня была дома после дежурства, все-таки послал.

— Ты мне не мешай, — сказал он Гале. — Я буду играть сегодня роль плохого следователя. И никакие истерики ей не помогут. Выдержит — флаг ей в руки, больше мучить не буду. Но у меня сильные сомнения, что Зоя твоя — женщина слабая и истеричная.

— Она такая же моя, как и твоя, — горячо возразила Галя. — Просто я пыталась понять ее по-человечески, как это бывает, когда твой любимый, единственный, сперва ставит тебя перед жутким, варварским выбором, а потом, словно издеваясь, когда ты валяешься у его ног ниц, плюет тебе в физиономию, топчет грязными сапогами и называет шлюхой! Да я б после таких мучений горло ему перегрызла бы, мерзавцу...

— Ну-ну, ты поспокойней, Галочка, не надо столько эмоций. Если Морозов был подлецом, его и судить надо было, как подлеца.

— Какой суд, Александр Борисович?! — почти взмолилась Галя. — Ты о чем говоришь? Да все судьи до последнего с наслаждением растоптали бы ее уже за одно то, что она покусилась на свободу их кумира! Ты где живешь? Опомнись!..

— Не уверен, — усмехнулся горячности Гали Александр. — А вот я не исключаю как раз обратного варианта. У нас очень любят именно «опускать», извини за поганый термин, общих кумиров. И Морозов не оказался бы исключением. Другое дело, что вменить ему было бы нечего.

— Вот с этого и начинай...

— Погоди, я не понял, ты что, собираешься спорить с Законом? Ты считаешь, что мы занимаемся не тем?

— Не передергивай. С Законом твоим будет спорить только набитый и безнадежный идиот. Я пыталась понять Зою, и, кажется, мне это удалось. И теперь сама не исключаю, что она, в ее состоянии, могла, грубо говоря, заказать его. Ну а исполнителей у нас, сам догадываешься, пруд пруди. Но пока мы не найдем исполнителя, мы абсолютно ничего не сможем предъявить и Зое Воробьевой.

— Это что-то новенькое! — удивился Турецкий. — Ну-ка поподробнее?

— А ты прикинь. Ну представим, что Зоя скажет: да, я искренне желала его смерти по той-то и по той-то причинам. Он такой и сякой, сломал мою жизнь, заставил совершить смертоубийство — я имею в виду аборт. Кстати, все церкви мира решительно осуждают эту сволочную практику. Может, и у нас когда-нибудь кончится это безобразие... Да, заявит она, я говорила об этой своей жажде мести многим — и здесь, в Нижнем, и в Москве, а кому, уже и не помню, не в том состоянии была, чтобы запоминать. И вот, получается, нашелся настоящий мужчина, который отомстил за меня. Я не знаю, кто он, но я готова упасть ему в ноги! Что ответишь?

— Демагогия, Галочка.

— Разумеется. Но ведь и Зоино признание тоже еще не факт. Придется очень старательно доказывать, иначе весь наш карточный домик рухнет от первого же плевка со стороны самого захудалого адвокатишки.

— Красиво замечено. Но что ты предлагаешь? Твои эмоции тоже, между прочим, к делу не пришьешь... Ну а ты чего молчишь, сыщик? — неожиданно обратился Турецкий к Копытину.

Тот молча сидел чуть в стороне от споривших и внимательно, даже с некоторым изумлением, к ним прислушивался. Такой диалог, да еще в подобном тоне, ему и близко не снился. Да чтоб у них в прокуратуре либо в милиции — со старшим по званию?! Никому даже в голову не придет!.. А Турецкий еще спрашивает его мнение... А какое может быть мнение, если душа — на стороне Галочки, как ласково называет ее все время Александр Борисович, а правовое сознание, естественно, вместе со старшим помощником генерального прокурора. Такой вот, понимаешь, раздрай!..

— Ну? Есть собственное мнение? — повторил Турецкий. — Не слышу?.. Тогда подумай еще, а я пока вот что хочу сказать. Дорогая Галочка, мне бы очень хотелось, чтобы ты, прежде чем делать для себя окончательные выводы, внимательно читала и анализировала собственные записи.

— А где я была невнимательна?

— Напротив, очень внимательна и поэтому не упустила одной важной характеристики твоей Зои.

— Слушай, мне надоело! Она не моя!

— Ну прости, это я так... для красного словца. Помоему, Олег Вольнов заметил, что у Зои иной раз проявляется излишне жесткий ее характер. Не помнишь, где это сказано?

— Помню, именно так он и сказал. Я записала и сама задумалась. И поймала на себе его заинтересованный взгляд, но он тут же отвел глаза. И даже слегка, кажется, покраснел так, будто его уличили в тот момент, когда он в щелку подглядывал за обнаженной женщиной.

— Какое интересное наблюдение! — усмехнулся Турецкий. — И ты полагаешь, что он был искренним, сказав тебе это? А не мог ли он бросить тебе наживку и посмотреть, как ты будешь ее заглатывать? Стоит тебя опасаться или нет, например?

— А вот это мне не пришло в голову. И, по-моему, такое объяснение может прийти в голову только сотруднику высшего эшелона Генеральной прокуратуры. Нам, «на земле», такое придумать не по плечу. Да, Владик?

Копытин вздрогнул, не ожидая вопроса, и увидел устремленные на него глаза москвичей. И вдруг лицо его начало непроизвольно краснеть. Он окончательно смутился.

— А вот тебе и ответ, Александр Борисович, — хмыкнула удовлетворенная Галя. — Обыкновенная реакция, мы просто смутили человека своим неожиданным пристальным вниманием, и не больше. И никаких тебе ловушек. Нет, те ребята были со мной предельно, я уверена, искренними. Они могут ошибаться в своих предположениях, но они и ошибаются тоже искренне. Тот же Олег делал, между прочим, попытки как-то оправдать подлость Леонида, на это хоть ты обратил внимание?

— Разумеется. Именно поэтому я могу предположить, что... ну хорошо, наша Зоя, несмотря на все свои обиды и горести, была и остается человеком с двойным дном.

— Хоть мне ее и жалко, но возражать в данном случае не буду. Тут ты, возможно, прав. Вопрос в другом: как добраться до этого второго дна?

— Об этом я и буду думать, — он посмотрел на Копытина, — пока ты, Владислав, съездишь и привезешь сюда нашу красавицу. Вежливо, но настойчиво, мол, у следствия появилась крайняя необходимость сделать ряд уточнений в связи с некоторыми противоречиями, возникшими в ее показаниях. Как местный житель и патриот своего города, можешь сделать ей тайное признание, что, по твоему мнению, это уже последний допрос и москвичи, кажется, собираются уезжать, больше, похоже, им тут делать нечего. Задача ясна?

— Так точно.

— Действуй. А ты, Галя, еще останься... Поговорим о ее поведении... Что она собой представляет в человеческом плане — вообще и как красивая женщина — в частности? В чем ее уязвимые, по твоему мнению, точки?..

Зоя выглядела бы в высшей степени эффектно, если бы... Вот это самое «если» застыло в ранних морщинках возле глаз, в углубившихся складках на щеках, возле носа, в обострившихся скулах. Но она по-прежнему была красива, нет слов. А особый шик ей придавал ее антураж — песцовая дорогая шубка и такая же шапка. Вместе с черными прядями прямых и длинных волос это контрастное сочетание выглядело очень эффектно.

«Черт возьми, — думал Турецкий, вежливо помогая ей снять шубку и шапку и размещая все это на вешалке, — какого лешего требовалось еще этому «звездуну», когда в его объятиях находилась такая дива? Нет, этих молодых, что из ранних, понять бывает трудновато. От добра, видишь ли, добра ищут!.. Фигурка — дай бог! Ну подурнела, наверное, — но самую малость и только от тяжелых переживаний. А устрой ей кайф — цены же не будет!..»

Турецкий представился ей полным своим титулом, отодвинул стул от приставного столика, предложил присесть.

— Зоя Сергеевна, — сказал он, садясь напротив нее, что предполагало меньшую официальность, и придвигая к себе папку с протоколом допроса свидетеля, — как и мои предшественники, я обязан сообщить вам прежде всего о вашем конституционном праве не свидетельствовать против самой себя и близких родственников и других правах, предусмотренных Уголовно-процессуальным кодексом Российской Федерации, и уголовной ответственности за дачу заведомо ложных показаний, а также отказ от них. После чего — я понимаю вашу усталость и неприятие всех наших оперативно-следственных мероприятий в отношении вас и вашей семьи — мы перейдем к уточнению ряда позиций, высказанных уже вами на предыдущих допросах. Обнаружились некоторые противоречия, скажем так, нестыковки, которые вполне могут толковаться и как простая ваша забывчивость. Вот, собственно, это меня и интересует. И надолго я вас тоже постараюсь не задержать...

Голос Турецкого звучал мягко, успокаивающе, Александр Борисович видел, как постепенно словно сползало с Зои напряжение, как она расслаблялась, даже меняя позу на более свободную. Вот уже и ногу на ногу положила, демонстрируя отличного качества коленку, — она, подобно Гале, прибыла в лучшей своей форме, никаких брюк, товар — лицом! Впечатляет.

Александр Борисович, зная уже из Галиного протокола допроса, что Зоя курит, словно машинально взял со стола раскрытую пачку своих любимых сигарет «Давыдофф» с белым двойным фильтром, так же машинально вытащил сигарету, затем, спохватившись, предложил Зое. Та чиниться не стала, взяла, благодарно кивнула и прикурила от протянутого Турецким огонька зажигалки. Поискала глазами пепельницу, Турецкий тотчас ее «нашел».

Первые вопросы у Зои беспокойства не вызвали, она отвечала достаточно спокойно и уверенно.

Наконец последовал вопрос: была ли она накануне Нового года в Москве, и если да, то чем занималась?

— Но мы уже выяснили этот вопрос! Я приезжала на похороны...

— Я спрашиваю не о них, — ласково улыбнулся Турецкий и медленно убрал улыбку с лица, отчего глаза его словно сузились и стали жесткими. — Я говорю о дне тридцать первого декабря, когда был убит Морозов. Чем вы в тот день занимались, кроме того, что... — Турецкий заглянул в один из документов, переданных ему по факсу из Москвы. — Ага, вот... Кроме того, что не раньше десяти часов утра посетили Леонида Борисовича в его квартире на улице Чичерина и покинули дом не позже одиннадцати часов. Вы выглядели очень эффектно. На вас был элегантный черный брючный костюм, длинное, того же цвета пальто и оранжевый, свисающий шарф, который запомнился свидетельнице вашего посещения. Все это, как вы понимаете, может быть легко проверено при осмотре вашего гардероба. А я уточняю этот факт потому, что в прежних своих показаниях вы утверждали, что приехали в столицу за неделю до Нового года. Вы что же, всю неделю так и прожили в Москве? У... — он снова взглянул в документ, — у своих друзей? Вы можете их назвать, чтобы следствие могло установить ваше алиби?

И снова на лице Турецкого засияла приветливая улыбка. А Зоя занервничала. Она, видимо, уже забыла о тех показаниях, которые давала Климову. Но она нашлась.

— Вы знаете... Вы же читали предыдущие мои показания... И, просто как нормальный человек, нормальный мужчина, можете понять женщину, то есть меня, на которую обрушилось убийственное заявление любимого человека? Я, во всяком случае, на это надеюсь. Да, вероятно, находясь в почти неуправляемом состоянии души, я что-то забыла. Я вообще, весь конец прошлого года, начиная с осени, с того ужасного момента... Вы меня понимаете?.. Жила как бы не в себе. Или, правильнее, в двух ипостасях — теперь я это и сама понимаю. Мысленно — в одном месте, физически — в другом. Не могу утверждать, было ли это тридцать первого или какого-то иного числа, но тогда, в тот день, я видела в последний раз, как выяснилось позже, ледяные, ненавидящие меня глаза любимого...

Турецкий поднялся и принес Зое стакан воды, пока она промокала глаза платочком, который достала из маленькой сумочки.

— Спасибо, Александр Борисович... Я сознаюсь, поэтому и к гробу подойти боялась. Не дай вам Бог когда-нибудь увидеть такие глаза... Не могу, до сих пор дрожь колотит... И как я все это вынесла?.. Ну хорошо, — словно очнулась она, — что я должна вам пояснить? Я всю правду сказала. Возможно... вполне возможно, что и была, и пыталась что-то вернуть... Идиотка... Вы еще что-то спрашивали?

У нее было не в порядке с памятью, она это демонстрировала артистично, убедительно, вызывая к себе томительную, щемящую душу жалость. Так и тянулась рука погладить ее по длиннющей гриве волос, по смуглому не от загара или макияжа, а от бесконечных страданий лицу, по бархатистым, нежным щекам. И сказать ей пронзительным шепотом: «Милая девочка, плюнь ты на всех мерзавцев! Ты — прекрасна, у тебя впереди еще столько любви, столько радости, что, если бы ты на минутку задумалась об этом, ты бы задохнулась от счастья, которое тебе еще предстоит познать!..»

Жаль, подумал Турецкий, что он не может ей искренне сказать всего этого... Язык не поворачивался. Вот только сейчас, выслушав ее «страдательный» и такой правдивый монолог, он понял, что эта красивая, умная, достойная высшего счастья девушка или женщина — без разницы — своего счастья уже не получит. Потому что она все врет. Жаль, очень жаль...

— Я не вижу, Зоя Сергеевна, необходимости напоминать вам обо всех моих вопросах. Достаточно одного. У кого из ваших друзей вы останавливались? Это самый важный для вас вопрос, потому что от этого будет напрямую зависеть ваша собственная дальнейшая судьба. Прошу это понять, — теперь уже скорбным тоном произнес Турецкий, заметив, как непроизвольно напряглись мускулы на втянутых щеках Зои. — Добавлю: это жизненно важный для вас вопрос.

— Но почему? — В глазах ее вспыхнули искорки гнева. — Почему люди, не имеющие к убийству Морозова никакого отношения, должны фигурировать там, где... не должны?! Какое они имеют отношение к уголовному делу?! Зачем трепать их фамилии?! Чем они вам-то не угодили?!

Количество восклицаний нарастало.

И Турецкий решился на резкий ход. Но сказал спокойным и даже нудным тоном:

— Потому, Зоя Сергеевна, что я не могу исключить, что именно среди этих ваших друзей есть тот, кто произвел два выстрела в Леонида Морозова из пистолета.

И замолчал, глядя теперь на нее словно бы без всякого интереса, ну как на ненужную вещь.

Ага, и вот он, козырь, сработал! У Зои началась истерика. Но ничего страшного, наполненный стакан — вот он. Носовой платочек, одуряюще пахнущий французской парфюмерией, смочен водой и положен на гладкий, без морщин, такой очаровательный лобик. На этом участливое внимание Турецкого и закончилось. Он опять сел на свой стул и, сложив руки на груди, стал ожидать, когда истерика прекратится. И так как Зое никто не помогал выйти из ее истеричного состояния, оно прошло само. А когда ее последние всхлипы затихли, а руки еще, как бы по инерции, совершали некие безвольные пассы, Александр Борисович позволил себе заметить:

— Итак, продолжим, Зоя Сергеевна? Мне очень жаль, что приходится расстраивать столь очаровательную женщину. Но поверьте, в иной ситуации... — И он жестами попытался изобразить в воздухе свое отношение к ее несравненной красоте. — Я бы никогда себе этого не позволил. Однако сейчас я хочу услышать от вас, кто был тот молодой человек, который подошел к вам на кладбище, а затем ушел вместе с вами? Вы назовете его фамилию, или это придется сделать мне за вас? Но тогда я вынужден буду расценить ваше молчание как нежелание сотрудничать со следствием. А ведь я разъяснил вам не только ваши права, но и ваши обязанности, не так ли? Напомнить еще раз?

За мягкостью голоса Турецкого Зоя просто должна была уже услышать звяканье металла наручников. И она услышала. Со скорбным видом, демонстрируя, что она больше не может сопротивляться, буквально, насилию над собой, своей честью, Зоя прошептала:

— Ко мне подходил мой старый школьный товарищ Вадим... Он цветы на могилу Морозову принес...

— Вы можете назвать для протокола фамилию Вадима Григорьевича? — задал такой вот странный вопрос Турецкий, намекая Зое, что иного выхода у нее уже просто нет.

— Рутыч, — помолчав, ответила она.

— Вы жили у него?

— Да, мы старые друзья...

— Чем занимается ваш старый друг?

— Не знаю. Говорил про какое-то агентство. Но я не запомнила, у меня не было сил запоминать!.. Хоть это понять вы наконец можете?! — вдруг закричала в гневе Зоя.

— С трудом. Но — пытаюсь. А вот кричать не надо. Мы ведь теперь и сами можем это выяснить через пятнадцать минут. Теперь другое скажите: как вы сами считаете, Рутыч — честный человек? Он к вам хорошо относится? Он захочет подтвердить ваше алиби?

— В каком смысле? — насторожилась Зоя. — Что я была в Москве и жила у него? Конечно. А где же мне еще было жить? Не у Морозова же! Хотя я мечтала... мечтала повторить то наше с ним лето... Господи, как же я была счастлива... И почему ребенок, рожденный в любви, мог помешать?..

— Глубоко вам сочувствую, Зоя Сергеевна. А как вы считаете, он сможет подтвердить также ваше алиби в том, что вы не принимали ни активного, ни пассивного участия в убийстве Леонида Морозова?

Зоя словно поперхнулась. Она замерла, глаза ее в ужасе округлились, и она прошептала:

— Вы считаете, что я ЭТО могла?.. Господи, я что, попала в сумасшедший дом?..

— Нет, вы даете показания следователю. А уж делать выводы — это моя работа. Ну и как?

— Если вы так ставите вопрос, что я могу ответить за Вадима? Спросите у него сами.

— Хорошо, я обязательно воспользуюсь вашим советом, Зоя Сергеевна. Адресок Рутыча оставьте мне, пожалуйста. И телефон, если можно, — сказал Александр Борисович, заканчивая заполнять листы протокола допроса.

— Телефона не помню, он где-то дома. А вот адрес? А-а, он же у меня записан! — Зоя покопалась в сумочке, вытащила листок бумаги размером с визитку и протянула Турецкому. Тот переписал адрес в протокол и вернул ей бумажку.

— А теперь последнее. Прочитайте протокол и, если согласны с тем, что записано с ваших слов, подпишите каждый лист. Если есть возражения, внесите их в текст. После этого вы свободны. Вы сегодня не на службе, следовательно, и отмечать вашу повестку нет необходимости, не так ли?

— Да, никакой, — быстро ответила она и стала внимательно, несмотря на свою взвинченность, — это заметил Турецкий — читать.

Вопросов и поправок не было. Еще бы, уж что-что, а протоколы-то писать Александр Борисович научился еще в бурной своей молодости, когда пахал под руководством простого следователя Меркулова в Московской городской прокуратуре. Так что не занимать стать...

А как приятно было подавать ей шубку, помогая попасть в рукава, поглаживая ее плечики, проникновенным взглядом смотреть ей в глаза и «таять», чтоб она это видела и снова уверовала в необыкновенную силищу своих чар!

Короче говоря, ушла она хоть и взволнованной, но одновременно и отчасти успокоенной тем, что ничего особенного вроде бы не произошло. Ничего страшного. Что и требовалось Александру Борисовичу.

Едва за ней закрылась дверь, как Турецкий вызвал к себе Галю. Владислав, как и договаривались, отвозил Зою домой.

— Слушай, Галка, срочно передай по команде, чтоб «слухачи» были предельно внимательными. Как говорится, сейчас или никогда...

— Передам. А чего ты такой возбужденный, господин госсоветник?

— Колдовство все, Галочка, навьи чары...

— А что это значит?

— Ты моя хорошая, — ласково сказал Александр, — навьи проводы — так на Руси называли радуницу, дорогая моя, попросту говоря, родительскую субботу, поминки. Ну а навьи чары — сама понимаешь, что могут творить покойники и иже с ними...

— Ужас!.. — поежилась Галя.

— Вот и я о том. А сейчас связываемся с Грязновым. У тебя нет срочной необходимости оправдываться перед ним?

— В чем? — Галя сделала изумительно большие глаза, прямо-таки полыхнувшие детской наивностью.

— Ну а у меня — тем более.

И он решительно взялся за телефонную трубку.

## 2

Александр Борисович оказался прав. День получился насыщенным по части новой информации. Позвонил Владислав и доложил, что Зоя Сергеевна доставлена им домой, и тотчас же по ее приезде там начались телефонные переговоры по сотовой связи. Записи первых разговоров были, разумеется, зафиксированы на магнитную пленку, и Копытин сообщал, что может уже привезти их, поскольку то, о чем говорили абоненты, представляет для следствия значительный интерес. Дальнейшее прослушивание продолжается. Как не снимается и наружное наблюдение за объектами.

И через короткое время они втроем слушали запись.

Разговаривали две женщины и мужчина. Низкий и чувственный голос Зои был легко узнаваем. В нем уже не было ни растерянности, ни слезливой обиды, ни взрывной резкости, которые она демонстрировала на допросе в прокуратуре, напротив, голос ее звучал уверенно и даже, как ни странно это могло показаться, властно. С чего бы это?

Голос второй женщины, не менее властный, но заметно растерянный, мог принадлежать, как сказал Турецкий, матери Зои — Елене Федоровне.

Их собеседник был явно не стар, говорил он хотя и достаточно уверенно, но не в такой степени, как Зоя. Проглядывались все-таки нотки сомнения. Да и вопросы в основном задавал именно он.

И говорили они, словно заправские конспираторы, не называя друг друга по имени, не обозначая конкретных лиц и событий. Обтекаемые такие фразы, но они стоили того, чтобы на их фиксацию понадобились определенные усилия оперативной службы Московского уголовного розыска.

Осталась, как заметил Турецкий, самая малость: уточнить у операторов мобильной сети, с какого телефона вел переговоры собеседник Воробьевых, и выяснить, кто он, их таинственный абонент. Хотя по некоторым вопросам, которые тот задавал, Александр Борисович высказал предположение, что неизвестным мужчиной мог оказаться Вадим Григорьевич Рутыч. Но было очень важно еще знать, где он находится в настоящее время — в Москве или в Нижнем Новгороде? А для этого, как уже договорился Турецкий с Грязновым, в Москве начался розыск неизвестного агентства, в котором тот работал. Ответ должен был прийти скоро.

А пока Турецкий, Романова и Копытин крутили пленку, возвращаясь, вслушиваясь в интонации собеседников и пытаясь разгадать за эзоповым языком «переговорщиков» явно криминальный смысл их интересов.

«—...Что нового?» — такой вопрос последовал сразу за безотносительным «здравствуйте».

— Все то же... Уже было. Показалось, не столько умно, сколько хитро. А ей плохо. Состояние усугубляется ненужными вопросами...»

Это голос, по всей видимости, Елены Федоровны.

«— Никак не отстают?

— Нет. Сегодня снова. Главный интерес, когда, сколько раз, где, у кого, понимаете?

— Разумеется. И есть основания?

— Пока никаких. Если судить по тому, что уже, оказывается, известно.

— И много известно?

— Кое с чем приходится соглашаться. Спасает состояние, понимаете? Люди же все-таки.

— А вот на это ловиться опасно. Крайне. Расчет на дураков может оказаться грубейшей ошибкой. Особенно сам. Имейте это в виду в первую очередь. Они просто так не приезжают.

— Да это понятно. А вы не боитесь?

— Чего?

— Ну... как это бывает? Кругом глаза да глаза. Нет?

— Не замечал. А вот вы о себе тоже не забывайте. И обязательно ей скажите. Я позвоню попозже, когда она сможет.

— Да вообще-то может...

— Нет, напряжение — штука опасная, надо отдохнуть. И вы постарайтесь не волноваться. Пока.

— Пока...»

— Ну ясное же дело! — воскликнул Владислав.

— Чего тебе ясно, старина? — ухмыльнулся Турецкий. — Я тоже считаю, что речь идет о том, как себя чувствует Зоя после допроса у меня. Но это я чувствую. А нужны не чувства, дружище, а твердая уверенность. Хочешь, я тебе подложу под этот якобы многозначительный и таинственный разговор, ну, скажем, беседу двух торговцев картофелем на местном рынке?

— Ну уж это ты слишком, Александр Борисович, дорогой ты наш шеф и учитель! — возразила Галя.

— А ничего не слишком. Мужчина и женщина пытаются спасти свой товар от конкурентов, которые слишком много знают о неважном качестве их товара и могут нагадить, извините за выражение. Подложите под фразы картофельную идею, и все станет на свои места. Это не улика, ребята. Но любопытно, значит, в стане противника, будем так считать, царит уже нервное напряжение, и они себя успокаивают тем, что следствию и некоему «самому», то есть, как я не без оснований подозреваю, видимо, мне, мало что известно. А с тем, что уже известно, им приходится осторожно соглашаться. Так?

— Я как раз именно об этом.

— Отлично, поехали дальше...

«— Как ты себя чувствуешь?

— Уже лучше. Держалась на пределе.

— Хитростей много? Сумела?

— Как ты говорил... Искренность... только она и помогает... Я ж врать не умею, ты знаешь.

— Еще бы!

— Тут, между прочим, все уже прошли через... ну, понимаешь? Я в курсе. Мне показалось странным, что вопросы касались главным образом тех. Что да как? Наши отношения... Что-то пустое.

— Значит, пошли по кругу? А ты в них уверена? Поняла о ком?

— Чего ж не понять? Как тебе сказать? Раньше — да. А сейчас возникли сомнения... Нет, не осуждение, нет, но... как бы это?

— Обывательская точка зрения?

— Вот! Абсолютно прав. Мол, ну как ты не понимаешь? Иной уровень... Надо было соответствовать... Такая, прости, херня!

— Провинциальное самоедство?

— Оно самое. Плюс безумное самолюбование. Как это все осточертело!

— А я о чем говорил? Не верила.

— Теперь убедилась... Это была моя ошибка. Да, кстати, стал известен мой друг. Естественно, понадобился домашний адрес, имей в виду.

— А, даже так? Неплохо. Спасибо, что сказала. Подготовлен, значит, вооружен... Твои-то как? Голоса вроде бодрые. И ты не опускай головы. А если снова возникнут вопросы, что, я уверен, обязательно произойдет, не скрывай ничего, касаемо наших бесед, поняла? Тут все законно, бояться нечего.

— А мне-то чего бояться? Я — потерпевшая сторона. Из всех бед самое худшее я уже прошла.

— Так-то оно так, но, ты понимаешь, у нас же пока всю душу не вывернут наизнанку, не успокоятся. Менталитет таков, дорогая моя... А тебе о здоровье думать надо. Ты, к слову, свое обещание помнишь?

— Какое ты имеешь в виду?

— Главное, разумеется.

— Ну конечно. Но должно пройти некоторое время. Мы же решили?

— Согласен, не спорю, но и ты меня пойми, новое ожидание становится еще более нестерпимым. Я бы подъехал, а? Место найти нетрудно. Временно.

— Ты не наглеешь помаленьку, нет?

— Не думал, что естественное желание покажется тебе наглостью...

— Я не об этом. Об излишней торопливости... А что касается желания, то я в принципе подтвердила, как ты помнишь. И снова не возражала бы, просто моим это может показаться сейчас очень несвоевременным, так мне кажется...

— Ну мы же не королевская семья! К чему условности?

— Может осложнить. А я хочу тишины... Это пока единственное мое желание.

— Я глубоко его ценю... Но и ты меня пойми, столько ждать...

— Ну не бессмысленно же!

— А в чем еще и смысл-то?.. Значит, говоришь, интересовались? Ну пусть, я готов. Важно быть искренним, да?

— Только так.

— Ты умница... А я поражаюсь: зачем, ради кого столько времени потерял? Столько лет? Вот где гнездилась главная ошибка.

— Кто же мог предполагать?

— В том-то и дело, что никто. Сама себя раба бьет, коль нечисто жнет. Так мама говорила и после этого ставила в угол...

— Ты еще помнишь... А у меня — словно провал. Горечь... Как желудочная желчь... Похоже на отравление.

— Покажись врачу... Извини, я съехал с катушек. Умнее не придумал.

— Вот именно.
— Ну жди...
— Буду рада...»

Последняя ее фраза была произнесена совершенно равнодушным тоном. И на этом медленный, с долгими паузами между фразами, разговор закончился. Что называется, ни здравствуй, ни прощай.

— Смысл тот же, — подвела итог Галя. — Весь пафос в том, что их волнует единственный вопрос: как в дальнейшем бороться со следствием. Я специально огрубляю.

— У меня точно такое же ощущение, — подтвердил Владислав.

— Это хорошо. А вы обратили внимание, что мужчина уже готов потребовать от Зои какой-то известной им оплаты? — усмехнулся Турецкий. — Что это может быть?

— Ну, Александр Борисович, — чуть смущенно заметила Галя, — вы же не мальчик, чтобы не понимать, что красивая женщина может расплатиться со своим помощником в первую очередь, извините, натурой? И один раз это сделала. Но ему мало. Есть такие сумасшедшие и наглые мужчины... — По пухлым губам Гали скользнула, или просто Турецкому так показалось, почти незаметная усмешка, но взгляд ее оставался чистым и прозрачным, как хрустальная вода в сокровенном роднички.

— Галя! Как же ты, девушка, однако, цинична! — сделал вид, что жутко сконфузился, Александр. И уже другим тоном продолжил: — Натурой, говоришь? А почему ж он тогда пожалел, что потратил годы неизвестно на что? Ну-ка, психолог ты наш дорогой, ответствуй?

— А по раскладу наших пар, если мы ведем речь о Рутыче, и ником другом, дамой его сердца еще со школьной парты была, как вы должны помнить, Лилия Игоревна Бондаревская. Может, у них не сложилось? Не исключено, что она вообще его с носом оставила. А теперь, грубо говоря, без своего кавалера осталась Зоя, вот находчивый товарищ и готовит себе площадку для высадки десанта. Если уже не высадил — в Москве, когда у него останавливалась Зоя, а теперь ему не терпится окончательно закрепить свой успех. И наша Зоя вроде бы и не отказывает ему, но считает, что надо подождать хотя бы для приличия. Траур, что ли, соблюсти... ведь жениха убили, в городе-то об этом многим, похоже, известно. Друзьям-товарищам. Опять же, надо бы дождаться, когда мы наконец уедем...

— Да, но это указывает на то, что Рутыч — я бы все-таки его имел в виду — крепко помог в чем-то Зое, — продолжил ее мысль Владислав. — И сейчас в их тандеме он главный. Он дает указания и принимает отчеты — у матери, у дочери. Наверняка и Ане с Олегом уже звонил. Жаль, что мы этого не узнаем. Впрочем, можно и спросить... За спрос денег не берут!

— Вот именно, — поддержала его Галя. — А что, если я завтра позвоню им и спрошу каждого в отдельности, ну скажем, так... «Скажите, вам Рутыч еще не звонил? А то мы никак его адрес не можем уточнить. Надо задать несколько вопросов. И что о Лиле известно?» И все! Думаете, станут темнить? Не ответят? Они ж, в общем, бесхитростные люди. А если станут отрицать, это же будет сразу понятно.

— Я не возражаю, — сказал Турецкий. — Ну что там ваши операторы, Владислав? Долго они будут выяснить, кто и с какого номера звонил Воробьевым?

— Разрешите, я потороплю, — ответил Копытин и подсел к телефонному аппарату.

## 3

Грязнов развил бурную деятельность. Он сразу, после телефонного звонка Сани, отправил Петухова с Гуляевым по адресу Вадима Рутыча. Оперативное задание им было дано щепетильное. Следовало быстро и, главное, абсолютно конфиденциально получить о нем максимум информации. Выявить связи, взять на карандаш телефонные переговоры, негласно проверить квартиру и держать теперь уже подозреваемое лицо под неусыпным контролем.

И уже к середине дня они имел первые сведения о нем, включая и фотографию, сделанную на улице, когда Рутыч садился в свою машину — синюю «Мазду».

Вячеслав Иванович, вообще-то говоря, не очень был согласен с Турецким, уже почему-то подозревавшим Рутыча если не в прямом пособничестве, то, возможно, в косвенном, говоря об убийстве Морозова. Но Саня по каким-то своим соображениям просил в буквальном смысле обложить того, как дичь в загоне, чтоб этот Рутыч заметно занервничал. А потом направить к нему Сергея Климова допросить его в связи с делом об убийстве Морозова. Они уже сталкивались на кладбище, Сережа его наверняка запомнил. И допрос, для успокоения Рутыча, должен вестись в плане самых общих вопросов, касающихся прошлого их компании, взаимоотношений друг с другом, с родителями Воробьевых и Морозовых, причин охлаждения отношений и так далее. В самых общих чертах. Не углубляясь в конкретику последнего дня жизни Леонида Борисовича, чтобы у Рутыча не возникло и мысли, что его могут в чем-то подозревать. У него же следовало уточнить все данные на Лилию Бондаревскую, с которой у него, как известно из рассказанного его друзьями в Нижнем Новгороде, включая родителей Воробьевой и Морозова, был бурный роман. И, что бы он ни отрицал, а это — возможный вариант, необходимо выйти на эту женщину через Управление кадров Министерства иностранных дел и допросить уже более конкретно, в плане ее отношений с Рутычем. Именно эта фигура сейчас больше всех остальных почему-то интересовала Турецкого.

Естественно, Грязнов не обладал в настоящий момент всей полнотой информации, как Саня, но он привык доверять интуиции друга. И немедленно раздал поручения.

Очень скоро, «проводив» объект от дверей квартиры в доме на Лесной улице до места его службы — в Большом Ржевском переулке, где на первом этаже старинного дома располагался офис агентства «Гармония», Грязнов навел агентурные, оперативные справки об этой организации и был искренне изумлен. Двумя обстоятельствами. Первое заключалось в том, что само по себе агентство занималось весьма странными делами, которые, честно сознаваясь, даже и в голову не приходили Вячеславу Ивановичу. Это было агентство, если так можно выразиться, профессиональных обманщиков. То есть вполне серьезных людей, которые избрали своей профессией «сохранение идеальных семейных отношений путем создания для обоих супругов возможности спокойно и с достойным видом изменять друг другу». Потрясающе!

— То есть, — рассуждал с сидящим напротив Климовым отчего-то повеселевший Вячеслав Иванович, — ты понимаешь, Сережа? Если, скажем, я собираюсь наставить тебе рога, а твоя глубоко уважаемая мной Марина Эдуардовна на это готова пойти, но побаивается твоей, скажем, мести, то что я делаю?

— Вячеслав Иванович! — Климову вовсе не светил подобный разговор, да еще на слишком болезненную для него тему (между ним и Маринкой опять возник незначительный конфликт, связанный с необходимостью посещения ею неких тусовок, где свое присутствие Сергей считал крайне нежелательным, а она — наоборот!). — Давайте придумаем другой вариант!

— Да что ж ты зануда такой? И как эта чудо-женщина тебя только терпит?!

— То-то и оно, что не терпит, — огорченно бросил Климов.

— Что, опять? — хриплым голосом известного волка из украинской мультяшки про то, как жили-были волк и собака, спросил Грязнов. — Ну, знаешь!.. Ладно, раз вы такие сумасшедшие, пусть будет другой вариант. Хорошо, уже не я, а ты сам хочешь наставить кому-то рога. Придумай сам кому. И жена того твоего приятеля готова, но жуть как боится своего ревнивого мужа. Он тоже, между прочим, из органов и с супруги глаз не спускает. И тут на помощь вам с ней приходит «Гармония», сечешь? Эта контора, обладающая поразительными связями в московской, да, видно, и не только столичной, элитарной обслуге, придумывает, как вам и где лучше всего утолить свое нестерпимое, понимаешь ли, вожделение. — Физиономия генерала расплылась в сладчайшей ухмылке. — Ну, к примеру, жена твоего приятеля говорит ему, что едет к массажистке, а потом прошвырнется по магазинам, зайдет туда-сюда, подъедет на базар, чтобы купить свежей баранинки, и вернется, чтобы приготовить ему вкусный ужин. Теперь о тебе: условно говоря, твоя супруга, которая надоела тебе до чертиков, не должна знать о твоих подвигах. Тебе по службе, так сказать, предоставляется командировка на три дня, скажем, в Тверь. А на самом деле тебе снимают номер в гостинице, где-нибудь на ВВЦ, где вы преспокойненько с женой приятеля коротаете время в постели — до ужина. После чего она отправляется домой с покупками, которые ей уже приобрели агенты агентства по ее списку. А ты звонишь супруге «из Твери» по сотовому и желаешь своей «ненаглядной» спокойной ночи, добавляя, что скучаешь по ней безмерно. На следующий день твоей пылкой любовнице предлагается иная программа — не массажистка, к примеру, а элитный, сугубо дамский фитнес-клуб с выездом на природу. Либо экскурсия в соседнюю область, к памятнику старины, — на один день. И к концу вашего любовного свидания к вам в номер привозят разные безделушки местного значения с символикой того города, где она побывала, и видами, изображенными на открытках. А у тебя, когда ты возвращаешься домой, на руках командировочное удостоверение. Оформленное по всем правилам, билеты, счет за проживание в гостинице и, соответственно, тоже местные сувениры, поскольку ты только и делал, что думал о своей ненаглядной. Понял? И так далее. Более чем ясная картина...

— То есть, другими словами, они обеспечивают обратившихся к ним клиента либо клиентку твердым алиби на случай проверки ревнивыми супругами?

— Все правильно. Придумывают и воплощают в жизнь любые прихоти своих клиентов. Только плати деньги! Интересный бизнес, да? И знаешь, чем оправдан? Тем, что они помогают всячески сохранить браки между людьми, не волновать их... Помогают утолять вспыхнувшие желания, гарантируя при этом полную безопасность.

— И кто ж такой умный придумал это?

— Хороший вопрос. Мне он тоже интересен. Говорят, за границей такие агентства давно уже работают. А у нас я слышу, честное слово, впервые. Вот поэтому, Сережа, займись-ка ты этим делом, благо там работает наш Рутыч. Ты явишься к нему по делу об убийстве Морозова. Мол, мы отрабатываем все версии, включая те, которые могут быть связаны и с его прошлым. Поэтому тебе надо знать все о его товарищах, включая и самого Рутыча. И его бывшую девушку, где-то потерявшуюся в большой Москве. Впрочем, потерял он уже ее или еще нет, ты тоже не знаешь. И мы никого еще не подозреваем, просто нужна общая информация. Для того чтобы, скорее всего, благополучно похоронить эту версию. Потому, вероятно, и твой интерес будет чисто формальным. Но важно лишь подтвердить его алиби в день смерти Морозова — где был, сколько времени, чем занимался, с кем встречался, ну и прочее. Как «специалист» в этом деле, он должен понимать, зачем нам нужно его алиби. Ясна задача?

— Это понятно. А я могу располагать какими-то данными, полученными из Нижнего Новгорода?

— Думаю, разве что отчасти. Про их дружбу с детства, и все. Мы же в принципе идиоты, с их точки зрения. И поэтому определенно у нас одна рука не знает, что делает другая. Протоколы допросов из Нижнего, я полагаю, ты уже прочитал?

— Разумеется, ознакомился, потому и спрашиваю. Поверит ли он в наш идиотизм? У меня все-таки остается сомнение. Бригада-то одна... Да и он юридический кончал.

— А что, среди нашего брата мало дураков? Сделай глупое лицо, приоткрой рот и не выходи из образа. Поверит! Очень ведь будет хотеть поверить. А что спрашивать, тебе уже известно. И нужно, чтобы был ты из московской прокуратуры. Это — обычное, рутинное дело, практически «висяк». А если бы там Саня или я — о, блин, куда зашло! Тут — перебор.

— Вот! Я именно об этом! Почему вы считаете, что он не сопоставит нашу совершенно случайную встречу на кладбище — он-то не знает, что это было так, — с тем, что я явлюсь к нему теперь с вопросами? Когда человек напряжен, у него шарики в башке катаются с утроенной скоростью.

— Ну смотри, Сережа... Лучше б под дурачка. А там как увидишь. Ориентируйся на месте. Только не делай одного: не смотри на него суровым, подозрительным взглядом. Запаникует, решит, что мы слежку за ним установили. И заметит-таки. А это может поломать нам всю игру. Да, он в самом деле дипломированный юрист, правда, в банке работал. Оно как бы не совсем то же самое, что «на земле», но тем не менее... Так что считать нас уж полными идиотами он, конечно, не станет. Опасность-то всегда остается.

...Климов еще на кладбище запомнил некрасивое, горбоносое лицо, похожее на вытянутый треугольник, повернутый острым концом книзу, со сросшимися на переносице черными бровями. Но тогда он не придал значения тому, что тот как-то нагловато обернулся к ним с Мариной, словно недовольный посторонним разговором во время печальной церемонии. А выходка Сергея с удостоверением сотрудника прокуратуры, сунутым этому типу под нос, показалась самому Климову шуткой, не более. Но теперь эта «шутка» приобретала некое символическое значение. Получалось, хотел того следователь или нет, что он уже тогда как бы следил за Рутычем.

И еще ряд соображений возник у него после прочтения факсов из Нижнего Новгорода, доставившего в Москву распечатки телефонных разговоров Рутыча с женщинами семьи Воробьевых. И первое было чисто мужским: ну как могла Зоя, обладавшая, что там ни думай про ее характер натуральной ведьмы с яркой и броской внешностью, за которой наверняка было много охотников, отдаться такому наглому, некрасивому типу? Впрочем, история любит приводить примеры того, как некие красавицы принцессы отдавались горбатым уродам-конюхам в конюшнях, прямо на их соломенных подстилках. Логика, особенно женская, в сущности, непостижима и, уж конечно, непредсказуема.

Либо, подсказывало другое соображение, такая жертва Зои могла оказаться одной из составляющих ее оплаты того опасного труда, который ради нее совершил бывший школьный товарищ — из верности или по каким-то иным, даже, возможно, и собственным соображениям. Черная, многолетняя зависть к красивому, обаятельному и удачливому сопернику, между прочим, и не такие «подвиги» толкала. Особенно если тебе обещано за твой оправданный риск полное расположение и ныне, и присно. Но это уже указывало на исполнителя заказа. И, соответственно, на совершенно иной мотив преступления.

Иными словами, такая версия, если Александр Борисович там, в Нижнем Новгороде, нашел для нее подходящие аргументы, тоже могла, конечно, иметь право на существование. Но, с другой стороны, уж слишком велико у всех, без исключения, коллег Морозова желание найти в подоплеке трагедии конкретную политику. И они не отстанут, не примут бытовых мотивов убийства. Это придется очень крепко и долго доказывать. Если еще удастся. «Народ» не станет отказываться от своего «героя», от страдальца за правду, ту самую, что, по словам классиков, является «кондовой, посконной и домотканой». «Народу», условно говоря на известном языке, «западло» думать о ревнивом, например, муже... Хотя Бернард Шоу, читал где-то Климов, может даже и в отрывном календаре, мечтал, говорят, в свои девяносто шесть помереть от пули ревнивого супруга своей любовницы. Ну так то — великие!.. А откуда им взяться в Нижнем Новгороде, где кроме Козьмы Минина, босяка Алешки Пешкова да нахального молодого губернатора, любителя апельсинового сока, никаких других гениев отродясь не появлялось? Нет, точно потребуют «высокую политику»...

И, четко осознавший свою важную задачу, Климов отправился в Большой Ржевский переулок — не в качестве потенциального клиента, а как раз напротив. Помимо всего прочего Грязнов попросил Сергея своими нудными вопросами, сомнениями и бесконечным переливанием из пустого в порожнее задержать, и как можно дольше, господина Рутыча в его кабинете, или где он там сидит, чтобы дать возможность оперативникам проделать и свою необходимую работу.

Тем временем Петухов с Гуляевым, доложив, что фигурант на службе, вернулись из центра на Лесную улицу и, без особого труда проникнув в квартиру, немедленно приступили к выполнению главного своего задания.

Стремительный, но и тщательный обыск в двухкомнатной квартире, окнами выходящей в большой квадратный двор, показал, что Вадим Григорьевич вовсе не гнушается женского общества. А что, возможно, при своей пусть и не самой привлекательной внешности этот тип обладал внушительными прочими достоинствами? Во всяком случае, в хорошо убранной и, в общем, достаточно чистой, уютной квартире явно чувствовалось присутствие женской руки. Наверное, не постоянной, а скорее приходящей. Вот ведь странно — женщина ощущается, а следов никаких! Ничего, вплоть до почти незаметного, случайного какого-нибудь следа помады на краю чашки — и того не было, как ни пытались обнаружить его сыщики, уже просто из интереса, даже из упрямства.

Аккуратно обутые в целлофановые боты поверх обуви, они не хотели наследить — в прямом смысле. Паркет блестел, как новый. В пепельницах — в комнатах и на кухне — ни окурка. Хотя хозяин квартиры курил, видели, когда он садился в свою «Мазду», — сперва закурил, приспустил левое стекло в машине, а потом только стал прогревать двигатель. В ведре для отходов под раковиной на кухне — тоже почти стерильная чистота, целлофановый пакет, надетый на края ведра. Похоже, что, уходя, Рутыч все свое, то есть мусор, уносит с собой. Или за него это делает кто-то другой.

Короче говоря, уже через пять минут напряженного поиска в ящиках письменного стола, в шкафах в комнатах и на кухне ничего указывающего на профессию господина Рутыча обнаружено так и не было. Вот что значит — аккуратист! В карманах одежды в шкафу и на вешалке в прихожей — пусто. Ну так же просто не бывает, чтоб ничего! И — тем не менее...

На нескольких книжных полках, висевших на стене, сбоку от письменного стола, книги — сплошь по юриспруденции. А одна полка выделена целиком под путеводители по различным российским городам центральных областей. Хозяин, видно, любит путешествовать по Золотому кольцу и вокруг него. Другой литературы не было. Романов Рутыч не читал.

Ничего особо выдающегося не оказалось и на стенах. Несколько живописных этюдов в рамках — на стене в кабинете, где была одновременно и столовая, если в квартире собирались гости. На это указывал круглый стол посредине комнаты, накрытый вышитой скатертью, и несколько стульев. А над письменным столом на стене — еще небольшой фотографический портрет, тоже в рамке и под стеклом. Это была фотография — сыщики уже знали, Грязнов показывал — Зои Воробьевой. Красивая девушка, задумчивая. Но интересно, что снимок висел в квадрате слегка выцветших обоев, который был больше этого фото. Значит, прежде здесь занимала место другая фотография. Следов этой, другой, сыщики нигде не обнаружили. Ну правильно, с глаз долой — из сердца вон!

Оставалось расписаться в собственной неудаче и заняться установкой техники. Ну это уж дело привычное. Вот заодно уже сегодня вечером можно будет проверить предположение относительно тех, кто помогает Рутычу вести домашнее нехитрое хозяйство. Кто-то ж должен прийти.

Покинули помещение так же, как и вошли, — бесшумно. Никаких консьержек в подъезде этого большого и серого, выстроенного буквой «П» дома не было. А входная дверь открывалась запросто, стоило лишь посмотреть на три вытертые добела бывшие черные кнопки кодового устройства. Не трусливый народ здесь жил. А может, просто как-то интуитивно ощущалось здесь близкое соседство — в соседнем квартале — знаменитой Бутырской тюрьмы? Так называемого известного на всю Россию следственного изолятора № 2. А что, вполне...

Петухов остался в машине, дежурить, а Гуляев пешком отправился к метро, благо здесь было совсем близко до «Менделеевской», пообещав вечером сменить товарища. Или как там распорядится Вячеслав Иванович.

Он прекрасно все понимал, это отчетливо видел Климов. И представляться не потребовалось. Едва Сергей Никитович вошел в небольшой кабинет Рутыча, на двери которого была золотистая табличка: «Заместитель генерального директора», как Рутыч поднялся, вышел из-за стола и без всякой тени угодничества, твердым голосом произнес:

— А мы знакомы. Вы изволили мне в физиономию ткнуть своим удостоверением. На кладбище, помните?

— Вы так посмотрели, что я просто счел необходимым представиться. Извините, если вы восприняли мой жест, как «ткнул». Не имел охоты. И был я там не по собственной воле... Ну ладно, оставим это. У прокуратуры к вам несколько вопросов. Я специально не стал вас вызывать повесткой, чтобы не поднимать ненужного шума, который может отразиться на вашей деятельности. Вы разрешите?

— Да-да, конечно, садитесь, пожалуйста.

Без почтения, без улыбки и без страха.

— Мои коллеги в настоящее время находятся в Нижнем Новгороде, может быть, вам уже известно об этом... — Климов сделал паузу, чтобы дать возможность Рутычу ответить: да или нет.

— Да, я в курсе. Разговаривал по телефону. Я ж ведь отлично знал Леню. Мы были ближайшими друзьями...

— Это нам известно. Вот меня и попросили побеседовать с вами и выяснить ваше отношение к происшедшим печальным событиям. Может быть, у вас есть предположение, кто мог так ненавидеть Морозова, чтобы убить его? Вы знали его характер. Были ближе — в Москве все-таки. К вам в те трагические дни приезжала, видимо, как к ближайшему другу, невеста Леонида. Это все известно. Она уже сообщила следствию. Но чтобы наш разговор имел хоть какое-то юридическое значение, вы понимаете, сами — юрист, я буду заполнять протокол допроса свидетеля, а вы потом посмотрите. Нет возражений?

— Делайте как положено. Но только вряд ли я скажу вам что-то новое. Живя почти рядом, мы с ним стали отчего-то очень далеки. Разные интересы, отсутствие времени. Так, созванивались, не больше. Правда, нередко, но по общим событиям — праздникам, приветы от родных и знакомых — обычное дело...

И на все дальнейшие вопросы отвечал скупо, ссылаясь на свою занятость и отсутствие прямых контактов с Морозовым. А слухами и сплетнями, которых вокруг его друга детства ходило бесчисленное множество, он пользоваться не привык.

Климов ничего особенного и не ожидал. Найдя повод, он, уже не для протокола, попросил Рутыча объяснить популярно, чем занимается фирма, в которой тот работает? Чем, собственно, занимается агентство?

Ответ был лаконичным:

— Гармонизацией отношений в семьях, когда у ее членов появляется необходимость несколько изменить свою личную жизнь.

«Тупой» Климов не понял. Стал задавать наводящие вопросы. Рутыч, не теряя присутствия духа, терпеливо пояснял. Рассказал даже об одном поистине анекдотическом случае, который произошел в агентстве еще в первые месяцы его существования, когда и самим работникам не совсем ясны были собственные задачи. Но судьба как бы сама подсказала решение.

Однажды, где-то полтора или уже два года назад, некий гражданин Ярыгин Владимир Федорович возвращался довольно поздно уже с работы домой. Увидел «голосующую» у обочины женщину и решил остановиться, потому что у нее был очень уж измученный вид. Ну жалко стало. Все автомобилисты проезжали мимо, а уже накрапывал дождь. Но толчком для совершения благодеяния послужило то обстоятельство, что эта молодая женщина была явно беременна.

Короче, остановился Ярыгин, открыл дверцу, увидел, как по щекам женщины текут слезы — не то благодарности, не то от боли. Ехать ей было недалеко и, главное, Ярыгину почти по пути, с небольшим отклонением от своего маршрута. Но на середине пути у нее, бедной, начались схватки. Что было делать? Искать ближайший роддом. Но у нее не оказалось при себе медицинского полиса. Словом, довез Ярыгин женщину, уговорил принять ее на том условии, что он дозвонится до ее мужа, и тот немедленно привезет полис. В суете и суматохе Ярыгин сперва звонил мужу этой женщины, долго ему объяснял, куда надо ехать, и, естественно, меньше всего думал в этот момент о собственной семье. А когда решил позвонить, у его сотового телефона кончился заряд батарейки.

Оказалось, что он успел с этой женщиной примчаться вовремя. У той начались роды. Ну пока ждали — теперь-то уже, как говорится, терять все равно нечего, — муж этой роженицы предложил выпить: не каждый же день в такую ситуацию влипнешь. А уже ночь на дворе. Словом, не стал Ярыгин дожидаться разрешения родов и уехал домой, обменявшись с будущим папашей, прекрасным, между прочим, человеком, адресами и телефонами.

Ну, приехал он домой, запах изо рта, какой-то совершенно фантастический, похожий на чудовищную ложь рассказ о случайной роженице. Кто поверит?! Жена — на кухню за сковородкой, чтобы вышибить из мужика правду, и только правду, а в дверь — звонок. Открыла, а на пороге незнакомый молодой человек с букетом в одной руке и шампанским в другой. Родила жена, да не просто мальчишку, а истинного богатыря! И вот примчался с благодарностью. Ну где в наше время еще найдешь настоящее благородство и отзывчивость?!

В этой истории — ни капли выдумки.

Так зачем это агентство? А чтобы помогать людям выпутываться из дурацких историй, в которые они — и мужчины, и женщины — нередко попадают, сами того поначалу не подозревая.

— Но этак ведь, — заметил «недоверчивый» следователь, — можно, создавая, понимаешь, алиби, и в криминал поневоле влезть?

— А вот для этого мы и существуем, — торжественно объявил Рутыч, — чтобы не переступать никогда грань. Будет вам определенно небезынтересно, если вы поговорите с нашим гендиректором. Обаятельнейшая женщина — Алина Александровна Аринина. Не желаете?

— Я с удовольствием, если это возможно...

— Попытаюсь помочь, если она не занята и не собирается отъехать, — учтиво заметил Рутыч.

Он позвонил секретарше — чрезвычайно, между прочим, приятной женщине где-то лет сорока пяти, брюнетке с аккуратной прической, напоминающей блестящий шлем, и обаятельной улыбкой совсем юной девушки. Климов уже обратил на нее внимание. И где, интересно, берут они, эти фантазеры, такие кадры?..

— Ирина Владимировна, как там у нас Алина Александровна?.. — Рутыч выслушал ответ, поблагодарил и положил трубку. — Увы, она только что выехала по очередному делу. Придется, если не возражаете, перенести ваш визит к ней. Как видите, мы открыты для любых проверок.

Рутыч изобразил улыбку, но она у него получилась какая-то искусственная. А потом, есть лица не очень, может, и симпатичные сами по себе, но которые улыбка красит. А улыбка Рутыча делала его лицо еще угрюмее, что ли. Любопытно, как же Зоя, с ее вкусом, броской внешностью и, вероятно, серьезными претензиями к жизни, терпит рядом с собой такого мужчину? Вот уж загадка...

— Да, в следующий раз, с вашего позволения, — ответил Климов, поднимаясь. — Ну и последний вопрос к вам, я думаю, что он не будет вам в тягость. Вы не могли бы подсказать мне, как связаться с вашей подругой детства Лилией Игоревной Бондаревской? — Климов просто излучал доброжелательность.

Но Рутыч с непроницаемым теперь лицом лишь пожал плечами.

— Честное слово, не знаю, чем вам помочь. Я утерял с ней связь. С некоторых пор. По личным соображениям. Надеюсь, не надо объяснять, почему люди иногда расстаются?

— Разумеется. Расставание всегда одному из двоих приносит боль, а другому — облегчение, не так ли?

— Верное наблюдение, — заметил Рутыч, с непонятным любопытством глядя в глаза Климову. — Когда-то, вы наверняка в курсе, мы очень дружили... Детские клятвы, знаете ли, обещания вечной любви, ну а потом началась суровая жизнь, которая клятвам не верит... Если хотите, поищите в МИДе, где-нибудь в Управлении делами, наверное, найдут. Она хорошая переводчица. Есть еще вопросы?

— Нет, благодарю. Но я вам, с вашего разрешения, позвоню.

— Да, пожалуйста, я передам Алине Александровне о вашем желании встретиться.

Расстались, сделав вид, что довольны друг другом.

Рассказ Рутыча прозвучал бы убедительно, если бы не возник обозначенный им же самим вопрос о грани. Той самой, через которую они якобы не переступают. А узнать все это можно лишь одним путем: получить санкцию и вскрыть их архивы, заложенные в компьютерах. Они тут, вероятно, в каждом кабинете стоят, а кабинетов этих, только по одному коридору, Климов насчитал не меньше десятка. И в конце его шли ответвления направо и налево. Видимо, хорошо зарабатывают здесь, если могут позволить себе снимать такое помещение практически в самом центре Москвы.

И решать этот вопрос мог только один человек — Александр Борисович Турецкий. Потому что ни Климову, ни даже самому генералу Грязнову, скорее всего, никто вот так, с ходу, не позволит произвести обыск и изъятие документов, содержащих «коммерческую тайну», а на самом деле элементарный компромат на лиц, рискнувших обратиться за странной помощью в это не менее странное агентство «Гармония». Пока никаких фактов их противоправной деятельности нет, а допросы сотрудников ничего не дадут следствию. Все будут молчать, объясняя свое молчание той самой коммерческой тайной, по поводу которой они еще при поступлении на работу должны были, вероятно, дать подписку о неразглашении. И разрушить этот порочный круг, этот криминальный бизнес, а он явно преступный в самой своей основе, ибо зиждется на обмане, на подмене фактов, на подтасовке, не говоря о более серьезных нарушениях закона, лихим наскоком не удастся. Чем больше думал об этом Сергей Никитович, тем больше понимал, что где-то здесь, фигурально выражаясь, и могла быть зарыта та собака, которую они искали в качестве необходимой улики...

Когда Климов кончил докладывать Грязнову о первых своих наблюдениях и первоначальных выводах, позвонил Игорь Петухов, дежуривший у дома на Лесной улице, и доложил Вячеславу Ивановичу, что пошла запись. Рутыч вернулся наконец домой и стал звонить в Нижний Новгород.

— Пленку доставь сразу же, как только тебя сменит Гуляев, — приказал Грязнов. — Ну вот и начались серьезные подвижки. Интересно, чем ты его так взволновал?

— Как раз волнения-то я у него и не увидел, — возразил Климов.

— А вот и посмотрим, как прошла твоя миссия... А что за секретарша такая у них, что у тебя глазки светятся?

Ириной Владимировной зовут, говоришь? Ну-ка расскажи мне о ней подробнее. У тебя взгляд вроде бы точный. Как она внешне? Как разговаривает? Ну все, что заметил... Да не смущайся ты, я ничего Марине не скажу, — подколол Грязнов и засмеялся.

Климов стал вспоминать глаза женщины, ее улыбку — не казенно-учтивую, а живую, естественную. Ее чуть курносый профиль. Пухлые, чуть приоткрытые, как у известных актрис, губы. Потом заговорил о ее фигуре...

— Э-э, да ты — поэт! — ухмыльнулся Грязнов. — Послушай, а когда она спрашивает, голову вот так, чуть набок, не наклоняет?

— Ага! Я как раз отметил, что это у нее не кокетство, а какое-то очень естественное движение. Добавляет обаяния. А что?

— Чего «что»? — посерьезнел Грязнов. — Портрет лица, как выражался один мой знакомый, очень схож... Ладно, разберемся. Телефончик случайно не записал?

— Есть, как же... — Климов достал визитку Рутыча, где на обратной стороне был записан номер приемной агентства «Гармония».

— Ну-ка, ну-ка! — заинтересованно сказал Грязнов. — Если они еще работают...

Он набрал номер, подождал, услышал отзыв и спросил:

— Извините, это говорит Ирина Владимировна?

— Да, — услышал он ответ. — Но должна вас огорчить, никого из руководства сейчас на месте нет. Но если вы пожелаете оставить номер вашего телефона, я попытаюсь найти гендиректора или ее зама, и вам перезвонят. Я записываю...

Грязнов держал трубку не вплотную к уху, а чуть на отлете, и Климов слышал, что говорил певучий и мягкий голос секретарши.

— Сделайте одолжение, Ирина Владимировна. Вам звонит некто Вячеслав Иванович...

И Грязнов замолчал, ожидая реакции, а сам ухмылялся во все лицо. И она последовала:

— Рада слышать твой голос. Забыл ты меня. А как поживает наш друг?

— Жив и здоров, слава богу. Илонка, ты мне очень нужна — для совета. Это просто невероятная удача. Как нам сделать?

— Если номер не изменился, я, пожалуй, позвоню часиков в одиннадцать. Или ты уже спишь в это время?

— Я буду ждать, спасибо... — Грязнов положил трубку, посмотрел внимательно на Климова, помолчал, поглаживая свою лысину, и спросил: — Говоришь, красивая?

— Я просто удивился!..

— Видел бы ты ее помоложе... Ах, где мои годы?.. Ничего, я думаю, что теперь-то уж точно мы решим проблему с «Гармонией». Вот уж Саня будет смеяться!..

— Почему? Чего в этом смешного?

— Было дело... — Грязнов задумался, вспоминая. — Жизнь она ему спасла. В прямом смысле. Чего ж теперь не вспомнить, не посмеяться? Но и мы с Костей и племянником моим, Дениской, тоже хорошо постарались, большую рыбу тогда взяли. Зубастую... Когда ж это было-то? Да уж, поди, пяток лет назад... Как время летит!..* Ну а на сегодня ты свободен. Лети к своей Марине и не отпускай ее далеко от себя. Женщине, Сережа, вообще нельзя давать много воли, если ты ее любишь.

— Почему? — не понял Климов, и усы его смешно встопорщились.

— А потому что воля вольная для женщины — это не ее сила, а твоя слабость.

— Вы что, мусульманин?

---

* См. роман Ф. Незнанского «Возвращение в Сокольники» (М., 2002).

— С чего ты взял? Я просто так думаю. И могу привести сотни, если не тысячи примеров... Ладно, езжай. Я позже переговорю с Нижним, а с утра мы сделаем ход конем...

## 4

«Они сами были виноваты, — скажет позже Грязнов. — Сидели б тихо, как мыши, мы бы тоже полегоньку занимались сбором улик. И как бы еще дело повернулось, неизвестно. Так нет же, обострения захотели...»

Очередную запись разговора Рутыча с Зоей по сотовой связи Игорь Петухов, которого сменил Женя Гуляев, привез Вячеславу Ивановичу около десяти вечера. В половине одиннадцатого Грязнов позвонил Сане в Нижний. Тот ответил, что тоже прослушал разговор и предложил начать операцию одновременно, с двух концов. Но только надо обязательно созвониться с Костей, чтоб потом не вышло накладки с информацией руководства Генпрокуратуры. Ну то есть соблюсти определенный пиетет, как это положено.

В одиннадцать Вячеславу позвонила Илона, она же — Ирина Владимировна Мерзлякова, которую и Грязнов, и Турецкий знали как Соколовскую. Но что не сделает, куда не повернет вдруг судьба тайного агента, даже если это — прекрасная женщина!.. И спустя полчаса Вячеслав Иванович спустился в подъезд и вышел на улицу, чтобы встретить подъехавшую на такси Илону, а заодно проверить, нет ли за ней «хвоста». Недаром же говорится, что береженого Бог бережет.

Ночная улица была пустынна. Грязнов встретил подъезжающую машину, помог Илоне выбраться из салона и спросил, сколько надо дать водителю?

— За пятьсот договорилась, — небрежно бросила она.

Грязнов обошел машину и протянул в открытое окно пятьсот рублей. Водитель взял, кивнул и уехал. Грязнов вернулся на тротуар, подхватил женщину под руку и повел во двор. Все молча. И только когда они вошли в квартиру и вспыхнул свет в прихожей, Вячеслав взял ее за плечи и развернул лицом к себе. Посмотрел и так, и этак, она тоже разглядывала его, чуть склонив голову к правому плечу — очень характерно для нее, — наконец одновременно засмеялись.

— А ты практически не изменилась, душа моя, — заметил Вячеслав.

— Ах, Слава, если б ты знал, сколько воды утекло... К сожалению, не могу сказать того же о тебе, дорогой мой. Все по-прежнему? Женщины в доме нет?

— Да теперь уж поздно...

— Странные вы ребятки, раньше — рано, теперь — поздно. Тогда целуй уж. Чего ждешь? По глазам же вижу! — радостно засмеялась она.

— Погоди, это ты кого имеешь в виду — во множественном-то числе? — ревниво спросил Грязнов, помогая ей снять верхнюю одежду и одновременно обнимая ее.

— Это я — вообще, — вздохнула Илона и принялась снимать теплые сапожки. — Тапки дашь?

— И халат, — кивнул Грязнов.

— Ну, Слава, — засмеялась она, — как был хулиганом, так им и остался. И очень это хорошо! — Она взяла его за щеки и чмокнула в нос. — Хочешь халат? Давай халат. Только я пойду в ванную, переоденусь...

Они сидели за столом на кухне по-домашнему, почти как муж и жена. А ведь когда-то могли... Да что-то не сложилось. Собственно, что именно не сложилось, очень даже понятно: работа развела в разные стороны...

Однажды это как раз и случилось, где-то около пяти лет назад, когда Илона по просьбе Славки действительно спасла Сашу Турецкого от рокового шага — тот едва не пустил себе пулю в висок. Ну так сложились обстоятельства, большая беда крылом, что называется, взмахнула и чуть не задела «важняка». И то была не игра, не рулетка, он и пустил бы, если бы пуля оказалась в патроне. Но ее там не было, потому что Илона ухитрилась ловко подменить у него пистолет, и, когда Саша нажал на курок, боек только сухо щелкнул. Они с тех пор не виделись. А у Илоны, как чуть позже понял Грязнов, словно что-то тоже треснуло внутри. Не сломалась она, нет, но... что-то в ней изменилось. Короче, он сам предложил ей поставить крест на прошлом, так как знал, какая жестокая, вынужденная каторга — эта проклятая агентурная работа. Пожалел, потому что очень она ему нравилась. Красивая, умная женщина, надо же когда-то ей и о себе подумать, судьбу устроить?.. Словом, отпустил птицу на волю, сам ни на что уже не рассчитывая... И вот снова увидел, потому что угадал ее в рассказе Климова.

Грязнов поймал себя на том, что суетится, ухаживая за дамой, облаченной в его махровый халат, словно за самым близким и желанным человеком. А она с улыбкой продолжала рассматривать его.

— Слава, — остановила она наконец его суетню, — сядь, отдохни и объясни мне, что тебе нужно? Чего сегодня у нас делал твой бравый, усатый сыщик? Смотрел он, во всяком случае, на меня, как на сдобную булочку, вот как эта. — Она подцепила вилкой кусочек и поднесла ко рту, закусывая очередной глоток вина.

Грязнов захохотал.

— Учти, и это при том, что он по уши влюблен в одну вполне симпатичную дамочку! Ты представляешь, какой жуткой силищей владеешь?

— Ах, Славушка... да если б я в самом деле владела, разве я сидела бы здесь и сейчас в твоем купальном халате? Оставим это. Ты хочешь, как я поняла, что-то знать про «Гармонию»? А цель?

— Скажу всю правду. Подозреваем, что ваш Рутыч принимал участие в подготовке убийства одного известного телевизионного журналиста. Его фамилия — Морозов. Убит двумя выстрелами из «макарова» за полтора часа до нынешнего Нового года. На пустой улице, неподалеку, кстати, отсюда, в собственном автомобиле. Его остановили и произвели два выстрела. Рутыч — одна из версий, к которой и я, и Саня склоняемся все больше. Ты можешь рассказать что-нибудь? И чтоб тебе эта информация абсолютно ничем не грозила?

— Я всего два месяца там. С Алиной — это наш гендиректор — познакомилась совершенно случайно в одном салоне... да ты помнишь наверняка, на Старом Арбате, у Софьи Романовны?

— А-а, ну конечно...

— Разговорились, пока мастер бегала к телефону. И я получила лестное приглашение. Платит прилично, особо не нагружает, но и в собственные архивы не допускает. А я и не лезу. Мне теперь — незачем.

— Архивы, значит, есть?

— А где их нет? Как им не быть? У нас два десятка сотрудников, у каждого персональный компьютер, все соединены в единую сеть, главный — у Алины. Но сегодня, после ухода твоего сыщика, Вадим зашел в кабинет Алины — он единственный, кому разрешено, — и основательно засел там. Я не думаю, чтобы он производил тотальную очистку, но чем черт не шутит? Вид был, во всяком случае, озабоченный. Когда я заглянула перед уходом, он был этим очень недоволен. Хотя на его противной физиономии, по-моему, вообще никакие чувства, кроме неприязни, не отражаются.

— И как же ты, такая красивая, умная?.. Извини, я повторяюсь...

— Валяй, мне все равно приятно!

— Ну как ты с ними ладишь-то? Я вот послушал Сережу и сразу усек: э-э, ребятки, а вы там не делом занимаетесь! Ох каким криминальным душком потянуло сразу! Тебе-то это надо?

— Меня устраивает уже то, что ко мне никто не лезет руками и платят приличные деньги. Уйти я всегда могу, меня никакие Алинины секреты не держат. А что я знаю, про то, ты понимаешь, никто не узнает. Может быть, кроме тебя. Ну еще одного человека... А как он... Саша? Не развелся?

— А ты ждала? — помолчав и сумрачно сдвинув брови, спросил Грязнов.

— Не то чтобы ждала, но, возможно, надеялась... Очень он мне запал тогда в душу... Наверное, зря вы с Денисом приставили меня к нему. Что-то тогда во мне словно сдвинулось.

— Я заметил... Но... Саню надо было спасать, и только ты одна могла это сделать на самом высшем уровне... Потому, я подумал, что и у нас с тобой как-то тоже ни черта не получилось...

— Вполне возможно. Значит, счастлив... Ну и дай ему Бог...

— Бог-то — Бог, да сам, говорят, не будь плох! Послушай, Илонка, а ведь складывается так, что нам придется тебя самую малость расшифровать...

— Это зачем? — насторожилась она.

— Если настоящий криминал обнаружим, привлечем в качестве свидетеля. Но не больше, в этом могу поклясться, ты меня знаешь. Как ты к этому отнесешься?

— Отрицательно. Но если вы без этого не можете обойтись... Только без Илонок, пожалуйста. Документы у меня подлинные, понимаешь?

— Еще бы! — улыбнулся Грязнов. — Гознак, высший класс.

— Ну то-то, — облегченно улыбнулась и она. — Ладно, хватит базара, слушай внимательно, я повторять не буду. А то совсем времени на сон не останется, а мне завтра надо выглядеть выспавшейся и свежей, как молодой огурчик...

— В пупырышках, — ласково добавил Грязнов.

...Близко к полуночи позвонил Турецкий и с ходу спросил:

— Ты в курсе, что наш подопечный... нет, пока еще твой, сюда намылился?

— В курсе. Но мне еще не доставили запись его новых переговоров. Его провожают.

— Что-то ты, дорогой мой генерал, медленно раскачиваешься... Он уже из поезда звонил, только что отправился ночным, проходящим мимо нас.

— Этого я еще не знал. Зато кое-что уже выяснил про «Гармонию». Масса вопросов.

— Это хорошо. От кого? Чего молчишь, секрет?

— Думаю, как тебе это сказать...

— Словами скажи, твои красноречивые жесты моему взору недоступны, — поторопил Турецкий..

— Одна фантастическая женщина, как выразился бы ты...

— Ох, Грязнов, погубят тебя когда-нибудь женщины!

— Такие, Саня не губят, такие спасают... Впрочем, ты ее знаешь. Давно было, когда ты однажды по Сокольникам бродил в поисках приключений на свою башку, а я в кустах, в засаде, сидел в это время. Ни о чем не говорит? Ничего не напоминает?

— Не может быть... — после паузы почти шепотом проговорил Александр. — Славка, какая же я жуткая свинья... Ведь получилось — с глаз долой — из сердца вон... Ты ее еще увидишь?

— А я ее и сейчас вижу. Прямо перед собой.

— Скажи ей, что я перед ней виноват навсегда. И нет мне прощения... И уж за одно это с меня там — понимаешь?— наверху, когда-нибудь обязательно спросят... Как она?

— Как всегда, прекрасна. Сам ничего не хочешь сказать?

— Боюсь... слов не найду.

— А ты все же попробуй. А то, когда будешь ее в качестве свидетеля допрашивать, язык проглотишь. За нее, кстати, не беспокойся, мы уже пришли к консенсусу.

Грязнов передал трубку Илоне, и та, помолчав, сказала:

— Ну здравствуй, крестник. Я рада, что жизнь у тебя в порядке, Слава мне рассказал.

— Я, наверное, был бы куда более рад, если бы она в порядке была у тебя. Прости меня, а? Илонушка, я ведь все про себя знаю, и это «все» мне ужасно противно. Но я о тебе никогда не забываю, если это может служить хоть каким-то оправданием.

— А ты знаешь, мне сказанного сейчас тобой вполне достаточно. Для души. А остальное пусть тебя не волнует. Уверена, что мы днями встретимся. Не делай большие глаза, и вообще меня зовут Ириной Владимировной. Так уж получилось.

— О-бал-деть! — с расстановкой произнес Турецкий.

— Я тоже все знаю, но, повторяю, так вышло. Поэтому, — хмыкнула она, — если однажды, нечаянно, я приснюсь тебе, и ты произнесешь во сне мое имя, ничего не бойся, будешь понят окружающими абсолютно правильно. Мысленно целую и передаю трубку твоему генералу, занимайтесь вашими делами.

— Славка, просто нет слов!

— Ничего, найдутся. Так какие у тебя планы по поводу... э-э... пассажира?

— Он такой компромат на всех, включая себя, выдает, что можно одним махом паковать всю компанию. Но мы встретим и доведем его до дома, а там еще послушаем и решим окончательно. А ты начинай колоть эту чертову «Гармошку». А очередную распечатку, или что там они тебе таскают, перечитай пару раз и внимательно. Впечатляет... Поцелуй, пожалуйста, ту, которая рядом с тобой. И скажи ей, что она — удивительная и изумительная.

— Да? Прямо вот так? А это не тавтология?

Турецкий словно поперхнулся.

— Слушай, откуда ты такие слова знаешь? — с неподдельным как бы ужасом спросил он. — Ты не заболел?

— Что знаем, про то не распространяемся, а чего не знаем, про то молчим. Свои слова потом сам ей скажешь. Пока, до завтра, человеку отдыхать пора от нас, бездельников...

## 5

Александр Борисович уже отчетливо чувствовал, что дело близится к развязке. И по этой причине к моменту встречи господина Рутыча, который мчался ночным поездом в Нижний Новгород, чтобы постараться предотвратить возможные неприятности с Зоей, организовал и «напряг» лучших сыщиков и «топтунов» Главного управления внутренних дел области.

С Рутыча требовалось ни на миг не спускать глаз и слушать каждое сказанное им слово. Его внутреннее состояние, судя по последним телефонным переговорам с Воробьевыми, было близким к стрессовому. Потому нельзя было попадаться ему на глаза: немедленно угадает при таком душевном волнении и напряжении, что за ним следят, и может попросту «слинять». И тогда у следствия останутся только слова, сказанные по телефону, — вот и все улики. А слова за улики никто, никакой суд принимать не станет.

Чтобы этого не произошло, да, впрочем, у москвичей и времени не оказалось для совета, ибо Рутыч снялся, что называется, в одночасье, капитан Игорь Петухов, которого сменил Женя Гуляев, даже не посоветовавшись с Грязновым, сел в тот же поезд, что и Рутыч. Только в соседний вагон. Вячеслав Иванович позже, что называется, «благословил» действия сыщика, когда тот уже был в пути.

И в этой связи первый допрос генерального директора «Гармонии» назначил на десять утра, когда агентство открывало свои двери для посетителей. С этой же целью Вячеслав Иванович позвонил Косте Меркулову в семь утра, зная, что тот просыпается рано и за легким завтраком прочитывает всю вчерашнюю прессу, которую не успел просмотреть накануне. То есть в семь он уже дееспособен.

Итак, в семь был звонок, затем тоже завтрак, который милому другу Славке приготовила Илонка. После чего Грязнов забросил подругу в центр, на Большую Никитскую, по соседству с ее службой, а сам отправился в Генеральную прокуратуру. Там Костя должен был уже к этому времени организовать и лично подписать постановление на обыск в агентстве «Гармония» и изъятие всех документов, касающихся коммерческой деятельности этого частного предприятия за последние полгода, а также компьютерной техники, которая могла содержать сведения об этой деятельности. Правильно полагая, где полгода, там бывает и гораздо больше. Да и кто ж посмеет возражать, когда оперативники из службы «Р» Министерства внутренних дел станут изымать из компьютеров жесткие диски и вообще выгребать всю информацию, находящуюся как в компьютерах, так и на дискетах.

«Насмерть перепуганная» секретарша генерального директора Ирина Владимировна Мерзлякова должна, одновременно с изъятием, отвечать на суровые вопросы следователя. Другой такой же «упертый чинуша», но только в чине генерала милиции, то есть сам Грязнов, станет в это время в соседнем кабинете допрашивать гендиректоршу, неоднократно интересуясь при этом, куда мог запропаститься ее заместитель по «оперативной разработке ситуаций», как в агентстве называли работу с клиентами. Мадам будет, естественно, делать большие, непонимающие глаза, ибо Рутыч, как знал Грязнов из сообщения оперативников, не поставил свою руководительницу в известность о собственном срочном отъезде. Если, конечно, не сделал этого заранее, еще находясь вечером накануне в офисе. Что вряд ли. Илона могла бы услышать о том от самой «хозяйки», которая обычно предупреждает ее о своих задержках, как делают это и все остальные сотрудники агентства, информируя, где они в настоящий момент находятся. Порядок есть порядок. И нужда в том или ином сотруднике может возникнуть с приходом каждого нового клиента.

И, кстати, именно это обстоятельство и заставило Игоря Петухова броситься следом за Рутычем: не был исключен ведь и просто побег Вадима, вдруг обнаружившего, что надвигается гроза. И для этого ему не надо было бы даже конкретного свидетельства в виде «хвоста» за спиной, достаточно просто хорошо развитой интуиции.

У людей ведь нередко отсутствие одного качества, или дара — как угодно, природа компенсирует другим. Почему бы в таком случае отсутствие внешней физической привлекательности у Вадима не могло быть компенсировано обостренной интуицией? Вполне... А его телефонное обещание Зое срочно приехать и во всем разобраться, чтобы избавить ее от ненужных волнений, — не оказаться откровенной уловкой?

Но как бы там ни было, а у руководства следственно-оперативной бригады складывалось уже не аморфное, неопределенное ощущение, а достаточно твердое убеждение, что серьезные подвижки начались.

И в этой связи генерал с многочисленной свитой явился точно к десяти, обосновав свой приход и дальнейшие оперативные действия тем, что один из руководителей агентства подозревается следственными органами в организации и осуществлении уголовного преступления. Как его еще нет? А где же он? Кто знает?

И почему претензии не к нему, а к целому агентству, деятельность которого не является противоправной, ну и так далее, в том же духе? А потому, резонно заявил генерал, что посещавшему «Гармонию» накануне следователю по особо важным делам Мосгорпрокуратуры, советнику юстиции Климову информация господина Рутыча, являющегося заместителем генерального директора по оперативной, так сказать, работе, а также приведенные им примеры не показались абсолютно законными. Ибо даже временное оказание помощи человеку, обманывающему свою семью, коллег по службе, государство, в конце концов, основанное на подтасованных фактах и фальши, можно рассматривать как те же финансовые пирамиды, где фактически повторяются подобные ситуации, являющиеся совершенно незаконными. Следовательно, налицо — пособничество! Грозное слово, если вдуматься! И сдвинуть генерала милиции с этих предельно ясных ему позиций даже обладающей прекрасным даром убеждения и приличным опытом и обаянием гендиректрисе было практически невозможно.

На любой аргумент у Грязнова немедленно находился свой контраргумент.

— Вы утверждаете, госпожа Аринина, — генерал был до отвратительного вежлив, — что за границей подобных агентств пруд пруди? Но, простите, мало того что заграница нам не указ, что вам прекрасно известно, нам пока неясно, насколько лояльно к ним там относится криминальная полиция. Нам непонятно, на какого рода акции распространяется деятельность тех агентств, а что для них является противозаконным и потому запретным. Вы можете доказать? Прекрасно! А зачем же мы здесь? Пожалуйста, мы вас подробнейшим образом выслушаем, и если не возникнет вопросов и возражений... Если при изучении ваших изъятых из архивов документов у следствия не возникнет сомнений, что ваша деятельность абсолютно законна... Если подготовка и организация покушения на жизнь известного представителя средств массовой информации является личной инициативой самого господина Рутыча, подозреваемого в совершении уголовно наказуемого преступления, категорически не имеет отношения к деятельности агентства, то, сами понимаете, у нас не будет к вам претензий. Именно поэтому мы и готовы вести с вами диалог, а не арестовывать всех находящихся в этих стенах, как это практиковалось даже и не в столь отдаленные времена. Уж мы-то с вами их успели застать, не так ли?.. Ах, нет, прошу прощения. — Грязнов конфузливо смутился, поняв, что совершил маленькую бестактность: госпожа Аринина в те годы, которые имел в виду генерал, еще на горшок ходила. И вообще, конечно, некрасиво, не очень тактично с его стороны всуе поминать возраст симпатичной дамы.

Но аргументы, которые привел-таки Вячеслав Иванович в качестве извинения за собственную неловкость, вряд ли поправили настроение Алины Александровны. Некрасивое, пусть и шутливо выглядевшее упоминание о горшке, по ее мнению, как раз точнее всего характеризовало интеллектуальный уровень важного чина из МВД. Так о чем же спорить с его сотрудниками и что им можно доказывать, если у них такой начальник?! Сплошной театр абсурда! Но, кажется, этот дуб вообще себе не представляет, что это такое...

А «дуб» еще на подъезде к Большому Ржевскому переулку сказал старшему группы экспертов электронных сетей, майору милиции Васяну:

— Я тебя прошу, Ашот Георгиевич, ты со своими молодцами переверни все кверху тормашками, выверни наизнанку, но обязательно отыщи то, что вчера вечером уничтожал заместитель здешней гендиректрисы, спешно отбывший из Москвы. Наверняка там было то, что для нас может как раз и представлять главный интерес.

— Вячеслав Иванович, — с резким акцентом ответил черноволосый и горбоносый майор, — мы постараемся. А ломать зачем? Это не надо. Грамотно порыться — это, конечно, можно. У меня отличные специалисты, за каждого любой банкир большие бы деньги заплатил. Про бандитов не говорю, им только мечтать.

— А чего ж не убегают?

— Все мы немножко надеемся, что восстановят порядок. Не надо нового, пусть от старого хорошее возьмут... Обидно, конечно!

Это его «конэччно» забавляло Вячеслава Ивановича, да и вообще нравился ему этот веселый, грамотный спец, которому цены не было в операциях подобного рода. Какие там хакеры, юзеры и... а черт знает, как их всех зовут! И было известно: если Ашот сказал, он слово сдержит. Потому Грязнов, переливая из пустого в порожнее свои аргументы и собственные же себе возражения, запутывающие его и без того не совсем четкие мысли, имел в виду одно соображение: дать ребятам время и возможность спокойно работать, а уж потом произвести изъятие. Как и записано в постановлении заместителя генерального прокурора.

Между прочим, эта подпись произвела-таки соответствующее впечатление на Аринину. Наверное, потому, решила она, и приехал генерал. И уж меньше всего ее интересовало сейчас то, что вчерашний следователь, такой же, вероятно, идиот, как и этот его начальник, допрашивал секретаршу Ирочку и тщательно, едва не высунув язык от усердия, отодвинувшись от стола и согнувшись, записывал ее немногословные ответы.

Прерываясь, чтобы выйти в туалетную комнату и слегка освежить лицо, что ей без всяких возражений, разумеется, разрешал генерал, явно играя несвойственную ему роль интеллигента, Алина Александровна, проходя через приемную, обращала, конечно, внимание на этого усатого следователя, удивительно напоминавшего ей кого-то знакомого, однако вспомнить не могла и мучилась, не находя ответа. Но она замечала, что этот следователь по фамилии Климов — это она со вчерашнего дня запомнила — потому и отодвинулся всего-то для того, чтобы иметь возможность украдкой разглядывать роскошные ноги Иры. И в руках этих остолопов судьба ее любимого дела?! Сил не хватает... Алина была на четыре года старше Иры и могла позволять себе такую вольность называть секретаршу просто по имени и на «ты», Ира принимала это как должное. Видя, что Климов у секретарши уже «на крючке», Алина ей подбадривающе подмигивала, и та движением губ показывала, что отлично понимает «хозяйку». Ах, если б еще и генерала насадить на хороший крючок! Нет, дуб, он и есть дуб...

Климов закончил допрос Ирины Владимировны, четкие ответы которой на совершенно конкретные его вопросы были отработаны еще вчера вечером или сегодня ночью, и занялся другими сотрудниками, присутствующими в своих рабочих кабинетах.

Отсутствующие сотрудники, как заявила Алина Александровна, находились на так называемых объектах. То есть выполняли свою работу на местах. И это понятно, только-только закончились рождественские праздники, а впереди еще полно зимних отпусков, командировок, прочих поводов для торжеств и возлияний всякого рода, после которых многим лихим мужьям и женам наверняка потребуется помощь агентства. Именно этим, установлением равновесия и полного взаимопонимания в семьях, оно и занимается. Чем же плоха миссия? Все довольны, меньше разводов, разве этого так уж мало в наше безалаберное время? Это же понятно, кому нередко требуется быстрая и конкретная помощь. И они прекрасно знают, что она может быть им немедленно оказана. Пусть и стоит недешево. А дешевку можно купить на вьетнамском рынке, проблемы нет...

— Вот вы спрашиваете постоянно, чем занимаются сотрудники? — мило и призывно улыбнулась Алина Александровна, словно предлагая генералу понять, что на ее отзывчивость вполне можно рассчитывать и про горшок она уже постаралась забыть. — А вот этим самым и занимаются. Помогают неверным мужьям добиться полного доверия со стороны ревнивых жен, а легкомысленным женам — того же самого от супругов. Находят неотразимые аргументы, свидетельства, обеспечивают необходимыми документами, вещественными доказательствами. Это очень трудоемкая работа. Правда, и зарабатывают весьма неплохо. К нам ведь обращаются, как правило, не просто не бедные, а богатые люди, понимаете? Но, к сожалению, собрать наших сотрудников всех вместе значило бы закрыть эту «контору», — грустно заметила Аринина, снова призывая понять ее. — Да к тому же это было бы сейчас просто невозможным: оперативная работа целиком в руках моего заместителя, который... А черт его знает, где он, в самом деле! Уже курьер наш несколько раз мотался на Лесную и упирался носом в запертую дверь... Ни городской телефон, ни «мобильник» не отвечают. Абонент недоступен! Ну как так можно? Исчезнуть и — ни звука о себе?!

А вот это, последнее, она уже сказала искренне, значит, в самом деле не знала, где Рутыч.

Грязнов искренне сочувствовал, но глупых своих вопросов не снимал. Видел, что надоел, но упрямая генеральская натура требовала ясности, а ее-то и не было. И он, тупо извиняясь в очередной раз, начинал сначала. Какие были дела? Что за клиентура у агентства? Почему Алина Александровна не желает раскрывать ее? Ах, ну да, гарантированная конфиденциальность? Несоблюдение, точнее, нарушение условий договора? И огромные штрафы в суде? Это ужасно, конечно... Но как же быть? Как проверить, что в действиях агентства отсутствует криминал?..

— Ах, за все время существования «Гармонии» никто не пострадал физически? И никто не был убит?! Это, конечно, достойный аргумент, но его вряд ли примет во внимание любой суд, как-никак голословно получается! — Грязнов искренне опечалился, что Алина не может предоставить ему каких-либо реальных подтверждений своих утверждений.

Подтверждение утверждений, разумеется, дикость, попутно соображал он, и Саня с Костей потом будут дико хохотать, но Вячеслав Иванович стремился всеми силами всячески поддерживать свой имидж. А главное, Алина, видел он, тоже искренне верила тому, что он действительно такой, каким ей представляется. И что он, генерал, совсем не зверь и не совсем тупица, он понимает, но просто ему позарез необходимо... вот-вот, то самое — подтверждение утверждений! Представьте, пожалуйста, и мы от вас отстанем!

Легко сказать: представьте! А как? Там же эти... спецы возятся. И хоть Вадим, отлично разбиравшийся, по его словам, в этой сложной компьютерной технике, убеждал ее, что уничтоженные им материалы некоторых дел практически не могут быть восстановлены, однако теперь, на фоне его исчезновения, всякие нелепые мысли приходят в голову. Нельзя-то оно нельзя, ну а вдруг? И еще, как назло, сам исчез, словно сквозь землю провалился! Неужели он что-то почувствовал? Так мог же, мерзавец, предупредить хотя бы! Жаль, но с ним, видимо, придется расставаться.:. Хоть и мастер, и выдумщик порядочный, прямо-таки генератор идей, и тем не менее...

Ничего нового по сравнению с тем, что ему уже рассказала секретарша генерального директора, и Климов для себя не обнаружил, но формальная сторона дела была соблюдена.

Обыск в офисе тоже ничего конкретного не дал. Хоть бы зацепочка какая!..

Говорят недаром, что когда ты очень сильно чего-то хочешь, и не для куражу, а лишь для установления истины, где-то в небесах происходит какое-то смещение, и в этот момент следует быть особо внимательным. Потому что пропустить крохотный кончик торчащей ниточки легко, но зато если заметишь и потянешь за него, тут тебя и может ожидать искомая удача...

Допрашивая одного за другим разновозрастных сотрудников агентства, Климов обратил внимание, что, несмотря на якобы сидячий образ жизни, все они выглядели весьма спортивными внешне. То есть, как говорят некоторые девушки, крепенькими такими. Ну понятно, приходится много передвигаться в поисках алиби для своих клиентов. Но Климов и сам постоянно «передвигался», а особой силы в себе не чувствовал. Нет, не совсем чтоб уж так, но приходилось постоянно оставлять место в жизни и для зарядки, и для всяких обязательных спортивных занятий в прокуратуре, а про лето и говорить нечего. Как, впрочем, и про зиму. Вот время освободится немного, и он обязательно вытащит Маринку на лыжи! Обязательно! Потому что после таких утомительных прогулок любовь куда слаще, чем если бы ты весь день просто провалялся с любимой женщиной в постели. Так вот, эти «работнички», все поголовно, были в форме. Это заметно опытному глазу.

И Климов задал мужчине средних лет, менеджеру, как он значился, Сергею Афанасьевичу Крюкову, простенький вопрос, помимо формальных, которые задавал всем:

— Много беготни, да?

— Бывает, — ответил тот неохотно.

— Та же проблема, — сознался Климов и улыбнулся, — одно спасение — спорт. Летом — теннис, зимой — лыжи. Зарядка по утрам, но чувствую, уже не хватает, устаю быстро. Вам тоже приходится небось много бегать?

— А куда денешься? Хочешь хорошо зарабатывать, поневоле надо поддерживать форму.

— А где тренируетесь?

И вот тут Крюков вдруг сообразил, что вопрос задан ему неспроста. Замолчал, словно не слышал вопроса. Но и молчание показалось ему опасным. Пробурчал:

— Где придется...

«Врет!» — немедленно понял Климов, но своего открытия демонстрировать не стал. «Забыл» про свой вопрос. Значит, у них было место, откуда они могли уходить на свои «операции», обеспечивая клиенту алиби, где хранились те самые вещдоки для подготовки необходимых ситуаций, которыми и не пахло в офисе! А зачем им здесь быть? Им тут и не место.

Далее, для успешной работы — а в том, что она здесь успешная, сомнений нет — им нужен собственный транспорт. А где он? Возле офиса даже и приличной стоянки нет. Собственные машины, конечно, могут быть, но этого явно мало. Гараж нужен. И хотя бы маленький спортзал с тренажерами — для поддержки мускульной силы... Тир! — мелькнуло неожиданно. Почему? Ну да, это же Климов о своих коллегах подумал. Перевел, так сказать, стрелки... А в самом деле, кто-то же стрелял в Морозова? Ну не женщина же! Ага, и одна пуля из «макарова» в железе застряла, в обшивке, — отличный стрелок, ничего не скажешь! Касательная рана головы жертвы... Но вторая-то легла точно в цель. Дилетант не попадет так — ночью, в темноте... И ведь не в упор стреляли, пороховых следов на лице покойного судебные медики не обнаружили. Значит, не ближе двух как минимум метров... Думай, Климов, думай!

— Ну хорошо, — сказал он наконец, — закончим на этом. Пока я к вам больше вопросов не имею. Ну а конкретно о ваших «операциях», они же так у вас называются, вы не можете говорить, ибо давали подписку о неразглашении, я правильно понимаю?

— Совершенно верно.

— Так мы и запишем в протокол допроса... А теперь читайте, исправляйте то, что вам кажется неверным, не забывайте также о вашей уголовной ответственности за дачу ложных показаний и подписывайте. Каждый лист отдельно.

Закончив с последним свидетелем, Климов вернулся в приемную, к столу Ирины Мерзляковой, сел и на обратной стороне листа протокола написал: «Они где-то тренируются. Где??? Попробуйте вспомнить! Может, слышали, но не обратили внимания?» Дал прочитать и спрятал лист в свою папку. Ирина огляделась и, словно машинально, кивнула.

Климов, как бы потеряв к ней интерес, отвернулся и стал смотреть на дверь кабинета, где Грязнов продолжал «мучить» бедную Алину Александровну. И та демонстрировала ему свою полную покорность, ибо прекрасно понимала, что генерал от нее не отвяжется. И что он чего-то ждет. Но — чего?..

Давно уже наступил ранний зимний вечер. За шикарными «еврооknами» зажегся оранжевый свет ночных фонарей, и Ирина опустила жалюзи. И тотчас деловой, стремительной походкой через приемную прошел Ашот и, взглянув на Климова, качнул головой в сторону кабинета:

— Там? — и, дождавшись ответного кивка, вошел в кабинет.

Через минуту он так же стремительно вышел и сказал уже Климову:

— Мы закончили. Изымаем.

— Нашли чего-нибудь? — не удержался Сергей.

— Само собой, — подмигнул ему Васян и ушел.

Из кабинета вышла Аринина, устало покачивая головой. Неприязненно покосилась на Климова и сказала секретарше:

— Ирочка, у нас сегодня сумасшедший день. Господин генерал разрешил нам наконец распустить сотрудников по домам. А вот нам с тобой и с охранником придется еще немного задержаться, пока они не оформят изъятие. Не возражаешь? Это теперь уже недолго...

Через открытую дверь в коридоре были видны уходившие сотрудники агентства. Они заглядывали в приемную, словно «отмечались» у секретарши, встречались глазами с безнадежно разводившей руками Ириной Владимировной и презрительно посматривали на сонного следователя, вольготно развалившегося на стуле.

А сама секретарша тем временем, достав из своего стола толстую папку с подшитыми документами, внимательно их листала. Потом сама себе сказала: «Ага», закрыла папку и спрятала ее в ящик. И вовремя. Из кабинета вышли Аринина с Грязновым. Она испытующе посмотрела на дремлющего на стуле Климова, который на реплику Вячеслава Ивановича очень натурально «проснулся» и улыбнулся застенчиво:

— Прошу меня простить... разморило. Слушаю, Вячеслав Иванович?

— Все. Заканчиваем, — недовольно пробурчал генерал. — Проследи, чтоб они аккуратно, с ящиками-то. С документацией. А вас, Алина Александровна, я предупреждаю, что ваше присутствие в Москве в ближайшие дни крайне необходимо. Я не хочу обижать вас, забирая подписку о невыезде, но считайте, что мы фактически условились об этом. Мне достаточно устной с вами договоренности.

— Я обещаю.

— Очень хорошо. Можете быть свободны. Но если объявится ваш заместитель, я убедительно прошу вас немедленно сообщить мне об этом. Мой телефон я вам оставил. Так же прошу и вас, Ирина Владимировна, вот моя визитка...

— Я тоже обещаю.

— Ну что ж, тогда, я полагаю, вашей секретарши, Алина Александровна, и охранника вполне достаточно, чтобы нас проводили и закрыли, как говорится, двери.

— Ирочка, я вас прошу, — Аринина обеими руками сжала виски, — а то у меня просто раскалывается уже голова от этих... событий.

— Не беспокойтесь, Алина Александровна! — с готовностью отозвалась Ирина. — Я вам домой немедленно перезвоню, поезжайте, отдохните. У этих же господ, — с явно проглядывающей неприязнью добавила она, — с джентльменством не все в порядке.

— Бросьте, Ириша, — поморщилась Аринина, — они свое дело делают. Им нас не понять...

— Ну почему? — тупо возразил Климов и воинственно встопорщил усы.

— Оставь, Сергей, — покровительственно и примирительно махнул рукой Грязнов. — Это у нас с тобой такое каждый божий день, а у них-то впервые... можно понять... Тогда, Ирина Владимировна, пожалуйте с нами. Всего хорошего, Алина Александровна.

— Да уж... хорошего... — с иронией бросила та и вернулась в свой кабинет. — Ира, запри все потом.

— Будет сделано.

Люди Васяна уже начали выносить на улицу картонные опечатанные ящики с компьютерной техникой. Сам майор командовал:

— Осторожно, нам же возвращать еще придется!

— Конечно, дорогой! — усмехнулся Грязнов.

Стоя в коридоре, Ирина увидела уходящую Аринину и кивнула ей, а когда дверь за ней закрылась, быстро сказала Климову:

— Постой здесь, чтоб никого.

А сама быстро ушла в бухгалтерию, откуда компьютеры были уже увезены, опустила плотные жалюзи и открыла один из шкафов. Посмотрела, нашла нужную папку-скоросшиватель, пролистала страницы и, наконец, ткнула пальцем:

— Вот, Слава, быстрей!

Грязнов нацепил очки и прочитал документ. Это были две квитанции на оплату арендованных помещений в течение года, уже нового, загодя сделано. И это правильно. Одно из них находилось в Сокольниках, на Оленьем Валу, дом 3, и называлось Центральным учебно-спортивным комбинатом «ЗАО Спартак», а второе — в Мытищах, на

Силикатной улице, 41, было обозначено как «Стрелковый клуб Динамо».

— Записал?

— Так точно, — улыбнулся Грязнов. — Умница, спасибо. Но квитанции эти я, пожалуй, все-таки изыму, чтоб у тебя неприятностей не было. Как догадалась?

— Ему спасибо скажи. — Ирина кивнула на Климова. — Ну пошли отсюда.

— Ишь ты, — хмыкнул Грязнов, — прямо подметки на ходу рвет! Молоток... Но почему Саня не звонит? Сколько можно ждать?..

## Глава седьмая

## ВЫХОД ИЗ ЛАБИРИНТА

### 1

Ночь в ожидании прибытия Рутыча Турецкий провел спокойно, парня, по его сведениям из Москвы, обложили прочно, теперь только не сорваться, не засветиться раньше времени.

Не спалось. Оперативники во главе с Копытиным и Галей Романовой готовы были занять свои места в момент прибытия московского поезда. Турецкий решил не лишать их самостоятельности, тем более что у обоих руководителей опергруппы глаза горели азартом. Сам же Турецкий несколько раз возвращался к распечаткам телефонных переговоров.

Зная, насколько бывают опытные адвокаты въедливы и изобретательны, Александр Борисович анализировал эти тексты разговоров Рутыча с Воробьевыми и ни на минуту не забывал о том, что каждое сказанное ими слово может быть впоследствии истолковано в таком смысле, который нормальному человеку и в голову не придет. Во сне не приснится. Следовательно, одни эти разговоры, какую бы криминальную подоплеку они в себе ни содержали, еще ничего не давали следствию. Как и, скажем, признания самих подозреваемых. Откажутся ведь в последний момент! Заявят, что следствие на них оказывало давление, — и точка! Нужны были неопровержимые доказательства. А вот чтобы добыть их, вполне годились уже те сведения, которые можно было почерпнуть из телефонных разговоров.

Зоя заявляла:

«—Я больше не могу! Я всей своей кожей чувствую, что на меня надвигается страшная опасность. Это — как рок, который мстит мне, понимаешь, о чем я говорю? Я чувствую эту жуткую неотвратимость!»

Вадим отвечал:

«—Ты слишком эмоционально отнеслась к... Одним словом, ты должна немедленно успокоиться. Иначе провалишь всех — включая папочку с мамочкой! Срочно попей лекарства. Тебе в таком состоянии нельзя показываться на люди. И тем более отвечать на вопросы! Ты же сама — врач, неужели у тебя нет подходящего средства? Найди какой-нибудь транквилизатор. Тебе надо затормозиться, ты это понимаешь? Если ты станешь продолжать держаться только на нерве, ты не выдержишь! Ты расколешься, как перезрелый арбуз, это хоть тебе ясно? Пустякового щелчка достаточно будет! Немедленно успокойся! Ну заболей, в конце концов! Ляг в кровать и не вставай в течение нескольких дней! Вам же там несложно с оформлением, ну ты знаешь, о чем я говорю... А еще лучше уехать куда-нибудь к теплу. Поговори, сошлись на нездоровье. Но только когда пойдешь к ним, сотри макияж. Или уезжай так, без уведомления, у тебя же подписку не отбирали?»

Зоя уже рыдала:

«—Да кто ж меня отпустит? Они мне угрожают!.. Я по их глазам вижу, какую злорадную ненависть они все испытывают ко мне! И сколько можно болеть?! Меня с работы уволят к чертовой матери!»

В ответ Рутыч говорил довольно-таки теплые слова утешения. В смысле не бойся, все образуется... Что он имел в виду под словом «образуется»?

«Она определенно врет, — размышлял Турецкий. — Никто из наших ей не угрожал, да и она сама держится отлично, позавидовать не грех... Но, возможно, у девушки действительно нервы на пределе, и это она с нами так держится, а по ночам, в одиночестве, перед ней роятся кошмары?.. И выдает желаемое за действительное? Прямо достоевщина какая-то... Но ведь на пустом месте она не возникает...»

Рутыч в довольно резкой форме выговаривал Елене Федоровне:

«—Вы просто обязаны глаз с нее не спускать! Уложите ее в постель, и если потребуется, то силой! Что же выходит, черт возьми, она может теперь, я уже чувствую, в любой момент всех нас подставить! Да, и вас — в первую очередь! Вы хоть это способны понять? Поколите ее, в конце концов, чем-нибудь успокоительным. Зачем она им мои координаты дала? Она вообще соображала, что делала? Неужели вы не могли ей подсказать?»

Елена Федоровна сохраняла присутствие духа:

«—Вадим, вам тоже следует беречь свои нервы, они вам определенно понадобятся. Больше оптимизма, мой мальчик. Да, у девочки, похоже, нервный срыв, но мы ее лечим. И возбуждается она главным образом лишь тогда, когда слышит, как ни странно, ваш голос. Вероятно, у нее сразу возникают нехорошие ассоциации. Не могли бы вы сделать одолжение и какое-то время, пока не стихнет эта история, нам не звонить? Что, право, за нетерпение? Вы сами же ее и раздражаете...»

Для Рутыча такой выговор был, очевидно, совершенно неприемлем:

«—Ну, знаете! Уж от вас-то я не ожидал! Советую вам сперва подумать о своей роли, а потом выставлять условия! И вообще, Елена Федоровна, вы не учительница, а я давно не ученик. И выполнил, прежде всего, вашу настоятельную... просьбу. Впрочем, можете называть ее как хотите. Но, будучи профессиональным юристом, я готов даже назвать вам те статьи УК, где просьбы подобного рода уже предусмотрены!»

«А вот тут он основательно прокололся, — подумал Турецкий. — Вот тебе и юрист! Уголовный кодекс в его положении следует упоминать очень осторожно».

Тон Елены Федоровны сменился на мягкий, уговаривающий:

«—Вадим, ну что вы там себе навыдумывали? Я вас просто не понимаю! Я говорю о здоровье дочери, а вы мне про какие-то статьи! У вас что, газеты перед глазами, да? Ну так не читайте их перед обедом, как советовал профессор Преображенский, если вы когда-нибудь слышали о таком персонаже, а то у вас будет скверный аппетит и угнетенное состояние духа, мой мальчик...»

«Булгакова цитирует, — усмехнулся Турецкий. — А у нее характерец-то серьезный. Вот в кого девочка удалась...»

Ну а дальше у них пошла болтовня. Не волнуйтесь! Нет, это вы сами не волнуйтесь! Вы уверены, что никому не известно? Нет, это должны знать вы, а не задавать дурацкие вопросы! А кто их задает, по-вашему? А как же мы должны реагировать на ваши телефонные звонки?.. Действительно, сумасшедший дом. И Турецкий продолжал свои размышления.

Вот вопрос: почему больше всех волнуется именно Зоя? И Александр Борисович невольно сам себя подводил к мысли о том, что именно она и могла быть, говоря языком Уголовного кодекса, соисполнителем убийства Леонида Морозова. Она могла не держать в руке пистолет Макарова, но быть тем последним лицом, которое перед смертью успел увидеть ее бывший жених. А роковой выстрел вполне мог произвести именно Рутыч, стоявший рядом с ней, — лучший друг Лени. Вот ведь как была обставлена последняя встреча неразлучных друзей! Трагическая симфония! Классическая трагедия!

А Морозов, увидев направленный на него ствол пистолета, к примеру, дернулся, да тут еще и неуверенность Рутыча, скажем, сработала, — вот и промах. Одно дело — представить себе, как оно будет выглядеть в натуре, и совсем другое — стрелять в человека, которого знаешь с детства. Поневоле рука дрогнет... Но долг, или договор, или ненависть к удачливому сопернику, — что-то замкнуло цепь, и рука стала послушной...

А интересно, где шестой человек из их команды? Где Лилия Бондаревская?

И чтобы не отвлекать Грязнова с Климовым от ответственной операции в агентстве «Гармония», Александр Борисович позвонил к себе, в Генеральную прокуратуру, и попросил к телефону Владимира Поремского, старшего следователя, который обычно работал в бригадах Турецкого.

— Володя, у меня к тебе личная просьба. Если есть немного времени, дозвонись до управделами МИДа и выясни, где находится Лилия Игоревна Бондаревская. Она переводчик у них. Я бы поручил своим, но Славкиных оперков сам черт не найдет, они по разным версиям пашут. А сам он со следователем из Московской прокуратуры натуральный шмон учиняют в одной нетипичной организации. Всего и надо-то: найти приятную, говорят, девицу и подвести к телефонной трубке, чтобы она поговорила со мной. Ну и протоколом наш разговор оформить. Уж этому тебя учить не надо. Володечка, не в службу, а в дружбу, а?

И пока Поремский раздумывал, Турецкий посмотрел на часы, время было совсем не позднее. Может и успеть.

— Да, и еще, Володя. Важнее всего найти. А если взять ее за жабры, ну ты понимаешь, не удастся, тут же передай все координаты Славке. Он уже тогда сам найдет возможность.

— Сан Борисович, сейчас займусь. И, скорее всего, передам, потому что через два часа у меня очень ответственная встреча. В Совете Федерации, три раза переносили! Просто слов не хватает.

— Понял, в любом случае помоги ребятам. В долгу не останусь! Дело в том, что я сейчас в Нижнем Новгороде.

— Да как тебе не стыдно, Сан Борисыч! Сразу бы и сказал, я разве не понимаю?..

Так, это сделано, решил Турецкий. А для чего оно вдруг понадобилось? Наверное, опять чертова интуиция... У нее же именно с Рутычем... ничего не получилось! Вот почему! А при чем здесь Морозов? А кто его знает? Видно будет... Можно, например, подъехать прямо сейчас к Воробьевым и спросить про эту Лилию у Зои. Раз у нее нервы шалят, вопрос будет в самый раз, что называется, на засыпку... Если она в обморок не грохнется. У этих решительных баб, как правило, есть пунктики, на которых их легко свалить с ног. Нет, до откровенного садизма мы не дойдем...

И Турецкий перешел к последнему разговору Рутыча с Зоей, уже из поезда.

...«—Ты точно знаешь, что за вами не наблюдают?

— Вадим, мне осточертела твоя подозрительность! Двор пуст! Улица пустынна! Любой человек на снегу за версту виден, что тебе еще надо?

— Просто ты головой отвечаешь за любые ошибки, ничего иного сказать не могу.

— Ну, блин! Хорош любовничек! Хоть капля совести осталась?

— Короче, я решил. Я уже еду к вам. Я — в поезде. Утром незаметно приду, и мы поговорим. Мне тоже осточертели ваши истерики. И ваши господские замашки. Можешь это передать своей матери.

— Подожди, я хочу тебе объяснить...

— Поздно. Я уже в поезде. У тебя что-то со слухом? Закапай капли.

— Ну так же нельзя!

— Ага! Со мной, стало быть, можно, а с вами нельзя? Нет, вы у меня выслушаете все, что я думаю. И никуда вы теперь не денетесь. Ты — в первую очередь, дорогая моя девочка, ах, ах! Не умри в ожидании, как ты определила свое отношение, «любовничка»! Ты еще мне можешь понадобиться...

— Ты с ума сошел.

— Только после тебя.

— Мне не нравится твой тон.

— А мне наплевать. Будешь отныне говорить и делать то, что я прикажу. Хватит благодеяний. Вы еще не полностью расплатились.

— Ах так? Ну тогда я...

— Тогда ты будешь молча сопеть в тряпку!..

— Ты как меня вот сейчас назвал?

— Никак! Это у тебя в ушах все еще звучат те слова, которые тебе на прощание сказал твой Ленечка.

— Я тебя убью!

— Что, понравилось?..»

...На этом их любопытный диалог обрывался. И больше, видимо, Рутыч в Нижний не звонил, иначе доложили бы...

Вывод следовал однозначный, и это не была случайно брошенная фраза: «Понравилось...», стало быть, убивать, видимо, понравилось...

Но зачем же помчался этот парень к ней, если ненавидит ее? Или за что-то боится?

А у нее, несмотря на жалобы, с нервами порядок, она еще за себя постоит...

Турецкий отложил распечатку и погасил свет, может, удастся немного поспать, денек завтра... нет, уже сегодня, предстоит хлопотный.

## 2

Поремскому очень понравился в первую очередь голос. Мягким, бархатным тоном девушка, как назвал ее Турецкий, сперва спросила, кто ей звонит, а потом словно бы удивилась:

— Батюшки мои, неужели вы научились наконец работать? Удивительно. И с кем я разговариваю из этой вашей прокуратуры?

— Меня зовут Владимиром Александровичем, я старший следователь по особо важным делам. Нас еще в прессе «важняками» окрестили. Так вот, Лилия Игоревна, я хотел вас попросить...

— Можете меня звать просто Лилей, я не обижусь.

— Ну тогда, если вы молоды и красивы, как мне заявил мой шеф, и вы меня зовите Володей, так мне привычней.

— А кто ваш шеф?

— У-у-у! И не спрашивайте. Человек огромной физической силы ума! Он приказал мне срочно отыскать вас, перевернув вверх тормашками все Министерство иностранных дел, что я и сделал, а потом велел передать вам в руки телефонную трубку и попросить поговорить с ним.

— А он что, этот ваш страшный шеф, так опасен? Нормально поговорить с ним, то есть с глазу на глаз, нельзя? Только на расстоянии? И кто он?

— Он — первый помощник генерального прокурора нашей огромной державы. Но дело в том, Лилечка, уж извините мою вольность, что он сейчас в Нижнем Новгороде, а не в Москве. И я всего лишь с удовольствием выполняю его дружескую просьбу.

— Но я не понимаю, с какой целью вы это затеяли?

— Лилечка, клянусь, я ничего не знаю, у меня свои преступники, а у Сан Борисыча — свои. И чьи хуже и опаснее, я не представляю. Но немедленно хочу вас видеть, а то у меня остается совсем мало времени. Надо бежать в Совет Федерации. Так мы могли бы, скажем, в течение часа?

— Подождите, Володя. А чем ваш шеф занимается в Нижнем? Это — раз. И два — он не опасен, как вы заметили, молодой и красивой девушке?

— Ну что вы, наоборот, я еще не знаю ни одной красивой девушки или женщины — не играет роли, — которая смогла бы устоять перед его чертовским обаянием, клянусь честью! Как, впрочем, и перед моим.

— Интересно. Очень интересно! Вы меня заинтриговали. Чего же вы теперь хотите? Отдать меня в руки вашего шефа, перед которым и я не устою? Нет, я серьезно, этот ваш звонок, он никак не связан с убийством Морозова?

— Лилечка, голубушка, наш разговор грозит перерасти в вечер вопросов и ответов, где один собеседник — глухой, а второй — слепой. Или что-то в этом духе. Если у вас есть машина, подъезжайте на Большую Дмитровку, к Генеральной прокуратуре, я вас у проходной встречу. Вы меня легко узнаете, я — высокий и красивый блондин. А если нет машины, то скажите куда, и я подскочу.

Вы только поговорите по телефону, и я вас отпущу с миром. Если у меня вдруг не возникнут совершенно неожиданные мысли в отношении вас.

— А иначе поступить нельзя? Скажем, вы мне продиктуете его номер, и я сама позвоню, сославшись, разумеется, на вас? Ну а дальнейшее — это уж как получится, нет?

— Вы угадали, нет. Сан Борисыч обожает разговаривать долго и основательно. Он все-таки «важняк» экстра-класса, в отличие от нас, совсем молодых, ну тридцатилетних. И он вас запросто разорит.

— Тогда дайте ему мой телефон, пусть сам разоряется.

— Вот этого я и боялся. Точной женской логики. Конечно, он вам через пять минут перезвонит, если как раз в эти минуты лично не запаковал какого-нибудь очередного убивца... А я вас так, значит, и не увижу? Молодую, красивую, с медовым голосом, ласковым именем...

— Может, не судьба, Володя?.. — Голос у Лилии погрустнел. — Спасибо вам за добрые слова, вы меня немного развеселили. А речь-то пойдет, как я понимаю, о моем любимом человеке... вот так. Звоните своему Сан Борисычу, я отвечу, потому что я сижу сейчас дома.

— А это где? — немедленно осведомился Поремский.

— Володя, телефон вам известен.

— Конечно! Вычислить адрес — это же... Извините. Но вы меня не выгоните вдруг, если я... того?..

— Возможно, это будет зависеть от моего разговора с вашим шефом. Александр Борисович, верно?

— Не волнуйтесь, — теперь загрустил Поремский, — он немедленно предложит вам называть его Сашей.

— Ну, чему быть, того не миновать...

— Лилия Игоревна? Здравствуйте, Турецкий говорит. Александр Борисович. Мне Володька только что передал ваш разговор, и он мне ужасно понравился. Я тоже готов на «ты» и по именам. Вообще-то я его еще просил нашу беседу оформить протоколом, но, думаю, это мы всегда успеем. Первый вопрос: это ваше письмо без обратного адреса попало в Генпрокуратуру? Второй: с какой целью написано. Третий: что вам известно по этому поводу? Теперь готов внимательно слушать и не перебивать. Говорите сколько хотите, нас с вами не прервут. Итак, слушаю.

— Встречные вопросы. Что вы делаете в Нижнем? Кого подозреваете? Когда все это закончится?

— Согласен и на такой вариант. Только не становитесь строгой. Володька, оказывается, уже без ума от вашего, как он сказал, медового голоса. А я вот вслушиваюсь и пока не имею своей точки зрения. Но, возможно, у него лучше со слухом?

— Вполне. Я жду.

— К нам пришла странная анонимка...

— Моя.

— Я посовещался с коллегами, и вот я тут. Подозреваемые есть. Не один человек, я имею в виду, но не хотел бы раньше времени раскрывать имена. Надеюсь сделать это еще и с вашей помощью. Как все закончится, не знаю, я не Господь Бог. Вдруг преступник...

— Или преступница...

— Вот именно, или преступница, будучи в состоянии аффекта, что не исключено, пустит и мне пулю в лоб. И не со второго выстрела вмажет, а с первого. Есть же какой-то опыт, верно?

— Так чего ж вы теперь от меня хотите? Вы, оказывается, уже все знаете.

— Вы уверены?

— Саша... можно, да? Я все слышала. Я находилась в соседней комнате. Утром тридцать первого декабря... Извините... Да, — продолжила она после паузы, — праздник мы должны были встретить у меня. Вдвоем. А потом ехать в гости... Он хотел переодеться и поэтому помчался домой. А я... я так и не дождалась...

— Были угрозы?

— Совершенно конкретные. Но кто же поверил бы, что Зойка способна привести свои угрозы в исполнение? У нее с Леней уже фактически ничего не осталось, даже обещания превратились в абсурд. Но когда она ушла, его трясло, как в лихорадке, я его еле успокоила. Отпоила валерьянкой.

— У него в квартире был порядок?

— Как всегда, идеальный.

— И кто, по вашему мнению, мог там в тот же день, но ближе к вечеру, устроить невероятный бардак?

— Да? Я не знала...

— Одной женщине не под силу.

— Не знаю...

— Имя Вадима Рутыча вам знакомо?

— Естественно. Но в связи с чем?.. Боже!.. Она же выкрикивала не только проклятия в его адрес, перемешанные с угрозами убить, разорвать, растерзать его... она площадной бранью полоскала и мое имя. А я не могла понять, откуда ей может быть известно, что мы с Леней встречаемся?.. Ну конечно! Рутыч! Он же — шпион поганый! Сыщик! У них и контора такая — он еще хвастался... Я же помню... Любого, говорит, отмажем, хоть тебе «крутого» бизнесмена, хоть бандита!.. И хвастался своими связями и способностями... Какой кошмар, господи...

— Лилия Игоревна, эти ваши показания мне обязательно понадобятся. Если позволите, сделаем так. За вами пришлет машину генерал Грязнов, он зам начальника Департамента МВД, вы подъедете к нему и напишете ваши показания. Все то, что сейчас рассказали. Как можно подробнее, пожалуйста. Вас и отвезут обратно. А если надо повестку с вызовом, сами понимаете, вопросов нет, Слава, Вячеслав Иванович, мой большой друг. Он тоже работает по этому делу. Я вам очень благодарен.

— Рада, что могла помочь вам. Хотя, честно говоря, не верила, что найдут.

— Найти, милая моя, не сложно, сложнее доказать!.

— А можно вопрос напоследок?

— Сколько угодно, с радостью отвечу. Кстати, вот сейчас в вас что-то изменилось, и в лучшую сторону. Слушаю.

— Это правда, что перед вами ни одна женщина не устоит?

— Та-ак... — Пауза длилась долго. Потом Лиля услышала тяжкий вздох. — Да... Ну я лично вам обещаю, этому архаровцу достанется на орехи!

— Не надо, а? Он с таким восторгом живописал, что я чуть не поверила.

— И правильно сделали... «Чуть» значения не имеет. А вот мне ее жаль. Слушайте, а у Леонида каких-нибудь выбрыков не было? Так сказать, нетрадиционных? Если у вас нет желания отвечать, ради бога. Но мы же все версии отрабатываем, в том числе и гей-клубы, где он был замечен неоднократно. И, кстати, прямых ответов так ни от кого и не получили.

— Я отвечу: он был вполне нормальный мужчина. Характер сложный, не спорю, но это надо понимать...

— У меня своя точка зрения на этот счет. Но я ее никому не навязываю.

— Интересно.

— В самом деле? Я уверен, что любую стерву, ведьму можно с помощью любви — только настоящей, искренней — превратить в богиню добра. Но у нас, у мужчин, для этого никогда не хватает уверенности, а чаще всего почему-то желания. Вот и получаем то, что заслужили. Еще раз спасибо.

— Ишь хитрый какой! Спасибо! А вы сами, часом, не того? Не втюрились?

— Нет, Лиля, она — не мой тип. А вот моя супруга — точно мой тип, но я с ней всю жизнь ссорюсь почему-то. Или любить уже разучились? Живем на бегу, любим на бегу, помираем, к слову, тоже на бегу... И что я сказал не то? Почему вы молчите?

— А я, знаете ли, согласна с вами. И хочу добавить. Можно?

— А то!

— Хм, вы смешно сказали... Мы еще, Саша, даже и горюем, и скорбим на бегу, вот оно как получается... Может, подскажете, как остановиться?

— Вы мне определенно нравитесь, Лилия Игоревна. Примите дружеский совет: позвоните Володьке Поремскому. Уверен, вам станет гораздо легче.

— А что? — задорно спросила она. — Я могу сказать ему, что это — ваш совет?

— А то!.. — усмехнулся он.

## 3

Операции в Москве и Нижнем Новгороде начались практически одновременно.

Группа Грязнова, разбившись на две бригады, одной из которых руководил Вячеслав, а другой Климов, отправилась по объектам. Постановления на проведение обысков были подписаны тем же Меркуловым.

На Оленьем Валу в Сокольниках, как прекрасно знал Вячеслав Иванович, всегда находился стадион «Спартак». А многочисленные помещения под трибунами и в соседних со стадионом строениях уже с первых дней перестройки руководство этого закрытого акционерного общества мгновенно превратило в источник довольно приличного дохода. Помещения сдавали под офисы любому, у кого был пухлый бумажник. И кого там только не перебывало! Новоявленные нефтяные миллионеры комсомольского разлива, степенные представители бизнеса областного значения, определявшие в столице свои будущие интересы, непонятные организации, снимавшие площади под хранение своей продукции. Помещений было много, и контроль за ними фактически не осуществлялся, да если бы он и был, то небедные владельцы легко нашли бы общие точки соприкосновения с правоохранительными органами. Время шло, идеи не менялись, помещения получали новых хозяев, якобы имевших какое-то отношение к спорту и акционерной компании. Солидные бизнесмены устраивались более основательно, и уже не на окраине парка «Сокольники», а «калифы на час» — те просто исчезали, растворялись в общей массе других жуликов, спешивших урвать свой кусок от неохраняемых ценностей собственной же страны. Кто-то и остался, поскольку место было тихое, неприметное, а под сенью спартаковских знамен жилось легко, плати только деньги. «Гармония» здесь, судя по всему, прижилась. И помещение приличное, и охрану осуществляла не какая-нибудь частная лавочка, а солидное охранное предприятие, встретившее приезд бригады генерала Грязнова так, будто он сдуру заехал на телеге в чужой огород. И вид был соответствующий, неприступный, и «базар» через губу. Ребятки наверняка крепко надеялись на «крышу» местного ОВД.

Но с Вячеславом Ивановичем шутки были, как известно, плохи. Через полчаса силами прибывшего отделения ОМОНа «чоповцы» были уложены рядком, носами вниз, а генерал вступил-таки, как и обещал старшему охраны, в пределы «чужого огорода». И первые же найденные «овощи» его обрадовали.

Пока «старший», по приказу генерала, вызванивал собственного директора ЧОПа, Вячеслав Иванович не терял времени и принялся изучать чужие владения.

Разнообразный гардероб, солидная картотека с бланками самых различных документов — от элементарных командировочных удостоверений на бланках различных министерств и ведомств, по алфавиту, до незаполненных корочек служебных удостоверений, с наборами печатей местного и республиканского значения, — все находилось в строгом порядке. В специальном сейфе, вмурованном в стену и замаскированном под электрическое бра, хранилось оружие — четыре пистолета Макарова с хорошим запасом патронов. Там же были обнаружены печати и пачки бланков органов милиции и прокуратуры. Да, это уже уровень! Хорошо подготовлены были кадры «Гармонии» для организации алиби своим клиентам, ничего не скажешь.

Отдельный интерес представили для Грязнова две обнаруженные на вешалках милицейских формы — большого и среднего размера. Комбинезоны, куртки с офицерскими погонами, берцы, шапки, фуражки — словом, полное обмундирование на случай, разумеется, острой нужды, и необходимый антураж — полосатые и светящиеся жезлы, дорожные знаки — «кирпич», «объезд», «стоянка запрещена», рации и так далее, то есть те, которыми наиболее часто пользуется фальшивая «гаишная братия» для проверки документов и прочих незаконных операций. Кое-кому все это будет очень интересно.

И, наконец, была найдена самая важная улика. В одном из двух больших картонных ящиков от телевизоров «Самсунг» хранились процессор, лазерный монитор, сканер, факс, клавиатура — короче, все составляющие персонального компьютерного оборудования. А в другом — сваленные в кучу документы, записные книжки, коробки с дискетами — до упора, что называется.

Вячеславу не надо было объяснять, что это и откуда здесь появилось. Примерно на эту удачу он и рассчитывал. А чтобы убедиться в своей правоте, немедленно отыскал записанный на всякий случай телефон Марины Эдуардовны — рабочий и домашний — и три минуты спустя мог позволить себе некоторую вольность в разговоре с приятной женщиной.

— Мариночка, все мои мысли, как оказалось, исключительно о вас. Поскольку рядом со мной нет вашего босяка, я имею все основания заявить вам, что вы произвели на меня незабываемое впечатление и можете еще раз, без всяких угрызений совести, порадовать сердце... хм, пожилого генерала!

— Батюшки мои, какие у нас нынче церемонии! — засмеялась Марина. — И как скоро один моложавый генерал желает видеть свою искреннюю поклонницу?

— О-о-о! — застонал Грязнов. — Как это меняет дело! Мариночка, моя нужда заключается в том, что имеются все основания заявить об обнаружении похищенных архивов и компьютера господина Морозова. И чтобы не ломать себе голову, я хотел бы попросить вас подъехать сюда и посмотреть, то ли это. Мы практически неподалеку. Это Олений Вал, у парка «Сокольники». Если у вас нет ничего под рукой, я немедленно пришлю за вами машину. Как?

— Для вас, мой генерал, как выражается ваш друг Саня, у меня нет слова «нет».

— Все правильно, — авторитетно подтвердил Грязнов, — никогда не говори «никогда». Кое-кому это станет достойным уроком. Считайте, что машина уже вышла. Черный джип с мигалкой. По-моему, однажды мы уже ездили. Или я ошибаюсь. Но если ошибаюсь, то мне очень обидно. Зато тайну вашего посещения, если вы пожелаете, я могу и не разглашать.

— Напротив, этому «кое-кому» оно обязательно пойдет на пользу...

Грязнов распорядился, и один из оперативников побежал на улицу сказать водителю, куда и за кем ехать.

А тем временем начали описывать и составлять акты изъятия наиболее важных вещественных доказательств противозаконных действий агентства. Затем их запаковывали в пустые картонные ящики, которые, в сложенном виде, лежали в углу, и грузили их в два микроавтобуса для отправки на Петровку, 38. Оружие — отдельно, оно пойдет к экспертам-баллистикам, на предмет идентификации двух пуль, обнаруженных в корпусе машины Морозова и в его голове.

Затем Вячеслав позвонил Меркулову и рассказал о находках и сопротивлении охраны. Для начала Костя подписал постановления о задержании руководителей частного агентства «Гармония» госпожи Арининой и господина Рутыча. А по поводу директора ЧОПа, которого Грязнов ожидал с минуты на минуту, Костя сказал, чтобы Слава немедленно соединил его с ним — для короткого разговора.

Но директор, внешне — типичный чиновник-бюрократ из какого-нибудь «Фитиля», уже понял, что совершена крупная промашка, и с ходу принес извинения за неправомерные действия своих подчиненных, объясняя их жесткое поведение особыми требованиями арендаторов — не допускать в помещение никого постороннего без специального согласования с руководством агентства. Так что, как говорится, и рад бы, да... И снова — глубочайшие извинения. И при этом — довольно-таки тяжелые взгляды в сторону старшего смены. Видать, бюрократ он хоть и порядочный, но своих хорошо умеет держать в железной узде.

Итак, конфликт исчерпался окончательно, когда курьер из Генеральной прокуратуры привез Грязнову постановления о задержании Арининой и Рутыча. Это уже не голословное, а вполне реальное указание, и не какой-нибудь «пешки», а самого заместителя генерального прокурора, для директора ЧОПа стало последней точкой. Всю охрану словно волной смыло.

А затем приехала Марина. Вячеслав Иванович сиял. Только что кофе не предлагал по той причине, что здесь ничего не было для его приготовления.

Женщине, разумеется, приятно чувствовать почтение к себе со стороны целой команды довольно-таки грубых мужчин, исполняющих не самую приятную работу. И она, приветливо всем улыбаясь, с интересом приступила к исследованию материалов, найденных в ящиках. Ну касательно компьютера она, конечно, ничего определенного сказать не могла, для этого его надо было подключить, открыть и посмотреть, что в нем заложено. А во втором ящике, плотно набитом сваленными в кучу бумагами и коробками с дискетами, уже по первой взятой страничке она определила, что это, по всей видимости, и есть те самые пропавшие материалы Леонида. А потом вытащила одну его записную книжку, другую, пухлый блокнот с записями. Посмотрела и грустно кивнула, — разумеется, это его рука, уж кому и знать-то...

— Мариночка, — попытался снять напряжение Грязнов, — я полагаю, что после изучения все эти материалы могут быть переданы вам. В смысле вашей программе, или как это у вас называется. Возможно, если у вас появится свободная минутка, мы еще раз обратимся к вам за помощью. Кому ж, как не вам, знать, какие опасности могли грозить вашему коллеге... Хотя я не думаю, что это теперь потребуется. Из всех рабочих версий подготовка и участие в покушении агентства «Гармония» в настоящий момент является наиболее вероятной. Но последнее слово еще не сказано. Саня — в Нижнем Новгороде, и я жду, когда им будет там поставлена точка...

— Я вам больше не нужна? — с очаровательной грустью спросила Марина.

— Увы, — вздохнул Грязнов. — Вас довезут, куда скажете. И примите мою глубочайшую благодарность. К сожалению, не могу в настоящий момент составить сам компанию в каком-нибудь ближайшем кафе — у нас с Саней здесь, с этими Сокольниками, столько всяких веселых и грустных историй связано! Если б вы только знали! Как говорится, не на один роман, да... К сожалению, вынужден вас оставить и ехать арестовывать директрису этого агентства.

И Грязнов почтительно склонился над ручкой Марины Эдуардовны, запечатлев на кончиках ее пальцев сладчайший поцелуй. Как это ловко делал Саня, Вячеслав, конечно, видел, и не раз, но никогда не сознался бы в своем эпигонстве...

Подсобное помещение агентства в Сокольниках и центральный офис в Большом Ржевском переулке были, к наигранному удивлению его немногочисленных сотрудников, закрыты и опечатаны. А у сотрудников отобраны подписки о невыезде.

Грязнов и сам не верил такой удаче. И он тут же связался с Нижним Новгородом, чтобы сообщить Сане о своих находках, но тот выслушал Славу действительно на бегу и сказал, что перезвонит чуть позже, потому что, кажется, назревают неприятности. Какие, он объяснять не стал, некогда.

В это же время Климов с двумя оперативниками прибыл в Мытищи. Отыскать стрелковый динамовский клуб, имея точный адрес, было несложно.

Народу в такое раннее время еще не было, зато присутствовал заместитель директора клуба по теоретической части Николай Иосифович Барыгин — солидный, ближе, скорее, к пожилому возрасту, мужчина. Климов объяснил цель приезда.

Барыгин, по его словам, не имел никакого отношения к агентству «Гармония». В его обязанности входило проведение занятий с новичками, ознакомление их с материальной частью оружия, иногда, по особому соглашению, проведение тренировок. Климов наблюдал за рассказчиком, тот, видно было, нисколько не волновался и вообще выглядел степенно, солидно, одним словом. О себе Николай Иосифович рассказал, что служил в Афгане, был ранен, списан по ранению, но, обладая нечасто встречающейся военной профессией — снайпера, без труда нашел себе работу в этом клубе. И не жалуется на клиентуру. «Динамо» — этим все и сказано, контингент известный. Работает с милицией, ставит руку молодым, учит их уважать оружие — как без этого? И ребята попадаются ничего, нормальные. Даже девушки, их теперь немало в отделах милиции, тем тоже в охотку «пострелять», правда, чистить оружие не любят. Климов среди нескольких фотографий, захваченных в прокуратуре, предъявил Барыгину и два важных фото: Зои Воробьевой и — взятое из учетного листка кадров — Вадима Рутыча. Ненужные самому Климову снимки Барыгин немедленно отодвинул в сторону, а на Рутыче с Воробьевой остановился.

— Этих знаю. Симпатичная девочка, охотно училась.

— Давно? — насторожился Климов.

— Да ведь как сказать? Уж под осень, поди... Да, желтый лист уже был, мы с ней на ее машине, или, может, вот этого ее кавалера, он из охранного агентства, сотрудницу натаскивал, вон туда, в лес, ездили. Способная девочка. Да уж, по правде, и не девочка, это я соотносительно себя... — важно поправился Николай. — А этот, он тоже стрелял, твердая рука, грамотный. Ну мое-то дело какое? Разрешение есть? А вопросов и нет, коли оно имеется. Ну а уж про то, как он ее натаскивал... э-хе-хе! — ощерился своим воспоминаниям Барыгин, — про то не знаю. Не скажу. Но, видать, здорово это у него получалось, потому как она ему только что в рот не глядела, так слушалась! Я еще, помню, пожалел: что ж ты, думаю, девка, покраше парня не нашла? Да ведь опять же как? Любовь, говорят, зла, полюбишь и козла... На фоте-то он еще приличный, а так, вблизи... Эх, каждому свое...

Климов составил акт опознания, нашел понятых, и те подписали. Потом в протокол допроса свидетеля внес все относительно учебы Зои Воробьевой и Вадима Рутыча, а также их, разумеется фальшивых, документов, что, кстати, очень расстроило Барыгина. Тот все переживал и бил себя ладонью по коленке:

— Надо ж, обманули, черти, а ведь как настоящие! У меня ж глаз — снайперский! Вот черти! — Страшнее ругательств он, видимо, не знал, надо же, а такой боевой дядька! Бывает, значит, как заключил свой рассказ он сам...

После обнаружения этих улик и свидетельств подготовки преступления задержание Вадима Григорьевича Рутыча и Зои Сергеевны Воробьевой стало делом техники. Так казалось...

## 4

Рутыча аккуратно «довели» до самого подъезда дома, в котором проживали Воробьевы. На вокзале, у пустой стоянки такси, приезжий ожидать в длинной очереди желающих не стал и, будучи все-таки человеком местным, отправился к стоянке автобуса. В салон вместе с ним вошел оперативник.

На Горького он вышел, и там его «принял» другой опер, который «передал» его третьему на углу Рабочей улицы. А уже во дворе старого, начала девятисотых годов, еще богатые купцы, как говорится, на века строили, семиэтажного дома его как бы «перехватила» молодая пухленькая мамаша. Закутанная в пуховый платок, с ребенком в детской коляске, она сидела на лавочке напротив подъезда и возила ребенка вперед-назад, что-то напевая и поклевывая носом, словно тоже, как и Вадим, от бессонной ночи.

Рутыч посмотрел на нее, удивился, какая молодая, и подумал, что на смену его поколению уже притопало следующее, а там уже и жизни край недалеко — грустные мысли. Но еще большая грусть наверняка ожидала его в квартире на седьмом этаже, это он уже, что называется, нутром чуял. Нет, что-то пошло сразу не так...

Он действительно не спал в вагоне всю ночь, думал, думал, скрипел зубами, выходил в тамбур и курил до полного уже головокружения, но ясности в мыслях не наступало. Да, что-то с самого начала было сделано неправильно, и вот, как будто шаг за шагом, приближается жестокая расплата. Какая она будет, Вадим даже не догадывался, но жуткая тоска давила голову, словно пригибая ее к земле.

А тут — уже новая жизнь... Вадим многих знал в этом дворе — десять долгих, беeконечных лет они собирались тут, у подъезда Зойки, — веселая, дружная «компашка». Они были уверены в том, что у каждого из них — замечательное будущее, и потому дружили, влюбляясь в своих девчонок, мечтая поскорее вырасти, взять у жизни положенное им и приехать сюда, собраться победителями, на которых с гордостью взирали бы их повзрослевшие, в расцвете своей красоты, любимые женщины, и завидовали бы все знакомые, в большинстве своем — провинциальные, скучные, серые неудачники... Да, тогда у них было прекрасное будущее...

Но как скоро наступило разочарование!.. Любовь оказалась вовсе не взаимной, страсть, на которой она недолго держалась, исчерпала себя. Бывшие друзья оказались под тяжким бременем собственных забот. А тут еще и семейная трагедия, когда фактически никто из тех, на кого так надеялся, не высказал сочувствия... Нет, слова-то говорились, да толку в них... Армия закалила, заставила научиться самостоятельно, без надежды на помощь и поддержку, решать личные проблемы доступными способами. И что же в результате получилось? А то, что вырос и стал матереть как одинокий волк, который прекрасно знает, где находится добыча и как ее надо взять, чтоб ограничиться наименьшими издержками.

Это такая наука: стоит только начать, как затягивает уже, иной раз помимо воли. Что ж, в этом, конечно, есть свои минусы, но и плюсы — несомненны: А плюсы дают теперь ему законное право брать без сомнений то, что ему принадлежит. По тому же самому праву — уж эту науку он постигал с особым удовольствием. Недаром же говорят, что Закон — что дышло... Главное, в чьих он руках, чтобы вовремя завернуть это самое дышло в нужную сторону...

Зачем он очертя голову примчался сюда? Задавая себе этот вопрос еще в поезде, Вадим путался в собственных ответах. Чтобы доказать? Но что? Кому, Зое? Ее ненормальным, помешанным на собственном уничижении старикам? Но он твердо знал лишь одно: в этой ситуации, в которой он, словно околдованный сумасшедшей страстью Зои, проявил на миг слабость и оказался немедленно повязанным по рукам и ногам, неожиданный бунт должен быть немедленно подавлен! О любви тут не было речи, зато разгорелась настоящая, отчаянная страсть, распаленная осознанием того, что это — не твоя женщина, но она предпочла именно тебя твоему более чем удачливому сопернику. Ну а то, что якобы Ленька попытался избавиться от Зои, — это туфта, такими женщинами не бросаются. Те, что понимают в них толк, а кто не понимает, того и учить поздно.

Короче говоря, свой приезд Вадим еще в утреннем вагоне определил для себя просто: показать, кто хозяин этой роскошной, жарко стонущей плоти, черт побери!

Да... Он еще раз взглянул на новое, такое симпатичное поколение и, вздохнув, вошел в подъезд.

А молодая мамаша наклонилась над коляской и что-то пробубнила, покачивая головой, своему неугомонному сынишке.

— Давайте поближе, — сказал водителю Турецкий, сидя в салоне продуктовой «Газели». — Но чтоб не светиться при обзоре из окон. Брать будем, я думаю, на выходе. Группе захвата приготовиться. А пока послушаем, о чем пойдет речь...

В квартире Воробьевых замяукал «мобильник». Послышался голос Зои:

— Черт возьми, ему что, больше дела нет, как названивать сюда? Мама, подай мне трубку, да вон, на столе! Ну скорее!.. Алло, это опять ты? Сколько можно?!

— Это Зоя Сергеевна? — послышался торопливый и приглушенный женский голос.

— Я, — резко ответила Зоя, — а кто это?

— Будьте вы все прокляты с вашими фокусами! — уже не скрываясь, закричала женщина. — Аринина говорит! Этот мудак, Вадька, не у вас, случаем?

— Я вас не понимаю, — медленно ответила Зоя, — какая еще Аринина?..

— Доча! Ну ты совсем свихнулась, что ли? — крикнула Елена Федоровна. — Это же то агентство, откуда Вадим!..

— А-а, ну да... А что вам нужно? — спросила Зоя.

— Я про Вадьку спрашиваю! Ты слышишь или оглохла?!

— Чего вы орете? Он недавно приехал и скоро, с минуты на минуту, подойдет сюда, звонил уже, а что? Вы с ним трахаетесь, поэтому мудаком зовете?

— Доча! — возмутилась мать.

— Заткнись!.. И это он залез на старуху? Да никогда не поверю! Врешь ты все, сука!

— Господи, дура-а! Кретинка!.. Скажи ему, что мы арестованы! Обыски, изъятия. За мной уже едут, позвонила секретарша, последний верный человек... Пусть исчезает к едреной матери! А вы все засуньте свои языки в жопы! Я вас не знаю, и вы — меня! Слышите? За вами тоже придут. Будьте вы прокляты с вашими заказами!..

Возникла пауза.

— Ма, ты слышишь? В Москве, оказывается, аресты!.. Это директриса... Она сказала, что за ней едут, а все агентство опечатали... Так что же, Вадька спрятаться, что ли, ко мне сюда примчался?! Ма, папа! Гоните его к...

Зазвонил дверной замок.

— Не пускайте! — завопила Зоя.

— Кто? — спросила Елена Федоровна.

— Я, Рутыч, Елена Федоровна, здравствуйте, — ответил спокойный голос Вадима.

«Отличный микрофон поставили», — подумал Турецкий, открывая дверь «Газели» и выбираясь на скрипучий снег.

— Передайте, — сказал он в салон, — чтоб начинали. Я пошел.

К подъезду из стоящей за углом дома другой такой же «Газели» немедленно потянулась цепочка омоновцев в боевой «оснастке», с короткими автоматами. Проходя навстречу им мимо Гали, поднявшейся с лавки, Турецкий сказал:

— Сиди, пожалуйста, без тебя обойдется...

Галя попыталась возразить, но Александр Борисович жестом показал ей на машину.

— Не простудись, иди-ка туда, — а сам шагнул в подъезд, и за ним — омоновцы.

Дом, как уже сказано, был старинный, и возводился он тогда, когда такое понятие, как лифт, было непонятным. Зато сама лестница выглядела, наверное, ничуть не хуже, чем где-нибудь в санкт-петербургском дворце екатерининских времен. При советской власти лифт, конечно построили, но он занял лишь малую часть квадратного провала с седьмого по первый этаж, образованный шикарными пролетами широкой, сохранившей еще мраморные ступени лестницы с чугунной, фигурной балюстрадой и отполированными временем деревянными перилами.

Услышав в гулком пространстве невнятный разговор на самом верхнем этаже, Турецкий пошел по лестнице, предоставив возможность вызвать кабину лифта троим омоновцам. Пока лифт спускался, разговор наверху странным образом оборвался, но дверь так и не хлопнула. А вот через перила свесил голову Вадим Рутыч. Турецкий сразу узнал его и поднял голову, остановившись.

Цепочка омоновцев быстро потекла по лестнице вверх.

— Вадим Григорьевич Рутыч, — громко крикнул Турецкий, останавливаясь так, чтобы видеть того пятью этажами выше, — предлагаю вам не оказывать сопротивления и, если у вас имеется при себе оружие, отбросить его в сторону. У меня в руках постановление о вашем задержании, подписанное заместителем генерального прокурора. Все ваши права и обязанности будут немедленно до вас доведены. Не усугубляйте своей вины.

— А за мной нет вины! — выкрикнул нервным голосом Рутыч. — Пусть ваши остановятся, иначе я за себя не отвечаю!

— Всем стоять! — спокойно приказал Турецкий, и движение по лестнице остановилось. Кабина лифта застыла в пролете между первым и вторым этажами. — Вы хотите сделать заявление? Я вас слушаю, гражданин Рутыч. Вы юрист и прекрасно знаете свои права.

— На каком основании вы меня собираетесь задержать? — снова закричал Вадим.

— Не кричите, я вас прекрасно слышу. На том основании, что вы, равно как и ваша начальница, генеральный директор агентства «Гармония» гражданка Аринина, принимали непосредственное участие в организации и совершении тяжкого уголовного преступления, убийства тележурналиста Леонида Морозова.

— Какие у вас доказательства этой чуши?

— У вас на фирме изъяты важные документы, которые вы вчера так и не сумели уничтожить, указывающие на то, что агентством был заключен договор с Воробьевыми на физическое устранение господина Морозова. Вещественное подтверждение нами было обнаружено при обыске служебных помещений в Сокольниках и в стрелковом клубе в Мытищах, где были опознаны вы и гражданка Зоя Сергеевна Воробьева. Кроме того, подтверждение ваших совместных преступных действий были нами получены в ходе наблюдения за вами и санкционированного прослушивания всех ваших телефонных переговоров. Найдены также украденные вами и вынесенные из квартиры Морозова компьютер и личные бумаги, а также милицейская форма, которая была надета на вас и вашей сообщнице, и оружие. Оно в настоящий момент находится на экспертизе с целью его идентификации с пулями, извлеченными из тела покойного и салона его автомобиля. На первый раз, надеюсь, вам достаточно? Адвоката можете привлечь по своему желанию. То же самое сейчас будет предложено гражданам Воробьевым. Ваш ответ!

— Мой ответ?.. Да, я, пожалуй, теперь отвечу...

...Так вот почему у него так томительно было на душе!.. И еще эта бесконечная, бессонная ночь... эта головная боль... Все плывет и кружится в глазах... Почему? А разве есть выход? Кто мечтал явиться героем? Победителем? Сюда, на эту площадку... И встреча с цветами, и глаза ее... чьи? Лилины, или это уже Зоя?.. Какая Зоя, та, что сейчас истошно орала из-за двери: не пускайте его?! Кого не пускать? Его?! Ничего больше нет... И голова... проклятая башка, да что ж ты такая тяжелая?! Куда ты меня тянешь?! Зачем?!

Турецкий видел, как Рутыч, который, разговаривая с ним, как-то бессильно склонился над перилами, почти уже перевесился, глядя вниз, и вдруг качнулся и... стремительно, молча, полетел вниз.

И громкий, почти гулкий, хряск!

Старинные еще плиты, каменные, истертые поколениями жильцов, с вмятинами по краям и в середине... И распластанное на них большое, напоминающее косой крест тело... И темная лужа...

— Продолжайте, я сейчас, — сказал Турецкий омоновцам и пошел вниз, чтобы распорядиться по поводу трупа.

Он представил себе, как будет зачитывать через несколько минут постановление о задержании семье Воробьевых, увидел их глаза, и сразу их заслонил косой крест на каменном полу.

Александр Борисович вышел на улицу, набрал полную грудь ледяного воздуха, будто вырвался из затхлой атмосферы, и махнул рукой Гале. Та подбежала, спросила тревожно:

— Что?

— Скажи, чтоб труп убрали. Нам только истерик не хватает.

— Труп?! — Галя округлила глаза.

— Ну да... Сиганул-таки... Ах ты, зараза какая! — почти простонал Турецкий. — А с другой стороны, Галочка... сказать правду?

— Что?! — теперь уже по-настоящему испугалась она.

Турецкий наклонился к ее ушку и почти неслышно прошептал:

— Этот сукин сын спас их... Думай теперь, что такое жизнь... Эх! — Он резко махнул рукой, как отрубил что-то очень важное, и пошел обратно, в подъезд...

Поднимаясь в первый пролет, он поднял голову и увидел на самом верху, перед открытой дверью, Елену Федоровну, которая, прижав ладони к щекам, с ужасом смотрела на распростертое внизу тело.

Мелькнула мысль: «Тот ли это теперь ужас?.. Да уж, теперь, пожалуй, могут и свечки ставить...»

Понимая, что после такого удара по расследованию выбирать для них мерой пресечения содержание под стражей нет суровой необходимости, Александр Борисович избрал другую — подписку о невыезде, а по существу, домашний арест. При этом сухим, ледяным тоном популярно объяснил, что за любым нарушением немедленно последует арест и содержание в следственном изоляторе. По его мнению, этого было вполне достаточно. Ну и пусть теперь сидят и придумывают, как все свои смертные грехи переложить на плечи покойника. Им это будет куда большим наказанием.

Позже он, уже из гостиницы, разговаривал с Грязновым. И самое любопытное было в том, что Славка, ненавидевший все подобные «психологические» игры, «понял» Рутыча.

— Знаешь, зачем он это сделал? Ведь мог же и не кинуться, да?

— Наверное, мог... Конечно, знаю. Это была самая первая мысль... Черт возьми, Славка, я уже ни хрена не понимаю в этом их проклятом семейном лабиринте! Любят, ненавидят, убивают, спасают ценой собственной жизни...

— Это и есть жизнь, Сан Борисыч. — Галя, сидевшая напротив в кресле с поджатыми ногами, вздохнула. — Сами себя в лабиринт и загнали... В смертельный... Никто ж их не заставлял. Надо же...

— Вот... И Галка учит... Жизнь, говорит...

— Она умная, — подтвердил Грязнов. — Но что мне теперь со всеми этими вещдоками делать? Солить их? Квасить? Ведь и ежу понятно, что стрелял Рутыч. То есть я не исключаю, что первый выстрел, по касательной, могла произвести и эта дура. Но добил — парень. Он в армии служил. И мужик на базе, бывший снайпер-афганец, говорил, что рука у парня твердая. Со знанием дела говорил. И организовал — тоже Рутыч. Причина? Разрыв с одной дамочкой и страстная любовь с другой, обиженной Морозовым. Ты поглядывай, а то еще состояние аффекта адвокаты придумают! Эти могут!

— Нет, ну тут уж хренушки! Воробушки свое получат. Заказ был ими сделан! Девке дадут чего-нибудь там, старикам — самый мизер, да еще и условно попросят.

— Мы не будем возражать? — было прекрасно слышно, как ухмыльнулся Грязнов.

— Мы ж не живодеры... Вот ведь странное дело, Славка, был сукин сын, каких мало! А у меня он что-то вызывает... и сам не пойму... Ладно, не в Москву же их тащить. Накладно получается. Присылай все материалы с нашим гусаром, и завтра начнем колоть...

## 5

В Москве оказался Питер Реддвей, старый приятель Саши. Старина Пит по-прежнему руководил секретной международной школой по подготовке специалистов по борьбе с терроризмом. Алекс, то есть Турецкий, в течение двух лет был его правой рукой.

В Нижний Новгород позвонила Ирина Генриховна, дражайшая супруга Саши, и передала ему просьбу Питера о встрече. Мол, есть у доброго толстяка нечто такое, что должно обязательно заинтересовать семейство Турецких. Не в Германию же лететь по такому редкому случаю, когда помощь со стороны приходит сама?

Александр ничего не понял, но денек перерыва позволил себе сделать. Да и просто голову освежить не мешало.

Дома, по случаю прибытия главного «кормильца», готовился праздничный обед. Старине Питу, даже при его четырехсотфунтовом весе, что по нормальному счету зашкаливало возле ста шестидесяти килограммов, озверелая морозами Москва была не по нутру, старого разведчика-контрразведчика, прожженного цэрэушника тянуло в тепло. Лучше семейное. Дом Турецких, если так называть скромную квартиру на Фрунзенской набережной, его вполне устраивал.

И когда посвежевший от мороза, краснощекий Саша вступил на порог, его чуть не оглушил доносящийся из кухни громыхающий бас Реддвея. Он там что-то сочинял на кулинарную тему и делился своими откровениями с Ириной, которая, разумеется, в отсутствие супруга млела от счастья! Черт побери, черт побери...

Саша понял, как соскучился. По Иркиным глазам, по смеху Нинки, ставшей в его краткое отсутствие еще старше и солиднее. И как это у таких соплюх получается? Пятнадцать лет, а гонору — на все... На что? На какие годы? Как хорошо, что она еще маленькая, хоть и взрослая. И у нее еще есть время не стать прожженной стервой Зоей Воробьевой... Вспомнил вот, и стало грустно...

А предложений у Пита, оказалось, не одно, а целых два, как торжественно сообщил он, профессионально разделываясь с немалым куском запеченной бараньей ноги.

Первое — это официальное приглашение в Гармиш-Партенкирхен, в школу под «ласковым» названием «Пятый уровень» — «Файв левел», которой со дня ее основания стукнул ровно червонец! То есть с момента пребывания там Александра Борисовича. Будет большая программа, не исключено появление не первых, нет, но вторых лиц государств — основателей школы, что вполне реально. Пит, собственно, здесь для ведения переговоров на высоком уровне.

Попутно Питер предлагал уже там, на месте, обсудить возможность еще одного срока работы Турецкого в школе в качестве преподавателя. Это было бы большой удачей. И несомненно, очень понравилось бы его дочери Ниночке, которая всегда, как она утверждает, разумеется, рада близкому присутствию своего отца.

— Что-что-что? — напряг мозги Турецкий, заметив попутно, как забеспокоилась дочь, как отодвинулась от стола и стала что-то поправлять на нем Ирина, и, наконец, как Питер с изумленным лицом искренне не понимал, что это так неожиданно удивило друга Алекса?

— Понимаешь, Шурик?... — начала Ирина и словно сбилась с мысли.

— Пап, ну, ей-богу, ну что ты как неродной? Неужели непонятно, что если ты будешь не где-то, а почти рядом, какой-то час на машине, то я буду гораздо лучше учиться? И маме легче сновать между нами, правда?

— Пит, хоть ты можешь мне объяснить, о чем речь?

— Разумеется, Алекс! Мы тут обсудили...

— Кто — мы?

— Ну я, твоя Ирина, твоя дочь, твой друг Костя... И пришли к мнению, что ситуация в стране сейчас гораздо лучше, чем в те дни, когда мы с тобой познакомились, да. Но пока она станет совсем правильной, пока суд рассмотрит дело, так?

— Ты хочешь сказать: пока суд да дело?

— Именно! Почему бы девочке с ее выдающимися способностями к языкам?..

— К языкам?! — поразился Турецкий, услышав такое о Нине впервые со дня ее рождения.

— Именно, Алекс! У меня в Гармише, но можно и в Висбадене, и во Франкфурте, на плохой конец, в Мюнхене! Превосходный международный лицей! И это будет сделано с восторгом! Нет, я понимаю, если у тебя имеются важные возражения против этой страны, есть и Англия. Где в Кембридже у моего друга Стивена Карра имеется такой же свой лицей! И старина Стив, мой коллега в прошлом, он теперь этим балуется, детективом, книжки пишет, выполнит мою просьбу непременно! Это будет еще оригинальнее, когда мы соберемся втроем — Алекс, Пит и Стив — три ковбоя!

— Ну па-ап... — заныла Нинка.

— Шурик, разве дать нашей дочери приличное образование на высшем международном уровне не входило в твои планы? Ты ведь мне все уши прожужжал, не так ли?..

Вот это уже была настоящая, профессионально слепленная провокация, против которой... А почему, собственно, он должен быть против? И смотрят, черти, умоляюще...

— Ну, если вы считаете, что... то... как бы... мое мнение? А кто его спрашивает? Ах вы, девчонки мои любимые! Да когда ж я был против того, чтобы вам стало хорошо? Валяйте!

— Ура!! — завопила Нинка. — Значит, можно арбуз!

— Слушайте, при чем тут арбуз?

— А дядя Пит сказал, если папа согласится, выдам арбуз!

— Значит, вы за взятку работаете? Как же вам не стыдно? Ай-я-яй, девчонки! Стыд-то какой! И что будет рассказывать Пит? Что в семье Турецкого готовы родине изменить за скибку арбуза? Да ко ж со мной после этого разговаривать будет?

— Ну это, наверное, слишком, — заметил Реддвей, поднимаясь, — но прошу иметь в виду, что арбуз хороший. Когда мы с ним летели сюда, нас стюардесса, очень приятная женщина, немного путала.

Он вышел в коридор и вернулся с огромной сумкой. Раскрыл и достал оттуда воистину чудовищный арбуз, килограммов, наверное, на тридцать, не меньше, прикинул Турецкий. Да их просто и не бывает таких, решил он, определенно обман. И тем более в разгар морозов! Посреди зимы! Да где ж такие страны-то еще есть?..

Но Питер торжественно взял в руки самый большой нож, который имелся в доме, — его ему специально приготовила Ирина — отошел в сторону, оглядел арбуз, положенный на большущий поднос, какие в прошлые времена были в ходу в учреждениях общепита, а потом, взмахнув ножом, легко вошел в зеленое, полосатое тело. Всего и дела-то — короткий удар ножом, правда умелый, — и арбуз с характерным хрястнувшим звуком развалился на две большие половинки — ярко-алый, красный, вишневый, черт-те какой!

А у Турецкого от этого резкого звука и, главным образом, наверное, полыхнувшего в глаза яркого цвета вдруг что-то помутилось в голове. Словно тошнота окутала...

Он, сдерживая себя, поднялся, процедил сквозь стиснутые зубы: «Я сейчас» — и медленно вышел в коридор, а потом прыжком ворвался в туалет. И его вывернуло буквально наизнанку...

Саша прополоскал рот в ванной, посмотрел на свое побледневшее лицо в зеркале и с печальной усмешкой подумал, что, кажется, действительно постарел. Сколько на его веку случалось трупов? И не считал. В порядке вещей. Анатомичка... морги... эксгумация... экспертизы... — хоть бы хны. Значит, подошел какой-то предел. И его так вот просто не объяснить. И никому нет дела до того, что борьба за правду тоже штука, откровенно пахнущая кровью.

— Я сейчас! — крикнул он, приоткрыв дверь. — Не ждите, я не хочу!

Да, именно с таким вот звуком расколотого арбуза и закончил свой путь некрасивый и злой человек, возможно единственный раз в жизни совершивший верный поступок...

— Ну, Шурик! Ну, мы ведь ждем! — закричала Ирина.

— Да я согласен! Согласен! Пусть будет Англия, раз вы так хотите!

Дружное «Ур-ра-а-а!» донеслось до Турецкого.

«Господи, хоть бы поскорей они слопали, что ли, этот проклятый арбуз!»...

# ОГЛАВЛЕНИЕ

Глава первая. ТРУП НА ОБОЧИНЕ .......... 5
Глава вторая. КОЛЛЕГИ И ВЕРСИИ .......... 48
Глава третья. НОВОЕ НАПРАВЛЕНИЕ .......... 105
Глава четвертая. ПЕРВЫЙ ПРОРЫВ .......... 168
Глава пятая. ВОЛЖСКИЕ СТРАДАНИЯ .......... 236
Глава шестая. ПОДВИЖКИ .......... 287
Глава седьмая. ВЫХОД ИЗ ЛАБИРИНТА .......... 345

**Незнанский, Ф.Е.**

Н44 Смертельный лабиринт : [роман] / Фридрих Незнанский. — М.: АСТ: Олимп, 2006. — 379, [5] с. — (Марш Турецкого).

ISBN 5-17-039947-2 (ООО «Издательство АСТ»)
ISBN 5-7390-1964-8 (ООО «Агентство «КРПА «Олимп»)

При странных обстоятельствах убит известный телевизионный журналист, чьи репортажи всегда носили скандальный характер. За острые, зубастые выступления он имел множество врагов. Московская городская прокуратура, расследуя дело, пытается найти исполнителей и заказчиков убийства, опираясь на материалы самого журналиста. Но следствие затягивается, и общественность недовольна. Дело, как обычно в таких случаях, забирает к себе Генеральная прокуратура. И помощник генпрокурора Александр Турецкий начинает искать преступников, поражаясь, как люди иногда сами себя загоняют в смертельно опасные ситуации.

УДК 821.161.1-312.4
ББК 84(2Рос=Рус)6-44

*Литературно-художественное издание*

Незнанский Фридрих Евсеевич

**СМЕРТЕЛЬНЫЙ ЛАБИРИНТ**

Редактор *В.Е. Вучетич*
Художественный редактор *О.Н. Адаскина*
Компьютерный дизайн: *Ю.М. Марданова*
Компьютерная верстка *О.В. Бочкова*
Корректор *Е.П. Новикова*

Общероссийский классификатор продукции
ОК-005-93, том 2; 953000 — книги, брошюры

Санитарно-эпидемиологическое заключение
№ 77.99.02.953.Д.003857.05.06 от 05.05.2006 г.

ООО «Издательство АСТ»
170002, Россия, г. Тверь, пр. Чайковского, д. 27/32
Наши электронные адреса:
WWW.AST.RU E-mail: astpub@aha.ru

ООО «Агентство «КРПА «Олимп»
115191, Москва, а/я 98
www.rus-olimp.ru
E-mail: olimpus@dol.ru

Отпечатано с готовых диапозитивов
в ООО «Типография ИПО профсоюзов «Профиздат»
144003, г. Электросталь, Московская областъ, ул. Тевосяна, д. 25